Ernst Ulrich von Weizsäcker
Amory B. Lovins und L. Hunter Lovins
Faktor vier

Ernst Ulrich von Weizsäcker
Amory B. Lovins und L. Hunter Lovins

Faktor vier

Doppelter Wohlstand –
halbierter Naturverbrauch

Der neue Bericht an den Club of Rome

Droemer Knaur

UMWELT STIFTUNG
Gefördert durch die
Deutsche Bundesstiftung Umwelt
49007 Osnabrück · Postfach 17 05

Die Autoren danken der Deutschen Bundesstiftung Umwelt
für ihre Unterstützung des Projekts.

Die Folie des Schutzumschlags sowie die Einschweißfolie
sind PE-Folien und biologisch abbaubar.
Dieses Buch wurde bewußt auf Recycling-Papier gedruckt.
Deshalb kann der Verlag Chlor- und Säurefreiheit nur bedingt zusichern.

9., korrigierte Auflage 1996

Umschlaggestaltung: Agentur ZERO, München
Umbruch: Franzis-Druck, München
Druck und Bindearbeiten: Franz Spiegel Buch GmbH, Ulm
Printed in Germany
ISBN 3-426-26877-9

10   9

Inhalt

Geleitwort

Faktor vier wird, so hofft der Club of Rome, zu einem neuen Schlagwort. Doppelter Wohlstand, halbierter Naturverbrauch – das steht im Zentrum dessen, was die *Erste globale Revolution* von uns fordert. Ohne eine weltweite Verdoppelung des Wohlstands sind die bedrohlichen politischen Spannungen und die auf andere Weise ebenso bedrohliche weltweite Armut nicht zu überwinden, von denen der Club of Rome in der *Ersten globalen Revolution*, in *Ist die Erde noch regierbar?* und in dem Bericht *Krieg den Hütten* gesprochen hat. Und ohne eine Halbierung des Naturverbrauchs können die ökologischen Gleichgewichte nicht wiederhergestellt und die Lebensgrundlagen nicht langfristig gesichert werden, was der berühmte Bericht *Grenzen des Wachstums* von 1972 ausgeführt hat.

Zwischen den Imperativen Verdoppelung des Wohlstands und Halbierung des Naturverbrauchs spannt sich die *Welt-Problematik* auf, die der Club of Rome als Hauptinhalt seines Wirkens auffaßt. So fügt es sich gut, daß der Club of Rome mit *Faktor vier* einen Bericht in der Hand hat, welcher den Ansatz einer Lösungsstrategie (»Resolutik«) enthält, wie sie der Club in der *Ersten globalen Revolution* einforderte.

Mit Amory und Hunter Lovins ist es gelungen, die weltweit führenden Energieeffizienz-Experten in das ehrgeizige Projekt der Resolutik einzubinden. Unserem Club-Mitglied Ernst von Weizsäcker ist es zu verdanken, daß die *Faktor-vier*-Arbeit dem Club of Rome gewidmet und daß der weitere Horizont der Stoff- und Transportproduktivität mit der Energieproblematik sinnvoll verbunden wurde.

Ein Bericht an den Club of Rome ist nicht denkbar ohne einen gründlichen Diskussionsprozeß mit den Mitgliedern und ohne eine positive Entscheidung durch den Vorstand des Clubs. Der vorliegende Bericht war Gegenstand einer größeren internationalen Tagung des Club of Rome, bei der Anregungen der Club-Mitglieder, insbesondere auch aus den Entwicklungsländern, in das Projekt einfließen konnten. Die Friedrich-

Ebert-Stiftung hat großzügig den Rahmen für diese Tagung im März 1995 geschaffen.

Im Namen des Club of Rome wünsche ich diesem neuen Bericht, der zuerst auf deutsch und später auf englisch und in zahlreichen anderen Sprachen erscheint, eine starke Resonanz. Der Zustand der Welt läßt keine Säumigkeit bei der Lösung der großen Menschheitsprobleme zu.

Madrid, Juni 1995

Ricardo Díez Hochleitner,
Präsident des Club of Rome

Vorwort zur deutschen Ausgabe

M it Amory Lovins ein gemeinsames Buch zu machen ist eine große Ehre. Er ist einer der brillantesten Köpfe unserer Zeit – und immer seiner Zeit voraus.

Noch vor der Energiekrise von 1973 prognostizierte Lovins, damals noch nicht fünfundzwanzig Jahre alt, daß der Energiebedarf allmählich abnehmen wird. Diese Aussage stand in sensationellem Kontrast zu allen verfügbaren Prognosen. Aber Lovins hatte schon damals die Effizienzpotentiale studiert und festgestellt, daß der Energieverbrauch nur deshalb so groß war, weil es bis dahin anscheinend niemand für notwendig gehalten hatte, ernstlich über Energieeinsparung nachzudenken. Die Energiekrise kam, und die Experten stellten Prognosen, die sich Lovins' früheren Kurven zu nähern begannen. Sein Denken hat Amerika verändert, vor allem Kalifornien, wo man heute »negative Energie« kaufen kann, »Negawatts«, wie Lovins es ausdrückt. Was er allerdings nicht beeinflussen konnte, war die explosive Entwicklung in Asien – mit konventioneller Technik –, die den Weltenergieverbrauch derzeit nach oben jagt.

Inzwischen spricht er von dem Auto, das nur noch eineinhalb Liter auf hundert Kilometer braucht. Das sei an sich ein fauler Kompromiß, denn man könne die Autos auch auf 0,8 l pro hundert heruntertrimmen.

Als ich ihm von der Idee eines Buches, wie man die Ressourceneffizienz um einen Faktor 4 erhöhen kann, erzählte, hörte er höflich zu. Und als ich endete, fragte er: »Warum so bescheiden?« Und er sprudelte Ideen über einen Faktor 6, 10 oder sogar 100 hervor.

Amorys Frau Hunter ist stets seine Koautorin und zugleich die Präsidentin des Rocky Mountain Institute, das Amory gründete und an dem er als Forschungsdirektor firmiert. Sie ist eine Frau mit viel Sinn für Realität und erfüllt als Vermittlerin von Amorys Ideen eine wichtige Aufgabe. Sie »übersetzt« und ordnet Amorys Sturzbach von Ideen, Gedanken und Zahlen, dem viele einfach nicht gewachsen sind.

Mit dieser deutschen Ausgabe eines ursprünglich englischen Manuskripts, das erst 1996 in England (bei Earthscan, London) erscheint, versuche ich, die festgefahrene deutsche Diskussion um Energiekonsens, Klimaschutz,»Standort Deutschland« und Umweltpolitik zu beleben. Mit den alten Rezepten kommen wir nicht vom Fleck. Sie veranlaßten die Wirtschaft zu der Behauptung, die Globalisierung der Märkte lasse es nicht zu, mehr für den Umweltschutz zu tun. Wir meinen, der Streit um »Kohle oder Kernkraft« muß dringend um die Dimension der forschen Effizienzverbesserung ergänzt werden.

Wir haben keinen geringeren Ehrgeiz, als dem technischen und zivilisatorischen Fortschritt eine neue Richtung zu weisen, denn wir halten einen Richtungswechsel aus ökologischen und weltökonomischen Gründen für absolut unausweichlich. Die Weltbevölkerung kann es sich einfach nicht leisten, die natürlichen Ressourcen weiterhin zu verschwenden. Damit knüpfen wir unmittelbar an die Tradition des Club of Rome an, der mit seinen aufrüttelnden *Grenzen des Wachstums* 1972 die weltweite Diskussion um eine Neuorientierung des Fortschritts eingeläutet hatte. Doch die damalige Analyse war noch ohne Kenntnis der Lovinsschen Effizienzpotentiale geschrieben worden.

Der Club of Rome hat dieses Buch vom ersten Tag seiner Konzeption an begleitet. Es fing an mit einer Tagung in Potsdam im Juni 1994, wo Hans Wuttke aus London den Präsidenten des Clubs, Ricardo Díez Hochleitner, vertrat. Ich fragte ihn, ob er sich meinen Vortrag als Grundlage für einen Bericht an den Club of Rome vorstellen könnte. Nach seiner Ermutigung folgten ein erster und ein zweiter Aufriß. Dann kam im November 1994 Amory Lovins nach Wuppertal, Düsseldorf und Bonn. Nach drei Gesprächen stand fest: Wir machen das Buch gemeinsam.

Mit Ricardo Díez Hochleitner und Bertrand Schneider, Generalsekretär des Clubs, besprach ich bei der jährlichen Dezembertagung 1994 das weitere Vorgehen. Die Friedrich Ebert Stiftung erklärte sich bereit, eine Club-Tagung im März 1995 zu organisieren.

Kurz darauf hatte ich ein besonders erfreuliches Erlebnis. Mit meinem holländischen Freund Wouter van Dieren, Mitglied des Club of Rome, besuchte ich den damaligen Geschäftsführer der EXPO 2000 GmbH in Hannover, Konrad Heede, und erläuterte ihm die Faktor-4-Idee. Er ließ sich davon überzeugen, daß wir hier ein zugleich einleuchtendes und praktikables Kriterium an der Hand hatten, mit dem man in erster Näherung sagen konnte, ob eine Technologie, ein Lebensstil, ein Exponat dem Kriterium des 21. Jahrhunderts, der ökologischen Nachhaltigkeit, genügen würde. Wenn alles gutgeht, kann das Buch auch als Teil eines Leitfadens für den Themenpark der EXPO 2000 begriffen werden, der Technologie und Lebensstile des 21. Jahrhunderts anfaßbar machen soll.

Ein erster Buchentwurf, zu zwei Dritteln aus Amorys Feder, war Mitte Januar 1995 fertig zum Versand an die Teilnehmer der März-Tagung. Zehn Mitglieder des Club of Rome und dreißig weitere Experten kamen am 16./17. März nach Bonn in die Friedrich Ebert Stiftung und fanden auf ihren Tischen den ergänzten zweiten Entwurf vor. Dieser war bereits fast durchgehend bebildert, in viel Tag- und Nachtarbeit von Hans Kretschmer ermöglicht.

Die Diskussionen waren hart, aber gerecht. Fast alles mußte umgeschrieben werden. Die Club-of-Rome-Realisten wollten, daß die rauhe Luft der Wirklichkeit in dem Bericht stärker spürbar wird. Einige Monate später beschloß der Exekutivausschuß des Club aber, das überarbeitete Buch als Bericht an den Club of Rome zu akzeptieren. Die deutsche Ausgabe weicht allerdings in vielerlei Hinsicht vom amerikanischen Original ab, da sich die mitteleuropäische Diskussion um ökologische Fragen in einigen Punkten von der amerikanischen unterscheidet. Ich habe mir daher erlaubt, hin und wieder Passagen zu kürzen und Ergänzungen vorzunehmen.

Am Entstehen des Buches haben Hunderte von Menschen mitgewirkt. Es ist unmöglich, sie alle zu nennen. Ich sage sehr selektiv, zugleich im Namen von Amory und Hunter Lovins, meinen herzlichen Dank an Franz Alt, Owen Bailey, Benjamin Bassin, Maryse Biermann, Jérôme Bindé, Raimund Bleischwitz, Stefanie Böge, Holger Börner (für sein Begrüßungsreferat am 16.3.1995), Hartmut Bossel, Frank Bosshardt, Stefan Bringezu, Leonor Briones (Manila), Bill Browning, Michael Brylawski, Maria Buitenkamp, Scott Chaplin, David Cramer, Maureen Cureton, Hans Diefenbacher, Wouter van Dieren, Ricardo Díez Hochleitner, Reuben Deumling, Hans Peter Dürr, Barbara Eggers, Felix FitzRoy, Claude Fussler, Paul Hawken, Rick Heede, Peter Hennicke, Friedrich Hinterberger, Alice Hubbard, Wolfram Huncke, Reimut Jochimsen, Ashok Khosla, Albrecht Koschützke (Friedrich Ebert Stiftung), Sascha Kranendonk, Hans Kretschmer, Martin Lees, André Lehmann, Harry Lehmann, Christa Liedke, Reinhard Loske, Jochen Luhmann, Manfred Max-Neef (Valdivia), Mark Merritt, Niels Meyer, Timothy Moore, Kikujiro Namba (Tokio), Herrmann Ott, Andreas Pastowski, Rudolf Petersen, Richard Pinkham, Wendy Pratt, Joseph Romm, Wolfgang Sachs, Jen

Seal, Karl-Otto Schallaböck, Nadja Schiemann, Friedrich Schmidt-Bleek, Harald Schumann, Eberhard Seifert, Farley Sheldon, Bill Shireman, Walter Stahel, Klaus Steilmann, Ursula Tischner, Reinhard Ueberhorst, Carl Christian von Weizsäcker, Franz von Weizsäcker (der die E-mail-Verbindung mit den Lovins garantierte), Thomas Wenzel, Anders Wijkman und Heinrich Wohlmeyer.

Und ohne die Pionierarbeiten von Herman Daly, Dana und Dennis Meadows, Paul Hawken, Hazel Henderson, Bill McDonough und David Orr hätten wir das Buch gar nicht erst anfangen können.

Das Wuppertal Institut im Wissenschaftszentrum Nordrhein-Westfalen gab mir die Möglichkeit, sorgenfrei und mit einem phantastischen Team an den Grundlagen zu arbeiten, auf denen dieses Buch großenteils ruht. Hier entstand auch unter Friedrich Schmidt-Bleek das kühne Konzept der Dematerialisierung unserer Wertschöpfung um sage und schreibe einen Faktor 10, die notwendige Ergänzung zu Lovins' Energierevolution. Die ungewöhnlich gute und kreative Arbeitsatmosphäre am Wuppertal Institut wäre ohne die – von Versuchen einer Einflußnahme völlig freie – Rückendeckung von Ministerpräsident Johannes Rau, vom damaligen Wirtschaftsminister Günther Einert und von Staatssekretär Hartmut Krebs nur ganz schwer vorstellbar.

Astrid Scholz im schottischen St. Andrews übersetzte alle Texte, so rasch es ging, ins Deutsche. Das erleichterte meine Endredaktion enorm.

Als sich gegen Ende abzeichnete, daß das Geld für das Projekt nicht reichen würde, half die Deutsche Bundesstiftung Umwelt in Osnabrück kurzfristig auf unbürokratische Weise aus. Diese finanzielle Unterstützung hat es uns ermöglicht, das Buch weitgehend farbig zu illustrieren.

Der Droemer Knaur Verlag und vor allem Frau Maria Koettnitz haben das Buch, das mit ungewöhnlich vielen Korrekturen während des Herstellungsprozesses belastet war, umsichtig und vorzüglich betreut.

Allen, die den komplizierten Entstehungsprozeß dieses Buches unterstützt haben, sage ich zugleich im Namen der Koautoren meinen herzlichen Dank.

Wuppertal, Juni 1996 *Ernst Ulrich von Weizsäcker*

Mehr für weniger

Ein aufregender neuer Fortschritt

Beim *Faktor vier* geht es um die Vervierfachung der Ressourcenproduktivität. Aus einem Faß Öl oder einer Tonne Erdreich wollen wir viermal soviel Wohlstand herausholen. Dann können wir den Wohlstand verdoppeln und gleichzeitig den Naturverbrauch halbieren. Das ist neu, einfach und aufregend.

Neu ist die Aussage von *Faktor vier*, weil sie nichts weniger will als eine Neuausrichtung des technischen Fortschritts.

Einfach ist die Aussage, weil sie eine ganz primitive Formel benutzt: eben den Faktor 4. Seit dem Erdgipfel von Rio de Janeiro wissen wir, daß der Fortschritt dauerhaft oder ökologisch nachhaltig sein muß. Mit dem Faktor 4 kommen wir der Forderung sehr nahe.

Aufregend ist die Aussage, weil sie nicht utopisch ist, sondern ganz real. Der größte Teil der von uns geforderten und geschilderten Effizienzrevolution ist nicht nur machbar, sondern zu allem auch noch rentabel. Die Länder, die sich bei der Effizienzrevolution engagieren, werden dadurch reicher und nicht etwa ärmer. Noch aufregender wird die Aussage dann, wenn wir uns klarmachen, daß die Faktor-4-Revolution nicht nur für die reichen Länder gut ist. China, Indien, Mexiko oder Ägypten haben viele billige Arbeitskräfte und wenig Energie. Warum sollen sie von den USA oder von uns den verschwenderischen Umgang mit Energie übernehmen? Ihre Entwicklung verläuft viel besser, wenn sie von vornherein auf die Effizienzrevolution setzen. Das Wettrennen hat schon begonnen. Wer wird es gewinnen? Nord oder Süd?

Ethische und materielle Beweggründe
Natürlich gibt es einen Berg von Problemen und Hindernissen. Wie könnte es anders sein? Unser Buch versucht, sie zu benennen und Wege zu ihrer Überwindung aufzuzeigen.

Zunächst einmal: Die Fortschrittsrichtung wird nicht durch ein Buch verändert, sondern durch Menschen. Durch Frauen, Männer und Kinder, in ihren Eigenschaften als Verbraucher und Wähler, Arbeiter, Manager und Ingenieure, Politiker und Journalisten, Lehrer und Schüler, Urlauber und Alltagsmenschen.

Menschen ändern ihre Gewohnheiten nicht, wenn sie nicht starke Beweggründe haben. Solche Beweggründe können ethischer oder materieller Art sein, oder auch beides zusammen. In unserem Fall kommen beide zusammen.

Die moralische Motivation hat mit der Umweltkrise zu tun. Um die geht es im dritten Teil des Buches. Wir machen keine, Weltuntergangsstimmung, sondern wir legen ein paar Fakten auf den Tisch. Das hat den Vorteil, daß man dann weiß, woran man ist und wie groß ungefähr die Anstrengung sein muß. Wir zeigen anhand einiger Beispiele, daß die Scheren, die sich vor uns auftun, von einem Faktor 4 geschlossen werden müssen (vgl. Abb. 1).

Wenn die Scheren nicht geschlossen werden, kann es für die Welt ganz finster werden. Wir müssen rasch damit anfangen, die Scheren zu schließen, sonst ist es plötzlich zu spät.

Haben wir überhaupt eine Chance, so gigantische Lücken wieder zu schließen? Die gute Nachricht: Es geht. Der Faktor 4 ist der Schlüssel unserer Antwort.

Damit sind wir schon bei den materiellen Beweggründen für die Trendwende. Wenn die Effizienzrevolution technologisch möglich ist, dann haben wir aus Wettbewerbsgründen keine Zeit zu verlieren. Wenn die rasch wachsenden Entwicklungsländer Asiens einmal loslegen mit der Effizienzrevolution, dann kann es für die alten und teuren Industrieländer bald zu spät sein. Ein zweiter ökonomischer Grund dafür, keine Zeit zu verlieren, ist dieser: Wenn wir frühzeitig anfangen, dann geht der Strukturwandel weitgehend verlustfrei vonstatten. Manche Mark, die wir heute in die Effizienzrevolution stecken, wird den Aktionären der nächsten und übernächsten Generation zur Freude gereichen. Wenn wir dagegen warten, kann es leicht zu gigantischen Strukturbrüchen und Kapitalvernichtungen kommen.

Mehr als eine Schlüsseltechnologie
Der vor uns liegende Strukturwandel erfaßt alle Bereiche der Wirtschaft und der Zivilisation. Seine technischen und gedanklichen Voraussetzun-

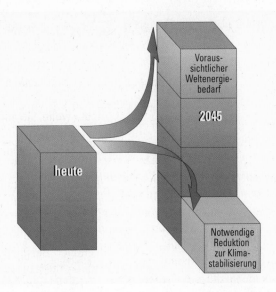

1. Gefährliche Scheren von einem Faktor 4 tun sich vor uns auf. Die vereinfachte Grafik bildet die Erwartung ab, daß sich die Emissionen der Treibhausgase in den kommenden ca. fünfzig Jahren weltweit verdoppeln. Die Klimaforscher mahnen, die Emissionen müßten unbedingt halbiert werden (vgl. dazu auch Kap. 8).

gen sind in jüngster Zeit geschaffen worden. Die Öffentlichkeit hat noch nicht viel davon bemerkt. Es sind auch ganz verschiedene Entwicklungen gewesen, die noch nicht zu einem deutlich erkennbaren Trend zusammengeflossen sind. Es beginnt mit den bekannten Sparglühbirnen und effizienten Haushaltsgeräten. Dann liest man in der Zeitung von Häusern mit radikal vermindertem Heizölbedarf oder von Autobastlern, die ein Auto mit 1,5 Litern Spritbedarf auf hundert Kilometer entwerfen. Dann hört man von Studien, die zeigen, daß für die Herstellung eines Erdbeerjoghurts oder eines Regenmantels Tausende von Kilometern unnötig verfahren werden. Ein Institut für Produktlebensdauer in Genf spricht von der Wiederentdeckung dauerhafter Büromöbel, Maschinen oder Baustoffe. Und wieder andere entdecken das Potential der Elektronik, Stoffströme durch Information zu ersetzen.

Wir führen diese hoffnungsvollen Einzelerkenntnisse zusammen und geben ihnen einen gemeinsamen Nenner: den Faktor 4. Mit fünfzig Beispielen wollen wir Leserinnen und Leser davon überzeugen, daß der Faktor 4 in Reichweite ist.

17

Das ist natürlich noch kein Beweis dafür, daß die gesamte Wirtschaft viermal so effizient im Umgang mit Energie und Stoffen werden kann. Hierfür müßte sie über weite Strecken auch zehn- oder zwanzigmal besser werden, um die Bereiche auszugleichen, in denen sich beim besten Willen nichts mehr herausholen läßt. Wir sind nicht so hochmütig, die Verbesserungen von drei oder zehn Prozent geringzuschätzen, über die man sich etwa beim Wirkungsgrad eines Kraftwerks freuen muß. Trotz dieser Einschränkungen geht es hier um mehr als um eine Schlüsseltechnologie. Es geht um die ganze Wirtschaft. Wendet man die Faktor-4-Revolution auf Autos, Häuser, Lebensmittel, Haushaltsgeräte, Möbel, Bürogeräte, Chemikalien, Textilien und alle zugehörigen Dienstleistungen an, dann kommt man auf Umsätze, die das wirtschaftliche Gewicht der gesamten Gentechnik wohl um ein Hundertfaches übertreffen.

Doch Vorsicht: Wenn die ganze Wirtschaft den Faktor 4 schaffen soll, werden von uns auch Verhaltensänderungen verlangt. Nichtmaterielle Wohlstandselemente müssen wiederentdeckt werden (Kap. 14), und Teile der Industrie müssen statt von der Überversorgung mit Gütern und Kilowattstunden auf die Befriedigung neuer, sanfter Kundenwünsche umsatteln. Trotzdem sehen wir im Faktor 4 auch ein großes Potential für einen *gesellschaftlichen Konsens.* Der Faktor 4 sollte von der Exportwirtschaft ebenso begrüßt werden wie vom ökologischen Lager, von Arbeitnehmern ebenso wie von den Kirchen. Endlich wieder einen konsensfähigen Richtungssinn für den technischen und zivilisatorischen Fortschritt zu bekommen – das muß doch Ingenieure, Wirtschaftsführer und Politiker ganz »heiß« machen. Doch momentan sind Politik und Wirtschaft voll damit beschäftigt, die Krise noch zu verschärfen. Das liegt daran, daß wir unsere Krankheit noch nicht gut diagnostiziert haben und folglich ständig zuviel von der falschen Medizin schlucken.

Kampf der Schwindsucht

Für die Autoren dieses Buches ist die Diagnose ziemlich klar. Unsere Gesellschaft leidet unter einer ansteckenden Krankheit, die der Schwindsucht ähnelt, deren Opfer langsam dahinsiechen, wie von innen aufgezehrt. Die heutige wirtschaftliche Tuberkulose zehrt nur unsere Ressourcen, nicht unsere Körper auf. Doch auf Dauer ist das genauso tödlich und teuer.

18

Krank *geworden* sind wir durch das, was uns den großen Erfolg gebracht hat. Gemeint ist der Erfolg der industriellen Revolution. Wir haben Maschinen entwickelt, die die Schätze der Erde immer schneller und effektiver in Bequemlichkeit und Wohlstand verwandeln. Aber wir waren ungeduldig und gierig. Die Schätze der Erde schienen zunächst so reichlich bemessen, daß sich unsere Zivilisation nicht die Zeit genommen hat, Maschinen und kulturelle Regeln zu entwickeln, um haushälterisch mit den Schätzen umzugehen.

Die Maschinen haben uns gut zehnmal»besser« im *Verschwenden* von Ressourcen als in deren Nutzung werden lassen. Eine Studie der U.S. National Academy of Engineering hat ausgerechnet, daß rund 93% der verkauften und verbrauchten Ressourcen niemals in verkäufliche Produkte umgewandelt werden. Außerdem werden 80% aller fertigen Produkte nach einmaliger Benutzung weggeworfen, und die restlichen sind längst nicht so haltbar, wie sie sein könnten und sollten. Der amerikanische Bestsellerautor und Wirtschaftsberater Paul Hawken (1994) sagt, daß der größte Teil der in der Produktion verwendeten und im Produkt enthaltenen Stoffe innerhalb von sechs Wochen nach dem Verkauf zu Müll wird.

Auch Energie, Wasser und Transportdienste werden großenteils verschwendet, ehe wir etwas davon haben. Aber die Rechnung müssen wir trotzdem bezahlen. Da ist die Wärme, die durch Dächer, Fenster und Wände schlecht isolierter Häuser entweicht; die Energie aus einem Großkraftwerk, von der nur ein Bruchteil tatsächlich genutzt werden kann (von der Energiemenge, die aus einem älteren Kraftwerk abgerufen wird, um eine Glühbirne zu erhellen, versickern 70%, ehe sie die Lampe erreichen, und diese kann nur 10% der verbliebenen Energie, also 3% von der Primärenergie, in Licht umwandeln); das Wasser, das verdunstet oder versickert, bevor es an die Wurzeln von Pflanzen kommt; die Tausende von LKW-Kilometern für ein Produktergebnis, das man genausogut lokal hätte erreichen können; das Benzin eines Autos, von dessen Energie 80-85% im Motor oder dem Getriebe steckenbleibt, bevor sie überhaupt zu den Rädern gelangt.

Diese Verschwendung ist teuer. Durchschnittsamerikaner zahlen jährlich rund 2000 Dollar für Energie: solche, die sie direkt im Haushalt verbrauchen, und solche, die in Gütern und Dienstleistungen enthalten ist. Und das in dem Land, in dem billige Energie ins nationale Glaubensbekenntnis eingeschlossen ist (was der Volkswirtschaft nur noch mehr schadet, weil es die Ineffizienz fördert). Das, was man eigentlich haben will, würde nicht viel kosten. Zählt man verschwendetes Metall, Wasser, Holz, Erde und den Transport all dieser Stoffe dazu, dann vergeudet eine Amerikanerin oder ein Amerikaner jährlich Tausende von Dollar. Somit verschwenden 250 Millionen Menschen jährlich mindestens tausend Milliarden Dollar. Die unnötigen Ausgaben machen Familien arm, mindern die Wettbewerbsfähigkeit, gefährden die Ressourcenbasis, vergiften Wasser, Erde, Luft und Menschen und vermehren zu allem auch noch die Arbeitslosigkeit.

Die Schwindsucht ist heilbar: Mehr aus weniger
Zum Glück für uns alle ist die auf Verschwendung basierende Schwindsucht heilbar. Die Medizin kommt aus den Labors und Werkstätten begabter Wissenschaftler und Ingenieure, sie speist sich aus den Ideen von Stadtplanern und Architekten, dem Einfallsreichtum von Frauen und Männern auf Bauernhöfen, in Handwerksbetrieben, in Familien und in Rathäusern. Sie besteht darin, Ressourcen effizienter zu nutzen, aus weniger mehr zu machen. Es geht um eine neue industrielle Revolution, in der wir dramatische, bislang unvorstellbare Zuwächse bei der Produktivität von Energie, Rohstoffen und Verkehr erreichen.

Mittel und Wege des Mehr aus weniger sind in großer Zahl in den letzten Jahren gefunden worden und haben ganz unerwartete Chancen für Industrie und Gesellschaft geschaffen. Der erste Teil des Buches zeigt fünfzig technisch praktikable und teilweise schon heute profitable Wege auf, wie Ressourcen mindestens viermal so effizient wie bisher genutzt werden können. In anderen Worten: auf mindestens fünfzig verschiedene Arten können wir das, was wir heute machen, genausogut oder besser machen, brauchen dafür aber nur ein Viertel der Energie und Rohstoffe.

Weniger mit mehr heißt höhere Effizienz. Das ist etwas anderes als Beschränkungen, Unbequemlichkeit oder Rückständigkeit. Politiker haben immer wieder behauptet, Energiesparen bedeute, weniger Auto zu fahren und im Winter mehr zu frieren. Damit haben sie nicht über Effizienz geredet, denn die macht unser Leben angenehmer, etwa mit besseren Fahrzeugen und Gebäuden, die weniger Geld und Ressourcen verbrauchen. Um jenem weitverbreiteten Irrtum vorzubeugen, ein umweltfreundlicheres Verhalten würde uns hauptsächlich Einschränkungen abverlangen, vermeidet dieses Buch weitgehend den Ausdruck Konsumverzicht

20

und verwendet statt dessen die Begriffe »Ressourcenproduktivität« und »Ressourceneffizienz«. Andere Arten der Ressourcennutzung und bessere Technologien schaffen entweder den gleichen Nutzen mit weniger Ressourcen oder mehr Nutzen bei gleichem Verbrauch. Im Sinne einer reiferen Zivilisation sind auch Verzicht und Sparen hohe Tugenden, die zur Erhöhung der Lebensqualität beitragen. Wir legen aber Wert darauf, diese nicht mit der Effizienzrevolution zu verwechseln.

Sieben gute Gründe für Effizienz

Oben haben wir etwas abstrakt moralische und materielle Gründe genannt, aufgrund deren wir uns der Faktor-4-Revolution zuwenden sollten. Nun werden wir etwas konkreter und nennen sieben Gründe, die für die Effizienzrevolution sprechen:

1. **Besser leben**. Ressourceneffizienz erhöht die Lebensqualität. Wir können mit effizienterer Beleuchtung besser sehen (vgl. S. 71), Lebensmittel halten sich in neu entwickelten Kühlschränken länger, man reist sicherer und bequemer in effizienten Fahrzeugen, fühlt sich in effizienten, baubiologischen Gebäuden wohler und ist besser ernährt mit ökologisch effizient erzeugten Lebensmitteln.
2. **Weniger verschmutzen und vergeuden.** Alle Stoffe, mit denen wir in unserem Leben mittelbar oder unmittelbar in Berührung kommen, müssen irgendwo bleiben. Verschwendung erhöht die Belastung von Gewässern, Luft und Böden. Effizienz vermindert die Verschmutzung, die ja nichts anderes als eine Ressource am falschen Ort ist. Effizienz kann wesentlich mithelfen, die Probleme des sauren Regens und der globalen Erwärmung zu lösen. Auch zur Lösung anderer großer Probleme wie Abholzung, Wüstenausdehnung, abnehmende Bodenfruchtbarkeit, überlastete Verkehrssysteme usw. kann die Effizienzrevolution einen brauchbaren Beitrag leisten.
Die zunehmende Abbaugeschwindigkeit der Ressourcen und die globale Zunahme der Verschmutzung ist in dem immer schneller voranschreitenden Stoffumsatz in unserer Industrie- und Konsumgesellschaft begründet. Effizienz verlangsamt diesen Strom und macht das Problem kleiner und leichter handhabbar. Effizienz (im

weitesten Sinne) entkoppelt auch menschliches Wohlbefinden vom Konsum: In einer »effizienten« Kultur geht es uns besser, wenn wir weniger Ressourcen verbrauchen, nicht mehr. Effizienz bedeutet also Zeitgewinn. In dieser Zeit können wir lernen, wohlüberlegt und vernünftig die drängenden Probleme dieser Welt nacheinander zu lösen, anstatt uns von ihnen überrollen zu lassen, weil sie gleichzeitig an mehreren Orten Krisen auslösen, wie es in den von plötzlichen Änderungen geplagten afrikanischen oder in den ehemals sowjetisch dominierten Ländern geschieht.

3. **Gewinne machen.** Ressourcen sparen ist generell preisgünstiger, als sie zu kaufen und zu verbrauchen. Die Vermeidung von Verschmutzung ist normalerweise billiger, als hinterher zu putzen.

4. **Märkte nutzen und die Wirtschaft einspannen.** Wo Effizienz rentabel ist, kann sie sich über den Markt durchsetzen. Staatliche Vorschriften sind hier nicht nötig. Allerdings muß man mit der Wirtschaft darüber verhandeln, wie die Hemmnisse für den Durchbruch der ökonomisch-ökologischen Vernunft abgebaut und wo noch bessere Anreize geschaffen werden können. Es muß vermieden werden, daß diejenigen Betriebe, die für die Effizienzrevolution größere Risiken eingehen, dafür bestraft werden.

5. **Das Kapital – vor allem in Entwicklungsländern – mehrfach nutzen.** Wenn weniger vergeudet wird, entsteht ein Gewinn, der für die Lösung anderer Probleme verwendet werden kann. In Entwicklungsländern, in denen nicht soviel Kapital in alten Strukturen steckt wie bei uns, kann frisches Kapital sehr effizient eingesetzt werden. Die Investitionen für Licht und Komfort sind dort deutlich geringer. Zudem könnten weniger zusätzliche Kraftwerke und dafür mehr Fabriken, die energieeffiziente Lampen und Fenster produzieren, gebaut werden. Diese Investitionen amortisieren sich auch schneller als Investitionen in herkömmliche Anlagen, und das Kapital kann erneut anderweitig investiert werden.

Zusammengenommen vermindern diese Effekte den Kapitalbedarf zur Herstellung von Licht und Komfort mehrfach. Dieser Handlungsansatz stellt viel mehr Kapital als bisher für andere Entwicklungsprojekte frei und ist möglicherweise für viele Länder die einzige Möglichkeit, ihre wirtschaftliche Entwicklung in einer zumutbaren Zeit voranzutreiben.

6. Internationale Sicherheit. Die Konkurrenz um knappe Ressourcen kann internationale Konflikte wesentlich verschärfen. Effizienz streckt die weltweiten Rohstoffvorkommen und macht alle ressourcenunabhängiger. Effizienz kann die Sprengkraft internationaler Konflikte um Öl, Metalle, Wälder, Wasser oder Fischgründe verringern. Auch die reichen Länder zahlen Milliarden für ihre heutige Ressourcenabhängigkeit; rund ein Sechstel des US-amerikanischen Militärhaushalts wird für Verbände aufgewendet, die den Zugang zu fremden Ressourcen sichern. Energieeffizienz kann weiterhin helfen, den Handel mit atomwaffenfähigem Material zu vermeiden. Atomwaffen sind ja leider billiger herzustellen als Atomkraftwerke.

7. Gerechtigkeit und Arbeit. Ressourcenvergeudung ist auch symptomatisch für eine Wirtschaft, die die Menschen aufteilt in die, die Arbeit haben, und in Arbeitslose. Wer Arbeit hat, erledigt sie bis zur Erschöpfung, um seinen Arbeitsplatz zu behalten. Wer arbeitslos ist, hat nicht nur sein Einkommen, sondern auch Status, Sinn und Selbstbewußtsein verloren. In beiden Fällen werden heute menschliche Talente und Kraft vergeudet. Die Technologien, die das alles ermöglichen, verbrauchen immer mehr Ressourcen. Um diese negative Entwicklung aufzuhalten, brauchen wir dringend ökonomische Anreize, um mehr Menschen Arbeit zu geben und weniger Kilowattstunden, Tonnen und Ölfässer zu verbrauchen.

Diese sieben Gründe dafür, unsere Ressourceneffizienz schnell zu steigern, sind eine große Herausforderung an die Praxis.

Das Buch zielt auf praktische Änderungen

Es gibt genug Gründe, »die Ärmel hochzukrempeln« und mit der Effizienzrevolution zu beginnen. Doch ganz so einfach ist das nicht. Viele der Ideen und Produkte, die wir in diesem Buch vorstellen, sind auf den Weltmärkten unter heutigen Bedingungen noch nicht so rentabel, daß sich massive Kapitaleinsätze sofort auszahlen würden. Das Kapital ist bekanntlich wählerisch. Es sucht die Plätze höchster Gewinnspannen. Und heute bieten sich dem nach Anlage spähenden Kapital immer noch die phantastischsten Möglichkeiten im Bereich Ressourcenausbeutung, Arbeitsrationalisierung, Marktausweitung und Verstärkung der internationalen Arbeitsteilung. Das verstärkt den Hang zur Vergeudung und damit die genannte Schwindsucht. Aber der alte krankmachende Trend ist eben doch bequem und genießt immer noch weithin politische Unterstützung.

Die rasche Durchsetzung der Effizienzrevolution wird auch vielfach durch hohe »Transaktionskosten« verhindert, das sind die Kosten der Veränderung, der Trägheitsüberwindung. Zum Beispiel ist das Personal anfangs nicht trainiert für die neuen geschäftlichen Aufgaben. Gewohnte Denkbahnen zu verlassen und das Personal umzuschulen oder auszutauschen verursacht hohe Kosten. Neue Kundenbeziehungen müssen erst entwickelt werden. Manchmal kommt auch der Gewinn aus der Effizienzerhöhung gar nicht denen zugute, die das Geld in die Hand nehmen müssen, und so bewegt sich nichts.

All das ist kein Grund zu resignieren. Die politischen Visionen und erst recht die Rahmenbedingungen kann man ändern. Wir dürfen, können und müssen politisch dafür sorgen, daß faire Wettbewerbsbedingungen für die langfristig allein tragfähigen Techniken geschaffen werden. Raubbau, Energieverbrauch, Transporte und Arbeitsrationalisierungen dürfen nicht weiter subventioniert oder steuerlich begünstigt werden. Weiterhin kann der energiewirtschaftliche Rahmen korrigiert werden. Wozu neue Kraftwerke genehmigen, wenn Einspartechniken volkswirtschaftlich rentabler wären? Steuervorteile sollte es nicht für Investitionen in die Arbeitsrationalisierung, sondern für Ressourceneffizienz geben. Bonus-Malus-Systeme für effiziente Autos oder Haushaltsgeräte können eine (für die Wirtschaftsbelebung sehr willkommene) beschleunigte Erneuerung dieser langlebigen Güter bewirken.

Aufgeklärte Verbraucher/innen können ihrerseits einen großen Beitrag leisten. Sie erleichtern es den Herstellern, die effizienteren Güter schon bald auf den Markt zu bringen. Sie helfen den umweltbewußten Molkereien oder Landwirten, die energiesparend hergestellten Produkte zu vermarkten. Aufgeweckte Finanzexperten können sich schon auf den schwunghaften Handel mit erwarteten eingesparten Ressourcen freuen (*Negawatt futures*, vgl. Kap. 5). Leasing kann manchen Warenverkauf ersetzen und das Geschäftsinteresse der Hersteller in Richtung Langlebigkeit der Waren lenken.

Schließlich kann man auch unser Steuersystem endlich in dem Sinne korrigieren, daß es nicht mehr die wünschenswerten Faktoren Arbeit und Kapital bestraft, sondern den Naturverbrauch. Heute werden Länder, die eine industrieverträgliche ökologische Steuerreform einführen, damit reicher und nicht etwa ärmer. Alle diese Möglichkeiten der politischen Verbesserung des ökonomischen Klimas für die Faktor-4-Revolution diskutieren wir im zweiten Teil des Buches.

Zivilisation der Dauerhaftigkeit

Die globale Umweltkrise ist Thema des dritten Teils. Wir gehen dort kurz auf das Artensterben, die Klimaveränderung und das Bevölkerungswachstum ein und stellen erneut Berechnungen der Art an, wie sie den Club of Rome berühmt gemacht haben. Was bewirkt die Effizienzrevolution bezüglich der Grenzen des Wachstums? Bedeutet sie nur einen Zeitgewinn? Wenn sie nur Kosmetik betreibt, ist wenig gewonnen. Auch die Zivilisation muß sich ändern.

Der Imperativ von Rio de Janeiro ist die ökologisch nachhaltige Wirtschaft. Unser gegenwärtiger Lebensstil in den reichen nördlichen Ländern kann und darf sich nicht auf der ganzen Erde verbreiten. Der Planet ist viel zu klein dazu; wir bräuchten mindestens drei davon, haben kanadische Wissenschaftler ermittelt.

Hilft uns der Markt, das neue Allheilmittel, um die geforderte Nachhaltigkeit zu erreichen? Nur sehr eingeschränkt! Der Markt hat doch geradezu dafür gesorgt, daß die Erde immer mehr ausgenommen wurde. Der Markt läßt die närrischsten Entwicklungen wie die Zerstörung der letzten Urwälder vernünftig erscheinen. Der Markt war die Peitsche des technischen Fortschritts auch beim Abbau der Rohstoffe, bei ihrer Verarbeitung und bei ihrem Transport. Dieser »Fortschritt« hat dafür gesorgt, daß die Rohstoffpreise niedrig blieben. Sie lügen uns böse an. Sie gaukeln uns das Trugbild eines Füllhorns vor, das sich nie leert. Doch wenn der faule Zauber am Ende ist, wenn die Fülle der Leere gewichen ist und steigende Preise von der Knappheit berichten, dann ist es zu spät. Zumindest würde es dann entsetzlich teuer, den genannten Strukturwandel im Eiltempo zu vollziehen.

In der bequemen Irrmeinung, politisch existiere nur die Alternative Markt oder Sozialismus (und mit der zutreffenden Auffassung, daß der Sozialismus ausgedient hat), entschuldigt sich die heutige Zivilisation für ihr Nichtstun mit der angeblichen Richtungssicherheit des Marktes oder huldigt dem Fatalismus, man könne ja doch nichts ändern.

Eine starke Zivilisation kann sehr wohl etwas ändern. Darüber sprechen wir im vierten und letzten Buchteil. Man sollte zunächst die *Meßwerte des Erfolgs* der Realität anpassen. Das heute noch übliche Bruttosozialprodukt, das doch ein primitiver Umsatzwert ist, führt uns von der Realität des Imperativs von Rio weiter weg. Es gehört abgelöst oder ergänzt. Auch die Problematik des *Weltmarktes* darf nicht undiskutiert bleiben. Freihandel und nachhaltiger Umwelt- und Klimaschutz müssen miteinander versöhnt werden – soweit das überhaupt möglich ist. Und wenn es *nicht* möglich sein sollte, dann muß doch wohl eher der Freihandel zurückstecken als der Schutz der Lebensgrundlagen.

Die *Werte*, die die Zivilisation wiederentdecken muß, um zu einer tragfähigen Entwicklung zu gelangen, müssen erkannt, weitergedacht und verbreitet werden. Solange Egoismus und Unersättlichkeit das Gemeinwesen regieren, wird uns die schönste Effizienzrevolution nicht retten können. Solange als Arbeit nur das anerkannt wird, was den Umsatz steigert, kann der Naturverbrauch nicht dauerhaft gebremst werden. Wir streifen diese Themen aber nur kurz.

Und wie liest man das Buch?

Die fünfzig Beispiele dafür, wie sich die Effizienzrevolution realisieren läßt, sind höchst unterschiedlich gestrickt. Mal geht es um echte technische Entwicklungen wie das Hyperauto, die noch der breiten Durchsetzung harren, mal um kluge Einfälle engagierter Bürgerinnen und Bürger, die das *Stattauto* erfanden, mal um quantitative Berechnungen, wie man viele Transportkilometer einsparen kann, etwa bei dem berühmten Beispiel mit dem Erdbeerjoghurt.

Die Ungleichheit der Beispiele hat einen praktischen und einen pädagogischen Grund: Was den ersten betrifft, so haben wir die Wirklichkeit angeschaut, und die ist eben nicht lehrbuchartig geordnet. Was den zweiten betrifft, so wünschen wir uns, daß Leserinnen und Leser ihre Lebensumwelt irgendwo in diesem Buch wiedererkennen und damit Ansätze für ein persönliches Engagement finden; da ist uns das wilde, weite Spektrum gerade recht.

Der zweite Teil des Buches ist eigentlich an die Politiker gerichtet. Wir würden uns freuen, wenn Parteien, Verbände und ehrgeizige Einzelpersonen die Anregungen aufgreifen, situationsgemäß abändern und praktisch umsetzen.

Der verschiedentlich gemachten Anregung, genaue Adressen und Bezugsquellen für Initiativen und Produkte anzugeben, sind wir nicht nachgekommen. Vielleicht werden das Rocky Mountain Institute und das

Wuppertal Institut oder mit deren Hilfe regionale Verbraucherberatungs-
stellen in absehbarer Zeit Adressenlisten und Bezugsquellen veröffentlichen. Diese Informationen müßten aber schon aus Gründen der Fairneß
und des Wettbewerbs sorgfältiger und umfassender recherchiert werden,
als es bei der Abfassung des Buches möglich gewesen wäre.

Teil I
Fünfzig Beispiele für den Faktor 4

1. Kapitel:

Zwanzig Fälle vervierfachter Energieproduktivität

Früher sagte man Energiesparen. Dem Establishment paßte dieses Wort ganz gut. Es signalisiert:»Ihr könnt Umweltschutz durch verminderten Energieverbrauch haben, wenn ihr bereit seid zu sparen, das heißt, den Gürtel enger zu schnallen.« Da aber niemand in der Demokratie damit rechnet, daß das Volk freiwillig den Gürtel enger schnallt, konnte unter lauter Beteuerungen zum »Energiesparen« die Energieexpansion munter weitergehen.

Dann erfanden ökologische Bürokraten den Begriff der »rationellen Energieverwendung«. Wer ihn verwendet, signalisiert, daß er/sie zu den eingeweihten Spezialisten gehört. Man geht mit der Energie rationell um, man vergeudet sie nicht, man nutzt Spar- und Effizienzpotentiale. Eigentlich ist nichts dagegen zu sagen. Dennoch gefällt uns das Wort nicht. Es ist gekünstelt und nicht auf Anhieb zu verstehen. Und vor allem ist es ein bißchen defensiv und überhaupt nicht lustbetont.

Wir reden lieber von Energieproduktivität. Damit blasen wir zum Angriff. Das Wort Produktivität signalisiert Fortschritt, bessere Zeiten, mehr Wohlstand. Nicht, daß wir in den reichen Ländern unbedingt mehr Wohlstand bräuchten. Aber neun von zehn Ländern wollen sicher dringend mehr Wohlstand. Auch bei uns gibt es genug Arme, die bessere Zeiten herbeisehnen.

Wir finden es skandalös, daß das Wort Produktivität völlig auf Arbeitsproduktivität eingeengt worden ist. Die letzte Welle dieser Produktivitätssteigerungen haben Millionen von Deutschen als Entlassung oder als Entlassungsdrohung miterlebt.

Wir reden von einer Vervierfachung der Energieproduktivität. Wie wollten wir das sprachlich mit den Begriffen Energiesparen oder rationelle

Energieverwendung zum Ausdruck bringen? Wie wollten wir signalisieren, daß das Technologieschwergewicht von der Arbeitsproduktivität auf die Energie- und Ressourcenproduktivität verlagert werden muß? Wie wollten wir die Frauen und Männer in Ingenieurberufen, Betrieben, Parlamenten, Verbänden, Regierungen und Denkfabriken begeistern, und zwar in Mitteleuropa ebenso wie in Brasilien, USA, Ägypten, Rußland, China, Indien und Japan, wenn wir nicht von Produktivitätssteigerung, sondern vom Einsparen und von rationeller Energieverwendung reden würden?

Der Faktor 4 ist die Richtschnur. Wir haben uns damit eine Beschränkung auferlegt. Wir schließen damit fast den gesamten produktionstechnischen Bereich aus. Bei Chlorelektrolyse oder Ziegelbrennen, bei Blechumformung und Düngemittelproduktion, bei Aluminiumschmelze und Zementherstellung läßt sich beim besten Willen kein Faktor 4 herausquetschen. Man ist vielfach schon beim thermodynamischen Anschlagpunkt angelangt, wo es aufgrund der Naturgesetze nicht mehr weitergeht.

Das soll uns nicht verdrießen. Aluminium läßt sich wunderbar rezyklieren, mit einem Zwanzigstel des Energieaufwandes der Primärschmelze. (Diese altbekannte Tatsache wollten wir nicht als ein »Beispiel« für den Faktor 4 auftischen.) Chlor läßt sich in vielen Fällen ohne Funktionseinbuße ersetzen. Geformte Bleche können eine längere Lebensdauer bekommen, und Handelsdünger kann vielfach getrost eingespart werden. Und in einigen Fällen begnügt man sich eben mit einem geringfügigen Effizienzfortschritt, der durch größere, wie sie in diesem Kapitel reichlich angeboten werden, aufgewogen wird.

Die meisten Beispiele in diesem Kapitel, das wird jeder Leser merken, stammen von Amory Lovins und seinen Kollegen vom Rocky Mountain Institute.

1. Hyperautos: Vom Nordkap bis Sizilien mit einer Tankfüllung

Das Auto ist der Deutschen und der Amerikaner liebstes Kind, heißt es. Und es ist der Umweltschützer liebste Zielscheibe. Nach der Waldsterbens- und Katalysatordiskussion der achtziger Jahre geht es jetzt, im Zeichen des Klimaschutzes, um die Senkung des Treibstoffverbrauchs.

Mit viel Trara wurde in Deutschland das 5-l-Auto, dann das 3-l-Auto angekündigt. Ähnlich mutig äußerten sich die amerikanischen Autohersteller. Nein, wir finden diese Ankündigung alles andere als mutig. Sie ist weit entfernt vom Faktor 4. Wir reden hier vom 1,5-l-Auto. Dieses ist um den Faktor 6 besser als die Wagen der heutigen Flotte. Der Faktor 6 ist erreichbar; hier die Geschichte dazu:

Von 1973 bis 1986 verdoppelte sich die durchschnittliche Effizienz der amerikanischen Neuwagen. Der Verbrauch sank von 17,8 auf 8,7 l/100 km. Eine bescheidenere Innenausstattung machte 4% der Einsparungen aus, leichtere und besser konstruierte Fahrgestelle sorgten für die restlichen 96%, von denen allein 36% dem verringerten Gewicht zu verdanken sind. Seit 1986 ist die Kraftstoffeffizienz nur noch um10% gestiegen. Man hatte den Eindruck, die technologische Sättigung sei erreicht. In diesem Sinne behaupteten die Autohersteller Mitte 1991, lediglich weitere 5–10% seien bis Ende des Jahrhunderts noch wirtschaftlich und ohne Leistungsverlust machbar.

Als wirtschaftlich kann man Effizienzsteigerungen ansehen, wenn in der Folge die Kosten pro eingesparten Liter Benzin (pro»Negaliter«) geringer sind als die Kosten für den Kauf eines Liters Benzin. Als Preis für einen Liter gilt dem Autofahrer der Preis an der Zapfsäule, aus volkswirtschaftlicher Sicht ist es der Preis ab Raffinerie. Letzterer liegt natürlich viel niedriger. Wir wollen, um sicherzugehen, nur das als wirtschaftlich bezeichnen, was sogar noch billigere Negaliter bringt als der Preis des Liters ab Raffinerie.

Das Rocky Mountain Institute (RMI) hat zur Wirtschaftlichkeitsbehauptung der Autokonzerne von 1991 eine Gegenrechnung aufgestellt. Nach dieser gab es Einsparpotentiale von 8 auf 5,4 l/100 km zu Kosten von nur 14 Cents (damals ca. 25 Pfennig) pro Negaliter, gut die Hälfte des Preises ab Raffinerie.

Während die Autohersteller diese Schätzungen des RMI noch bezweifelten, trumpfte Honda 1992 mit seinem Kleinwagen Honda Civic auf, der noch effizienter war: 4,6 l/100 km. Und der Negaliter kostete im Durchschnitt nur 18 Cents pro Liter. Tatsächlich war der Honda Civic bereits um 16% effizienter als die einige Monate später vom US National Research Council veröffentlichte Prognose für einen Kleinwagen, der bei großer Anstrengung der Ingenieure bis zum Jahre 2006 gebaut werden könnte. So »mutig« waren also die Autofirmen und die Wissenschaft.

Daß die Prognosen von den Ereignissen so spielend überholt wurden, lag wohl daran, daß die Prognosenmacher einfach keine Lust gehabt hatten, sich die Wirklichkeit anzuschauen. Seit Mitte der achtziger Jahre war ein gutes Dutzend von Versuchsautos gebaut worden, die mit guten, aber gewöhnlichen Komponenten zwei- bis dreimal so sparsam waren wie andere Autos. Ein 4–5-Sitzer kam sogar auf 2–3,5 l/100 km und war, was Sicherheit, Emissionen und Leistung betrifft, genauso gut wie herkömmliche Autos. Mindestens die Modelle von Volvo und Peugeot würden bei Massenherstellung nicht mehr kosten als heutige Autos. Trotzdem hörten die amerikanischen Autohersteller nicht hin, vermutlich weil die Ideen aus Europa und Japan kamen, also aus fremden Kontinenten.

Zurück ans Reißbrett

Mitte 1991 mischte sich das RMI mit einer ganz neuen Idee ein (Lovins u. Lovins, 1995): Warum nicht das Auto von Grund auf neu entwerfen? Warum nicht von den Rädern aufwärts ein völlig neues Design und alles radikal einfacher machen? Autos waren mit der Zeit unglaublich barock geworden: Eine Neuerung kam zur anderen, um Probleme zu lösen, die man durch besseres Design von vornherein hätte vermeiden können.

Da gab es als erstes eine überraschende Erkenntnis: Die überaus fähigen Ingenieure in Detroit, Wolfsburg oder Osaka waren schon derart spezialisiert, daß kaum ein einziger unter ihnen ein ganzes Auto hätte entwerfen können. Viel zu viele Gedanken wurden auf winzige Teile verschwendet, zuwenig auf das Auto als System.

Man hatte fast den Eindruck, die heutigen Autos seien gar nicht mit der Absicht gebaut, die Personen effizient fortzubewegen. 80–85% der im Treibstoff enthaltenen Energie ist bereits vergeudet, bevor sie überhaupt die Räder erreicht. Und alles in allem wird nur 1% der eingesetzten Energie für die Fortbewegung der Insassen aufgewendet. Wie kommt das? Zunächst liegt es an dem viel zu großen Gewicht. Autos werden hauptsächlich aus Stahl hergestellt. Um diese zu beschleunigen und fortzubewegen, braucht man einen sehr leistungsstarken – und ebenfalls sehr schweren – Motor. Der Motor läuft dann die meiste Zeit weit unterhalb der Grenze seiner Leistungsfähigkeit und dort weit entfernt von seinem Effizienzoptimum. Die Antwort der Industrie hierauf waren enorme Anstregungen, um die Motorleistung und Kraftübertragung effizienter zu gestalten. In dieser Richtung wurden zwar große Fortschritte gemacht, aber die Einsparungen blieben im Verhältnis zum Aufwand kläglich, weil sie das Grundübel, das überhöhte Gewicht, gar nicht berühren.

2. Der Ultralite-Hypercar von General Motors

Fangen wir am Reißbrett mit den Energieverlusten bei den Rädern an: Was passiert bei heutigen Autos mit dem runden Sechstel der Treibstoffenergie, das tatsächlich die Räder erreicht? Im flachen Stadtverkehr heizt ungefähr ein Drittel davon die vom Auto verdrängte Luft auf (bei Autobahngeschwindigkeiten steigt dieser Anteil auf 60–70%). Ein weiteres Drittel erwärmt die Reifen und den Straßenbelag, und das letzte Drittel erwärmt die Bremsen. Jede Einheit Energie, die in *diesen* drei Bereichen eingespart wird, spart natürlich rund 5 Einheiten Treibstoffenergie. Und wenn wir durch Gewichtsverminderung und bessere Reifen die Aufheizung von Reifen, Straßenbelag und Bremsen um je drei Viertel vermindern könnten, dann würde der Treibstoffverbrauch gleich halbiert.

Die Ultraleichtbauweise
Von zentraler Bedeutung ist also die Gewichtsverringerung. Ultraleichte, aber extrem unfallsichere neue Verbundwerkstoffe könnten Autos drei- bis viermal leichter machen. Ein normaler 4 – 5-Sitzer braucht nur 400 kg zu wiegen. Auch beim Luftwiderstand läßt sich noch einiges machen, vielleicht ein Faktor 2,5. Bessere Reifen, auf die weniger Gewicht drückt, könnten die Reibungsverluste um das Drei- bis Fünffache reduzieren. Kurzum: Autos würden weniger wie Panzer und mehr wie Flugzeuge entworfen.

Die Ultraleichtbauweise ist keine Theorie mehr, sondern inzwischen Praxis. Ende 1991 stellte General Motors (GM) unter dem Namen »Ultralite« das Kohlenfaser-Studienmodell eines 4-Sitzers vor, mit verdoppelter

35

Effizienz, hervorragenden Sicherheits- und Emissionsdaten, hohem Komfort, elegantem Aussehen und einer sehr sportlichen Leistung (von 0 auf 100 km/h in 8 Sekunden) – das ist etwa die Beschleunigung eines 12-Zylinder-BMW. Dabei war der Motor mit 111 PS beziehungsweise 83 kW kleiner als der des Honda Civic. Fünfzig GM-Experten hatten zwei Ultralites in nur hundert Tagen gebaut.

Hybridantrieb

Ein weiterer Effizienzgewinn kommt aus der Nutzung der Bremsenergie. Hierfür kann man entweder die Schwungradidee aus den siebziger Jahren verfolgen, was aber bei kleinen Autos schwer vorstellbar ist, oder man speichert die Bremsenergie elektrisch. Diese Idee führt zum Hybridantrieb. Er kombiniert einen Verbrennungsmotor mit einem Elektromotor. Letzterer kann bis zu 70% der Bremsenergie aufnehmen und bei Steigungen oder beim Beschleunigen wieder abgeben. So können noch einmal insgesamt etwa 30–50% Effizienz gewonnen werden. Daß man nicht ganz auf einen Elektromotor setzt, liegt daran, daß Energie in Form von Kraftstoff wesentlich effizienter zu transportieren ist als in Form von Batterien, die weniger als 1% nützliche Energie pro Kilo ihres Gewichts enthalten.

Nun stellten die Neuerer vom RMI bei der Analyse von Fahrzeugen, die nach dem neuesten Stand der Technik gebaut waren, fest, daß man mit einer kunstvollen Kombination der Ultraleicht- und der Hybridstrategie die Gesamteffizienz nicht bloß um das Zwei- bis Dreifache, sondern um das circa Fünffache steigern könnte – als habe man eine Gleichung gefunden, die lautet: 2 + 1 = 5. Der Grund dafür liegt in Synergien:

- Bei Gewichtseinsparungen gibt es eine Kettenreaktion. Je leichter das Auto wird, desto überflüssiger (nicht bloß kleiner) werden bestimmte Teile;
- wenn die Ultraleichtbauweise die Energieverluste durch Luft- und Straßenreibung stark vermindert, wird Antriebskraft hauptsächlich beim Bremsen verschwendet, und dieser Verlust vermindert sich aufgrund der elektrischen Rückgewinnung nochmals; und
- diese Energieeinsparungen an den Rädern verdoppeln bis verdreifachen die Treibstoffeffizienz.

Wenn also der GM Ultralite mit einem Hybridantrieb anstelle eines normalen Motors ausgerüstet würde, stiege seine Effizienz nicht zwei- bis dreifach, sondern vier- bis sechsfach auf ungefähr 1,2 – 2,1 l/100 km. Und das, schon bevor weitere Optimierungsversuche unternommen wurden. RMI Forscher fanden bald Mittel und Wege, ein attraktives Familienauto auf bis zu 0,4 – 1,6 l/100 km zu verbessern, und dieses Auto ist so viel einfacher konstruiert, daß es erheblich leichter und billiger hergestellt werden kann als herkömmliche Fahrzeuge aus Stahl, die einen aufwendigen Produktionsprozeß mit Stanzen, Schweißen und Lackieren durchlaufen.

Die Idee breitet sich aus
Im Herbst 1993 wurde der RMI-Vorschlag von der ISATA, der größten europäischen Autotechnologiekonferenz, als einer der drei besten von über achthundert vorgestellten Vorschlägen mit dem Nissan-Preis ausgezeichnet. Allmählich hören die Autohersteller genauer hin. Das RMI-Konzept hat schon drei amerikanische Design-Preise gewonnen, die Medien interessieren sich dafür. Im April 1994 ließ ein Team von Studenten der University of Western Washington ein 2-Sitzer-Hybridauto von der Größe einer *Corvette* unter Federführung des amerikanischen Energieministeriums im Stadtverkehr von Los Angeles testen: Es kam auf 1,16 l/100 km. Im Herbst 1994 leitete Amory Lovins in Aachen eine Konferenz über sein Ultraleichtkonzept, dessen Umsetzung nun unter dem Namen »Hypercar« bekannt ist. Eine kleine Schweizer Firma, ESORO, führte ein 4-Sitzer-Hybrid-Auto vor, das wenig mehr als 2 l/100 km verbraucht. Namhafte Wissenschaftler und Praktiker hatten in Aachen viel Aufregendes zu berichten, unter anderem eine vierfache Senkung der Kohlenfaserpreise in den letzten zwei Jahren auf ein Niveau, das die Kohlefasern ungeachtet der Produktionsmengen zum ernsthaften Konkurrenten für Stahl werden lassen kann.

Nun horchen auch die Regierungen auf. Präsident Clintons Partnership for a New Generation of Vehicles unterstützt die neue Entwicklung. Nach diesem 1993 getroffenen Abkommen mit den drei großen amerikanischen Autoherstellern soll innerhalb von zehn Jahren ein dreimal effizienteres Auto gebaut werden. Das Abkommen ist ein Schritt nach vorne, auch wenn die eigenen Programme dieser und anderer Hersteller vermutlich noch viel mehr erreichen können. In den kalifornischen Behörden überlegt man schon, ob Hyperautos nicht als »praktisch emissionsfreie Fahrzeuge« klassifiziert werden sollten, weil sie weniger Verschmutzung verursachen als die Kraftwerke, die nötig sind, um die Energie für batteriebetriebene Fahrzeuge zu erzeugen. Das wäre ein weiterer Anreiz, bis 1998, wenn 2% aller in Kalifornien verkauften Neuwagen (ansteigend auf 10% innerhalb der darauffolgenden fünf Jahre) in der »Nullemissions«-Kategorie sein müssen, Hyperautos auf den Markt zu bringen.

Das Hyperauto kommt – so oder so

Die heutigen Autos sind herrlich kompliziert und hochgezüchtet – sie krönen das Stahlzeitalter. Aber viele Experten glauben, daß sie von einer Welle der Innovationen hinweggespült werden, die den größten Umbruch der Industriestruktur seit Erfindung des Mikrochips zur Folge haben könnte. Und genau wie im Fall der Computer kann dies überall auf der Welt geschehen, mit erschwinglichem Kapitaleinsatz und mit hoher Geschwindigkeit. Die Folgen könnten dramatisch sein, im Guten wie im Schlechten. Der Ozonalarm in den Ballungsgebieten verschwände. Gleichzeitig könnte die Zahl der Autos bis zur Unerträglichkeit zunehmen. In der Stahlindustrie würden Zehntausende weitere Arbeitsplätze verlorengehen, andere entstünden in der chemischen Industrie. Die Autoreparaturbetriebe müßten ganz neue Leistungsprofile entwickeln. Die Nachfrage nach Öl könnte stark absacken und in deren Folge der Weltmarktpreis für Öl. Was hätte das für politische Folgen?

Womöglich geht die Veränderung auch noch ziemlich schnell vor sich. Zwei führende amerikanische Experten für das effiziente Auto, Paul MacCready (Erfinder des »Sunraycer« Solarautos, des mit Muskelkraft angetriebenen Flugzeugs »Gossamer Condor«, zweier Solarflugzeuge und vieler anderer pfiffiger Fahr- und Flugzeuge) und Robert Cumberford (Korrespondent der Zeitschrift *Automobile*), prognostizieren unabhängig voneinander, daß schon im Jahre 2005 praktisch alle Neuwagen einen Elektroantrieb haben und die meisten davon Hybridantriebe sein werden. Unter Autoexperten breitet sich rasch die Meinung aus, daß ultraleichte Hybridautos den Weg in die Zukunft weisen und daß diese Zukunft gar nicht mehr fern ist.

Das Hauptmotiv ist dabei nicht etwa die Ökologie, sondern das Verlangen nach höchster Qualität. Das ist derselbe Grund, aus dem man heute keine Vinyl-Langspielplatten mehr kauft, sondern CDs.

2. Das Rocky Mountain Institute: das erste vollbiologische Bürohaus der Welt

In den Rocky Mountains im Westen des US-Bundesstaates Colorado gibt es, 25 Kilometer von Amerikas bekanntestem Skigebiet Aspen entfernt, in 2200 Metern Höhe über dem Meeresspiegel eine passiv-solare Bananenfarm: das Rocky Mountain Institute (RMI).

Die Gegend ist für die Bananenzucht nicht gerade geeignet. Die Außentemperaturen können auf minus 44 °C absinken, nur 52 Tage im Jahr sind gewöhnlich frostfrei, doch milder Frost kann jederzeit auftreten. Hier gibt es zwei Jahreszeiten: den Juli und den Winter. Es ist zwar oft sonnig, aber im Winter war die Wolkendecke schon bis zu neununddreißig Tage lang zu.

Nichtsdestoweniger reifen jetzt, im Januar 1995, während wir dieses Kapitel niederschreiben, im RMI die Bananen, und draußen tobt ein Schneesturm. Zwei große Leguane halten Vorlesungen über das Echsensein für Fortgeschrittene. Orangen reifen heran, Goldfische spielen im Teich, irgendwo sprudelt ein Wasserfall, und ein halbes Dutzend Plüsch-Orang-Utans hangelt sich von Bücherregal zu Bücherregal. Wenn die Tage im März und April allmählich länger werden, blüht der ganze Urwald und ist voller reifer Früchte – Avocados, Mangos, Weintrauben, Papayas, Passionsfrucht. Aus dem Schneesturm kommend, läßt man sich den Duft von Jasmin und Bougainvillea in die Nase steigen (vgl. Abb. 3).

Und dennoch hat das Haus kein konventionelles Heizsystem, weil keines gebraucht wird. Ab und zu liefern zwei Holzöfen – eher aus ästhetischen Gründen – etwa 1% der Heizenergie, die ein normales Haus in dieser Gegend sonst benötigt. Die restliche Energie ist »passiv-solar«. Auch an bewölkten Tagen fangen die »Superfenster« (s. Beispiel 5) Sonnenenergie ein. Sie isolieren so gut wie sechs, die neuesten Modelle wie zwölf Schichten Normalglas. Die Fenster lassen drei Viertel des sichtbaren Lichts und die Hälfte der Sonnenenergie herein, aber sie lassen praktisch keine Wärme entweichen. Schaumstoffisolierungen in den 40 cm dicken Steinwänden und im Dach sind eine etwa doppelt so effektive Barriere gegen den üblichen Wärmeverlust (mit k-Werten von 0,14 für die Wände und 0,09 fürs Dach). Frischluft kommt ständig aus Wärmeaustauschanlagen, die drei Viertel der in der Abluft enthaltenen Wärmeenergie auf die einströmende Frischluft übertragen und dem Haus erhalten.

3. Ein tropischer Garten bildet den Mittelpunkt im 2200 m hoch gelegenen Rocky Mountain Institute, das zu 99% mit passiv-solarer Energie versorgt wird.

Was hat die Sonderausstattung gekostet? Weniger als nichts! Die Extrakosten waren niedriger als die aufgrund des Verzichts auf eine konventionelle Heizung mit ihren Leitungssystemen gesparten Kosten.

Das eingesparte Geld plus zusätzlich etwa 26 DM/qm wurde in Installationen zur Halbierung des Wasserverbrauchs, zur Verminderung des Warmwasserenergieverbrauchs um 99%, und des Haushaltsstromverbrauchs um 90% investiert. Bei einem Strompreis von 12 Pfennig/ kWh beträgt die monatliche Stromrechnung rund 8 Mark. Das ist weniger als der kleine Scheck, den das RMI vierteljährlich vom Stromunternehmen für die Netzeinspeisung von selbst erzeugtem Solarstrom erhält. Dies alles ist der Effizienz, der Isolation und den passiven und aktiven Solaranlagen zu verdanken.

Tageslicht, das von allen Seiten einströmt, macht 95% des benötigten Lichts aus; supereffiziente Lampen sparen drei Viertel der für den Rest eigentlich benötigten Energie. Lichtquellen werden automatisch je nach Tageslicht heruntergeschaltet beziehungsweise ganz ausgeschaltet, wenn man den Raum verläßt. Der Kühlschrank benötigt nur 8%, die Tiefkühltruhe nur 15% des üblichen Stroms, weil beide superisoliert sind; sie wurden eigens für das RMI entworfen. Der Kühlschrank ist durch einen passiven Wärmeleiter mit einer Metallflosse am Ende mit der in der Regel kühlen Außenluft verbunden. Der Wäschetrockner bezieht die benötigte Wärme aus einem Lichtschacht. Die Waschmaschine, ein neues Topladermodell mit horizontaler Achse, spart gut zwei Drittel der üblich verbrauchten Wasser- und Energiemengen und drei Viertel des Waschmittelbedarfs; zudem wäscht sie sauberer und schont die Kleidungsstücke mehr als andere Maschinen. Selbst die gewöhnlichen Propangasherde sparen noch Energie, weil doppelwandige Schweizer Spezialtöpfe und ein britischer Wasserkessel benutzt werden, deren Wärmeschutzdesign ein Drittel der Energie und Zeit spart, die man sonst zum Wasserkochen braucht. Draußen hilft ein superisolierter, teils mit passiv-solarer, teils mit photovoltaisch erzeugter Energie geheizter Stall den Schweinen, fett zu werden, und den Hühnern, viele Eier zu legen, denn um die Körpertemperatur konstant zu halten, brauchen sie keine zusätzliche Energie.

Summa summarum betrugen also die Zusatzkosten für das Energie- und Wassersparen ganze 26 Mark pro Quadratmeter. Das macht bei 372 qm rund 10 000 Mark oder ein Prozent der normalerweise für ein Projekt in dieser Gegend (wo die Baukosten doppelt so hoch sind wie im Durchschnitt) veranschlagten Kosten. Und dafür genießen die Bewohner die jährlichen Energieeinsparungen von rund DM 12 000. Die Zusatzkosten hatten sich also innerhalb von zehn Monaten amortisiert, und danach gab es Einsparungen von täglich rund 32 Mark. Das ist das Äquivalent einer»1,3 Barrel-pro-Tag-Ölquelle« oder der Kosten für einen Institutspraktikanten.

Zehn Monate sind für Ungeduldige viel Zeit, aber es hat sich gelohnt. Und heute würde sich der Bau aufgrund technischer Fortschritte in noch kürzerer Zeit amortisieren. Die Isolierfenster etwa sind heute viel billiger geworden und isolieren doppelt so gut wie damals.

Die Energieeinsparungen»bezahlen« nicht nur die Zusatzkosten. In etwa vierzig Jahren werden sie sogar das gesamte Gebäude finanziert haben. (Das Haus selbst sollte mehr als zehnmal so alt werden: Es wurde auch für künftige Archäologen gebaut, die aus der südlichen Ausrichtung und den merkwürdig gerundeten Wänden zweifellos schließen werden, es handele sich um den Tempel eines Sonnenkultes.) Für die Erzeugung der Energie, die in diesen 40 Jahren allein mit diesem Gebäude eingespart wird, müßte man einen Kohleberg vom doppelten Volumen des Hauses verbrennen. Schon der Kühlschrank spart jedes Jahr so viel Kohle, wie sein Innenvolumen faßt – und hält das Bier genauso kalt.

Mehr als 40 000 Menschen haben das RMI schon besucht. Viele Zeitschriften von *Geo* bis *Newsweek* haben darüber berichtet, und es gab Fernsehsendungen in aller Welt darüber. Manche Besucher kommen, um aus erster Hand etwas über die hier entwickelten Technologien und ihre optimale Integration zu erfahren; andere wollen wissen, wie es ist, Wohnraum, Forschungsinstitut und Bauernhof unter einem Dach zu vereinen.

Die meisten Besucher erkennen als vielleicht wichtigste Eigenschaft des Gebäudes, daß es die Lebensqualität und damit auch Arbeitsproduktivität seiner Bewohner stark anhebt. Warum bleibt eine Arbeitsgruppe über viele Stunden hinweg aufmerksam und gut gelaunt, wenn dieselbe Gruppe in einem normalen Büro schläfrig oder gereizt wird? Wir vermuten, daß die auf die Psyche entspannend wirkenden Rundungen der Wände etwas damit zu tun haben, oder das Geräusch des kleinen Wasserfalls, die Abwesenheit mechanischen Lärms, das Fehlen elektromagnetischer Felder, der Klang, der Geruch, der Sauerstoff und die üppigen Pflanzen im Minidschungel. Vielleicht spielen noch andere Faktoren, die wir noch nicht kennen, eine Rolle. Aber diese Liste von Gründen scheint schon viel zu erklären.

Wir finden, Gebäude sollten generell Nettoexporteure von Energie, Nahrung und Schönheit sein (RMI, 1995, 1). Das RMI ist eines der ersten solchen»grünen« Gebäude und wohl noch immer eines der besten.

Einer Illusion sollten die Freunde des RMI allerdings nicht erliegen: Wenn auf einmal Millionen von Familien aus den heutigen Städten ins Umland ziehen würden und dort Millionen Supereffizienz-Einfamilienhäuser bauen würden, wäre das kein ökologischer Gewinn. Durch das zusätzliche Verkehrsaufkommen und den Ressourcenverbrauch beim Hausbau würde der Gewinn sofort aufgezehrt, ja ins Negative verkehrt.

3. Das »Passivhaus« in Darmstadt-Kranichstein: ein Wohnhaus zum Wohlfühlen

Schweden hat schon 1991 einen Wärmeschutzstandard festgelegt, nach dem nicht mehr als 50–60 kWh Wärmebedarf pro Quadratmeter und Jahr erlaubt sind. Durchschnittliche Wohnhäuser in Deutschland dagegen haben einen Wärmebedarf von 200 kWh/qmJahr*. Die 1995 auf alle

---

* kWh/qmJahr bedeutet: Wärmebedarf pro Quadratmeter Wohnfläche und Jahr.

4. Das »Passivhaus« in Darmstadt-Kranichstein.

Gebäude ausgeweitete Wärmeschutzverordnung verlangt dagegen nur eine Reduktion auf 50–100 kWh/qmJahr bis zum Jahr 2000.

Es gibt allerdings auch in Deutschland Häuser, die zeigen, daß der schwedische Standard noch übertroffen werden kann. Eines der bekanntesten Beispiele ist das Darmstädter »Passivhaus«.

»Passiv« heißt, daß für die Energieversorgung des Hauses passive Solarenergie verwendet wird. Das Passivhaus hat einen Jahresheizwärmebedarf von 10 kWh/qm (Feist, 1994). Dieses bemerkenswerte Resultat wird – ähnlich wie beim Rocky Mountain Institute – hauptsächlich mit einer effizienten Isolierung von Fenstern und Wänden erreicht.

Das Passivhaus in Darmstadt ist mindestens genauso solide und haltbar wie andere deutsche Wohnhäuser, hat aber im Gegensatz zu diesen eine angenehm gleichbleibende Innentemperatur. Und es hat noch weitere, nicht zu unterschätzende Vorteile für seine Bewohner: In den lichtdurchfluteten, luftigen Räumen herrscht eine wohltuende Ruhe, denn mechanische Geräusche (keine Ölheizung und nur wenige andere Geräte) gibt es nicht, und den Straßenlärm hört man nicht (dank der lärmschluckenden Superfenster und guten Isolierung). Jeder, der in das

Haus kommt, spürt sofort, daß es einen höheren Wohnkomfort und Erholung bietet. Es vermittelt ein Gefühl der Geborgenheit und gleichzeitig von Naturnähe, weil die großen Fenster eine Öffnung zum Garten schaffen.

Das Passivhaus verbraucht im Vergleich zu einem normalen Wohnhaus nur 5% der Heizenergie und nur 35% des Stroms. Der zusätzliche Raumwärmebedarf ist so gering, daß er mit ein bißchen Heißwasser aus dem supereffizienten, gasbetriebenen Wasserboiler gedeckt werden kann, den man ohnehin für Warmwasser zum Kochen und Waschen braucht; Heizofen und Zentralheizung sind überflüssig.

Die Fenster, eine ältere Generation von Superfenstern, isolieren in der Mitte des Glases ungefähr so gut wie acht Schichten herkömmlichen Glases (k-Wert 0,7). Die besten modernen Fenster sind noch einmal um 50% besser und würden hier auch noch die letzten 5% Heizbedarf decken. Um Raumheizung ganz überflüssig zu machen, bedarf es einer Innovation, die im Passivhaus erstmalig ausprobiert wurde: eine Schaumstoffschicht, die um alle Fensterrahmen gelegt wird und 3 cm in die Fensterflächen hineinragt. Diese »Fensterschals« verhindern den sonst üblichen Wärmeverlust am Rahmen und isolieren die Ränder des Fensters genauso effizient, wie das Superglas die Fläche isoliert. Dieses System könnte leicht zu einem Massenprodukt umgesetzt und, versehen mit einer attraktiven Sichtblende über dem Schaumrahmen, sowohl in Neubauten wie in alten Häusern verwendet werden.

Eine andere wichtige Energiesparmaßnahme ist wie beim Rocky Mountain Institute die Erwärmung der einfließenden Frischluft. Diese wird erst durch eine mehrere Meter lange und vier Meter tief im Erdboden vergrabene Röhre geleitet. Selbst mitten im Winter ist der Erdboden in dieser Tiefe noch so warm, daß er die Außenluft auf 8°C erwärmen kann. Die so vorgewärmte Luft gelangt dann in einen Wärmetauscher, wo ihr etwa 80% der Energie zugeführt werden, die der verbrauchten, ausströmenden Luft entzogen wurden. So verliert das praktisch luftdichte Haus kaum Energie und wird ständig belüftet. Der Luftfluß kann in den einzelnen Teilen des Hauses separat reguliert werden, und je mehr Menschen in einem Raum sind, desto mehr Frischluft strömt ein: Ein Sensor reagiert auf das ausgeatmete Kohlendioxid und stellt den leisen Ventilator entsprechend ein.

Der Wärmefluß in und aus diesem Haus ist der weltweit vielleicht am gründlichsten gemessene. Wolfgang Feist und seine Mitarbeiter kümmerten sich um Dinge, die man normalerweise vernachlässigen darf: um die exakte, millimetergenaue Plazierung der Sensoren; um den Verlust von Wärme, die an kaltes Toilettenwasser abgegeben und aus dem Haus gespült wird (immerhin rund 3% der Heizungslast); und selbst um die Tendenz des Putzes »zu atmen«, das heißt um die Absorption und Verdunstung von Wasserdampf in den verschiedenen Jahreszeiten – ein Effekt, der für rund ein Zehntel der Heizungslast verantwortlich ist.

Das Passivhaus war vor allem als Demonstration des technisch Machbaren gedacht, nicht als kosteneffektive Version des Konzepts. Der nächste Schritt ist es, das Konzept den deutschen Baumethoden anzupassen, damit es billiger wird. Die Erwartung ist, daß es sich für Neubauten lohnt: Das, was man für bessere Isolierung, Wärmaustauscher, Sensoren usw. bezahlt, soll nicht teurer sein als das, was man sonst für eine Zentralheizung und deren laufenden Betrieb ausgeben müßte.

Für die Weltausstellung EXPO 2000 in Hannover wird ein ganzer Stadtteil, die Kronsberg-Siedlung, mit einem um den Faktor 4 verminderten Energiebedarf geplant. Für die Altbausanierung rechnet sich das Darmstädter Konzept noch nicht, doch bei einem ohnehin fälligen Außenanstrich kann man die in Skandinavien erprobte supereffiziente Außenisolierung anbringen und kommt damit durchaus in die Nähe der Rentabilität. Und wenn die Energiepreise endlich der Wirklichkeit angepaßt werden, kommt die Rentabilität selbst im Altbaubereich natürlich noch rascher.

4. Häuser im sommerheißen Kalifornien: natürlich klimatisiert

Die letzten zwei Beispiele beschrieben Häuser, die nur ein Zehntel der üblichen Energie für Heizung in kalten und wolkenreichen Gebieten benötigen. Wie aber steht es mit dem Energieverbrauch für Raumkühlung in warmen Gegenden? In den USA gehören Raumkühlungssysteme (air conditioning) zu den größten Stromfressern im Sommerhalbjahr. Auch hier gibt es gewaltige Einsparmöglichkeiten.

Der größte privatwirtschaftliche Stromversorger der USA, Pacific Gas and Electric, PG&E, (vgl. Kap. 5), führt gerade ein Experiment durch, das »Advanced Customer Technology Test for Maximum Energy Efficiency«, kurz ACT, genannt wird. Ziel ist es, die besten und die kostengünstigsten Paketlösungen zu finden, die eine maximale Energieeinsparung erlauben. Der Versuch wird von einem Ausschuß aus PG&E, RMI, Lawrence Berkeley Lab (der nationalen Autorität in Sachen energieeffizienter Gebäude) und dem Natural Resources Defense Council (einer führenden Umweltschutzorganisation) angeleitet.

1989, von PG&Es Forschungsvorstand Carl Weinberg und RMIs Forschungsdirektor Amory Lovins initiiert, wurden die meisten der neun Versuchsgebäude für insgesamt 18 Millionen Dollar gebaut oder umgerüstet, und die Meßwerte sprudeln nur so. Sie bestätigen im großen und ganzen die Ausgangshypothese, daß etwa drei Viertel der Elektrizität zumeist kostengünstig und unter Beibehaltung oder Verbesserung der gewünschten Dienstleistungen eingespart werden kann.

Ein Neubau in Davis nahe der kalifornischen Hauptstadt Sacramento war das Pilotprojekt, mit dem getestet wurde, was sich unter den extremen klimatischen Bedingungen machen läßt. Die Temperaturen erreichen 40 °C, gelegentlich auch 45 °C. Dazu herrscht meist hohe Luftfeuchtigkeit. Die Sommernächte sind normalerweise angenehm kühl, aber manchmal gibt es mehrtägige Hitzeperioden ohne nennenswerte Abkühlung in der Nacht.

Die Aufgabe bestand also darin, ein normal aussehendes, sehr bequemes Haus mit 255 qm Wohnfläche, typisch amerikanischem Zuschnitt und allen Annehmlichkeiten zu entwerfen, das so wenig Energie wie möglich verbraucht. Als Vergleichshaus wurde eines gewählt, das bereits die strengsten Energieeffizienzstandards der USA erfüllte. Der Preis sollte mit 250 000 Dollar der mittleren Preislage für ein Haus in Kalifornien entsprechen.

Zunächst verminderte das Davis Architektenteam durch geschicktere Raumnutzung den Umfang des Hauses um 11% (7 Meter), um Geld und Energie zu sparen. Dann verbesserten sie die besten erhältlichen Fensterrahmen, setzten Superfenster an den richtigen Stellen ein, verwendeten eine Wandkonstruktion, die Holz spart, die Baukosten senkt und die Isolierung verdoppelt. Diese Schritte erbrachten bereits 17% Energieeinsparungen, und zwar um 3500 Dollar billiger als beim Vergleichshaus – allerdings unter der Annahme künftiger Massenfertigung der Neuerungen.

Als nächstes machten sich die Architekten an die Detailarbeit. Sie verwendeten oder konstruierten effiziente Lampen, Haushaltsgeräte und ein

Warmwassersystem, was insgesamt zusätzlich etwa 1900 Dollar kostete, aber die Einsparungen auf 60% steigen ließ. Die einzige ungewöhnliche Maßnahme bestand darin, die Abwärme des Kühlschranks zum Vorheizen von Warmwasser zu verwenden: dies machte sowohl den Kühlschrank effizienter als auch den Rest des Hauses etwas kühler. Lehrreich war wieder einmal, daß wählerisches Einkaufen wichtig ist. Die besten erhältlichen Abluftventilatoren benötigten 80% weniger Energie als andere Modelle, deren normale Effizienz in amerikanischen Häusern bei kümmerlichen 1–4% liegt. Eigentlich sind sie nichts anderes als elektrische Heizgeräte, die nebenher einen winzigen Teil ihrer Energie zum Luftbewegen aufwenden.

Die Isolation von Wänden, Dach und Fenstern verminderte den Heizbedarf um 58%, genug, um einen 2000 Dollar teuren Heizofen und die damit verbundenen Leitungen und Geräte überflüssig zu machen. An seiner Stelle kann in den kältesten Nächten ein wenig Warmwasser aus dem 94%-effizienten-Gasboiler durch eine 2400 Dollar billige Fußbodenheizung laufen.

Nach all diesen Baumaßnahmen waren immerhin zwei Drittel der Energie eingespart, die für die normalerweise notwendige Drei-»Tonnen«*-12,3-kW-Klimaanlage benötigt worden wären; alle Möglichkeiten, große Energiemengen einzusparen, waren schon voll ausgeschöpft, und jede weitere Maßnahme hätte bei den niedrigen Stromkosten von ca. 11 Pfennig/kWh mehr gekostet als die eingesparte Energie. Was konnte man also noch tun?

Glücklicherweise hatten die Architekten noch einen Maßnahmenkatalog mit dem Titel »Mögliches Paket zur Verminderung des Kühlbedarfs« vor sich. Darin befanden sich Verbesserungsmöglichkeiten, mit denen noch nicht genug Energie gespart werden kann, um die Installationskosten aufzuwiegen, die aber nebenbei den Kühlbedarf senken. Als man sieben dieser Maßnahmen zu Kosten von 2600 Dollar einplante, errechnete man Einsparungen von mehr als 1500 Dollar für Klimaanlagen- und Leitungsausrüstung plus 800 Dollar Instandhaltungskosten,

---

* Eine »Tonne« ist ein amerikanisches Maß für die Leistungsfähigkeit eines Airconditioner. Es bezieht sich ursprünglich auf Eisblöcke. Eine »Tonne« Kühlung kann ein Haus so rasch kühlen wie eine (amerikanische) Tonne Eis (907 kg), wenn sie innerhalb von vierundzwanzig Stunden schmilzt. Das physikalische Äquivalent ist eine Kühlung von 3,52 kW thermisch.

was das Paket rentabel machte. Es zahlte sich also aus, ein großes Paket von Sparmaßnahmen zu schnüren, das billiger war als einzelne Maßnahmen.

Die Erwartung der Architekten, daß keine Zusatzkühlung nötig sei, bestätigten die Bewohner im ersten Sommer, für Amerikaner ein sensationelles Ergebnis. Die Isolierung und die Superfenster hielten die Hitze draußen, und effiziente Lampen und Geräte produzierten praktisch keine Abwärme. Wärmespeichernde Materialien wie Keramikfliesen im zentralen Wohnbereich glichen die tageszeitlichen Temperaturschwankungen etwas aus.

Computersimulationen zeigten, daß das Haus 53% weniger Strom, 71% weniger Spitzenstrom und 69% weniger Gas als das schon recht effiziente Vergleichshaus verbrauchen würde. Aber diese Rechnung bezog die kleinen Verbesserungen bei den Haushaltsgeräten noch nicht mit ein, die immerhin ein Drittel des Strombedarfs ausmachten. Werden sie berücksichtigt, so belaufen sich die Einsparungen auf 80% der Gesamtenergie. Die einzelnen Einrichtungen sparen im Vergleich an Energie: 79% für Strom, 78% für Heizung, 79% für Warmwasser, 80% für den Kühlschrank, 66% für Beleuchtung und 92% für Klimaanlage und Ventilation zusammen. Und dennoch würde das Modellhaus (bei Massenfertigung) rund 1800 Dollar Baukosten und jährlich 1600 Dollar Betriebskosten einsparen.

Erste Erfahrungen zeigen, daß die Anlagen im Haus wie erwartet gut funktionieren. Die Bewohner, die im Dezember 1993 eingezogen sind, sind mit dem Komfort sehr zufrieden, auch nach einer schlimmen Hitzeperiode. Da die kalifornische Energieverordnung alles umfassen soll, was praktisch und rentabel machbar ist, legt das Davis-Haus eine gründliche Überarbeitung der Standards nahe.

Ein weiteres ACT-Projekt wurde wenige Monate später im noch heißeren Stanford Ranch, Kalifornien, fertiggestellt. Das dem Pilotprojekt sehr ähnliche Haus spart noch mehr Energie. Dies wird hauptsächlich mit passiven Methoden erreicht: Eine noch bessere Isolierung, optimierte Fenster, helle Wände und helles Dach sowie eine doppelte Außenwand reduzieren die Kühllast um 44%. Das Haus verwendet auch einen Verdunstungskühler, der nur nachts läuft, das ganze Haus ventiliert und zugleich Wasser kühlt, das durch Leitungen im Fußboden zirkuliert und so die gesamten Einsparungen bei der Kühlenergie auf 87% erhöht.

Das Haus in Stanford Ranch würde im Serienbau zwar rund 1000 Dollar bzw. 0,4% mehr kosten, aber die Einsparungen bei den Betriebskosten machen diesen Betrag wett, so daß die Nettokosten für einen um den Faktor 4 gesenkten Energieverbrauch in den wichtigsten Kategorien bei Null liegen.

Ein drittes ACT-Projekt bestand in der Umrüstung eines normalen, 15 Jahre alten einstöckigen Hauses im Frühjahr 1994. Es befindet sich in einer der heißesten Gegenden Kaliforniens, in Stockton, wo man die Klimaanlagen von Juni bis September permanent laufen läßt. Die Gegebenheiten des Hauses und die Bedürfnisse der Bewohner setzten den Verbesserungen Grenzen. Trotzdem werden nach der Umrüstung 60% der gesamten Elektrizität und 62% des Gasverbrauchs eingespart; hinzu kommen weitere Einsparungen bei elektrischen Haushalts- und Kleingeräten. Die Kosten liegen (Massenfertigung vorausgesetzt) bei etwa 5500 Dollar, einschließlich der zukünftigen Ersatzteil- und Wartungskosten. Einfache Verbesserungen der Klimaanlage – effizientere Gebläsemotoren und ein Verdunstungsvorkühler – sollen zu einer Einsparung von 76% beim Kühlungsstrombedarf führen. Daneben wird erwartet, daß der Heizenergiebedarf um 59% abnimmt, der Energieverbrauch von Haushaltsgeräten um 63%, der von Beleuchtungs- und Kleingeräten um 76% und der für eine Schwimm- und Badeanlage um 76%.

Zwar liegen alle drei ACT Häuser in einer sommerheißen Gegend, aber keines davon in den ganzjährig schwülen, tropischen Zonen. Auch dort gibt es aber Erfahrungen mit durchaus vergleichbaren Ergebnissen (vgl. Beispiel 18). So sind also weder Hitze noch hohe Luftfeuchtigkeit ein Hindernis für Faktor-4-Einsparungen. Sie rechnen sich alle und bringen erstklassigen Komfort.

5. Superfenster: Heizen und Kühlen zum Nulltarif

Superfenster sind der Schlüssel für den Faktor 4 bei der Senkung des Energiebedarfs von Gebäuden.

Superfenster haben unsichtbare »High-Tech«-Schichten, die das sichtbare Licht durchlassen und die Infrarotstrahlung reflektieren. Superfenster gibt es heute in Hunderten von Ausführungen, für jeden Gebäudestil und Geschmack, für jedwedes Klima und für die vier Himmelsrichtungen. Gute Effizienzarchitekten benutzen nämlich verschiedene Fenstertypen für die vier Himmelsrichtungen – besonders lichtdurchlässige auf der polwärtigen Seite, minimal wärmedurchlässige auf der Sonnen-

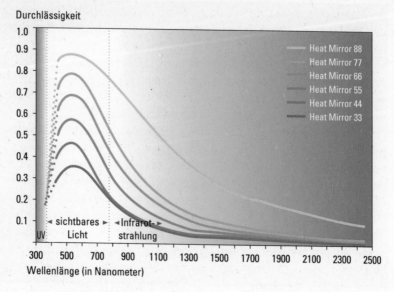

Durchlässigkeit

Heat Mirror 88
Heat Mirror 77
Heat Mirror 66
Heat Mirror 55
Heat Mirror 44
Heat Mirror 33

◄ sichtbares ► ◄Infrarot-►
UV   Licht   strahlung

Wellenlänge (in Nanometer)

5. Superfenster lassen das Tageslicht durch und reflektieren langwellige Wärmestrahlen. Das Diagramm zeigt die für den relevanten Teil des elektromagnetischen Spektrums charakteristische Reflexion der Strahlen an den verschiedenen Heat Mirror™-Folien.

seite (jedenfalls dort, wo die Sommerhitze am meisten stört), Mischformen für Ost- und Westseiten. Äußerlich sehen die Superfenster alle gleich aus. Sie erhöhen den Wohnkomfort, regeln Heiz- bzw. Kühlbedarf, senken damit den Strom- und Brennstoffverbrauch und nicht zuletzt die Installationskosten entscheidend.

Superfenster sind erst seit Anfang der achtziger Jahre auf dem Markt. Das Rocky Mountain Institute (RMI, vgl. Beispiel 2) war möglicherweise das erste kommerzielle Gebäude, bei dem Fenster verwendet wurden, deren Isolation auf der Kombination zweier Elemente beruht: auf Folien und Beschichtungen, die nur bestimmte Wellenlängen durchlassen, und auf einer Füllung mit schwerem Gas. Die am RMI verbesserte Mehrschichten-Version kam kurz danach auf den Markt. Im November 1993 ging Heat Mirror™ mit beidseitig beschichteten Scheiben in Produktion, was dünnere und gleichzeitig leistungsfähigere Fenster ermöglicht. Auf dem europäischen Markt gab es vergleichbare Superfenster erst sehr viel später: moderne Superfenster von vernünftiger Dicke und zu erschwinglichem Preis konnte man hier in den achtziger Jahren gar nicht kaufen. Sie sind erst seit 1993/94 zu haben.

Im kalten, wolkenreichen Europa werden Superfenster bislang hauptsächlich zur Maximierung des Wärmegewinns eingesetzt. Für Europäer überraschend ist, daß Kühlungssysteme teurer sind als Heizungen. Daher kann es selbst in nördlichen Breiten vor allem in Bürogebäuden mit Südfassade wirtschaftlich fast noch wichtiger sein, Superfenster zur Abwehr zu hoher Einstrahlung einzusetzen. Selbst in Stockholm oder Toronto brauchen Bürotürme oft im Winter noch eine Klimaanlage.

Wärmeabweisende Fenster in den südlichen Zonen sind üblicherweise entweder verspiegelt, so daß ihre Außenseite unangenehm blendet, oder so dunkel, daß sie die Hälfte der Wärme nach innen zurückspiegeln; die dunklen Räume müssen dann mit elektrischem Licht erhellt werden, was natürlich Strom verbraucht und neue Wärme erzeugt. Superfenster lassen Tageslicht weitgehend herein und spiegeln nur die Wärmestrahlung zurück.

Superfenster für südliche Zonen lassen die Wärme in kalten Wintern übrigens nicht nach draußen entweichen. Die Isolierung wirkt dann umgekehrt. Die Fenster können also auch in Gegenden mit heißen Sommern und kalten Wintern ganzjährig eingesetzt werden.

Superfenster rechnen sich keineswegs nur für Neubauten. In Ausnahmefällen kann es sich sogar auszahlen, die Fenster in den oberen Etagen von Wolkenkratzern (wo der Fensterumbau teuer ist) auszutauschen.

1988 untersuchte das RMI im Auftrag des damaligen Gouverneurs von Arkansas, Bill Clinton, das Potential für Stromeinsparungen in seinem Staat. Ein Ergebnis war, daß ein gut geschnürtes Bündel von zwanzig Maßnahmen für ein typisches älteres Holzhaus bis zu 77% des jährlichen Stromverbrauchs und 83% des Spitzenstroms einsparen kann, ebenso 60% des Gasverbrauchs allein durch bessere Isolierung – noch ohne Verbesserung der Geräte. Dieses Bündel amortisiert sich zudem in nicht mehr als drei Jahren (Lovins, 1988). Der Trick besteht darin, vor die vorhandenen normalen Fensterscheiben durchsichtige, wärmereflektierende Superfenster zu montieren. Diese Umrüstung war die mit Abstand beste Methode, den Energieverbrauch der Klimaanlage zu vermindern, die nun nur noch ein Drittel so groß zu sein brauchte. Airconditioner dieser verminderten Größe können ohne Zusatzkosten doppelt so energieeffizient sein. Alles in allem kam durch solche Synergien zwischen verschiedenen

Maßnahmen trotz der Verwendung relativ teurer Superfenster eine bedeutend größere Energieeinsparung zu einem um ein Drittel billigeren Preis zustande.

1994 testete das RMI diese Logik auf einer noch höheren Ebene. Ein großes Unternehmen wollte ein zwanzig Jahre altes, dreizehn Stockwerke hohes, voll verglastes Bürogebäude mit 18 600 qm Nutzfläche in der Nähe Chicagos renovieren. Die Hälfte der Außenhaut war Sichtglas, die andere dunkles Glas, das Stahl- und Betonelemente überdeckte. Im Durchschnitt entsprach die Isolierung des gesamten Gebäudes nur zwei Schichten Glas – für das ganzjährig rauhe Klima völlig unangemessen –, und zu allem gab es unzählige undichte Stellen. Das Raumklima ließ trotz eines gewaltigen Heiz- und Kühlaufwandes sehr zu wünschen übrig.

Herkömmliche Doppelfenster haben eine Achillesferse: ihre Randversiegelung wird irgendwann undicht, Feuchtigkeit dringt ein, und die Scheiben sind ständig beschlagen. Für die besten Doppelscheiben in den USA beträgt die typische Lebenserwartung der Versiegelung gewöhnlich dreiundzwanzig Jahre, bei billigeren sind es nur zwölf. Das RMI stellte fest, daß schon 8% der neunhundert Doppelfenster leck waren; die restlichen wurden einem »Frosttest« unterzogen, der ergab, daß die meisten innerhalb der nächsten sechs Jahre ausgetauscht werden müßten. Da dies für künftige Mieter extrem lästig geworden wäre, beschloß der Eigentümer, das gesamte Gebäude vor dem Einzug der nächsten Mieter neu verglasen zu lassen.

Die vorhandene Verglasung bestand aus dunklem, doppeltem Bronzeglas mit einer zusätzlichen grauen Beschichtung zum Schutz vor Sonnenstrahlen. Diese Kombination machte die Räume so dunkel, daß nur noch 8% des Tageslichts eindrangen und eine Höhlenatmosphäre entstand, die die Bewohner von ihrer Umwelt abschloß. Zudem war diese Verglasung so teuer, daß der Kauf und die Installation von Superfenstern kaum teurer sein konnte. Superfenster isolieren dreieinhalbmal so gut, lassen sechsmal soviel Tageslicht herein und reflektieren die unerwünschte Sonnenwärme sehr effektiv. Zusammen mit der verminderten Erwärmung durch effiziente Beleuchtung (vgl. Beispiel 11) und Bürogeräte (Beispiel 12) konnten die Fenster die für die Klimaanlage notwendigen Installationen um einen Faktor 4 von 750 auf weniger als 200 »Tonnen« (vgl. Fußnote auf S. 47) reduzieren.

Da Klimaanlagen etwa alle zwanzig Jahre erneuert werden müssen, weil die beweglichen Teile wie Ventilatoren und Pumpen verschleißen, und in den neunziger Jahren die FCKW-haltigen Kühlsysteme ausgetauscht werden müssen, konnte die gesamte Anlage durch ein neues, besseres und fast viermal energieeffizienteres Modell (vgl. Beispiele 17 und 18) ersetzt werden. Das kostete zwar pro »Tonne« etwa 2000 Dollar, aber man brauchte nur ein Viertel soviel »Tonnen«, wie man sie für den schrittweise erfolgenden Austausch der einzelnen Systemteile hätte aufwenden müssen (800 Dollar pro »Tonne«). Die Baukosten sinken damit. Den Differenzgewinn kann der Eigentümer für die Umrüstung der Lampen und für Maßnahmen zur besseren Nutzung des Tageslichts verwenden.

Das RMI kam auf erstaunliche Nettoergebnisse: Der Spitzenstrombedarf, der den Stromversorgern die größten Sorgen bereitet, sinkt um 76%, der jährliche Stromverbrauch insgesamt um mindestens 72%. Annehmlichkeit und Ästhetik werden viel besser und erleichtern das Finden neuer Mieter. Das ganze Gebäude setzt einen neuen Standard an Komfort, Ruhe und Schönheit. Die Betriebskosten sinken um 12 Dollar pro Quadratmeter und Jahr. Das verschafft einen gewaltigen Marktvorsprung, wenn man bedenkt, daß es beim Mietpreiskrieg um Differenzen von einem Dollar pro Quadratmeter und Jahr geht. Rechnet man die Baukosten gegen die Einsparungen und Marktvorteile auf, dann haben sich die Kosten der Renovierung, die so ganz nebenbei einen Faktor 4 an Energie einspart, nach neun Monaten amortisiert. Mit etwas Glück sogar noch früher, nach zwei Monaten, nach null Monaten oder sogar nach »minus« fünf Monaten.

Leider entschied sich der Eigentümer schließlich nur für die Superfenster-Verglasung, unter anderem, weil Makler ihm sofort Mieter anboten und er keine Zeit mit dem weiteren Umbau verlieren wollte. Obwohl das Projekt also nur teilweise umgesetzt wurde, sind die Erkenntnisse daraus wertvoll. Ähnliche Umrüstungsmaßnahmen sind vielerorts höchst rentabel. Bis 1996 wird das RMI in ähnlichen Fällen neue Erfahrungen gesammelt haben. Immerhin gibt es in den USA alleine 100 000 ineffiziente Glaskästen dieses Alters und dieser Machart.

6. Queen's Building: Intelligentes Bauen zahlt sich aus

Im Dezember 1993 kam Ihre Majestät Königin Elisabeth II. an die De Montfort University in Leicester, England, und weihte an der New School of Engineering and Manufacture ein neues akademisches Gebäude ein, das jetzt Queen's Building heißt. Es wurde von Alan Short und Brian Ford

6. *Die De Montfort University in Leicester ist stolz auf ihr neues Ingenieursgebäude, entworfen von Alan Short und Brian Ford. Es braucht nur 25–50% der für ein Gebäude dieses Typs üblichen Energie.*

von Peake, Short und Partnern entworfen und vereint harmonisch Baukunst und Natur. »Die Architekten waren bereit, sowohl die architektonische wie auch die umwelttechnische Herausforderung anzunehmen, anstatt die eine zugunsten der anderen zu ignorieren. Verantwortung für die Umwelt muß nicht langweilige Architektur bedeuten«, urteilt Mark Swanarton in *Architecture Today* (September 1993, S. 20–30).

In diesem passiv klimatisierten und belüfteten Haupthaus der ingenieurwissenschaftlichen Fakultät lernen Studenten etwas über Klimaanlagen, die das Gebäude nicht hat, und über die hohe Kunst der elektrischen Beleuchtung, während sie selbst in Räumen sitzen, die vom Tageslicht durchflutet sind. »Wir fanden«, sagten die Architekten, »daß die Erfahrung des Rhythmus der umliegenden Natur der Ruhe und Konzentration förderlich ist und daß ein Ingenieursgebäude, welches bedeutende Energieeinsparungen erreicht, seinerseits ein Lehrwerkzeug und Forschungsgegenstand sein kann.«

An die Straße nach Nordosten geschmiegt, bewahrt das Gebäude viel von der Offenheit des Unigeländes und paßt sich der Landschaftsarchitektur von Livingstone Eyre und einem geplanten Park auf der Südseite an. Die Ausschreibung für das Projekt hatte drei Kriterien:

- Verwendung traditioneller, arbeitsintensiver Baumethoden, um vor Ort Arbeitsplätze zu schaffen;
- innovative Konzepte entwickeln, die ein erstklassiges Lernumfeld schaffen und die konventionelle Architektur herausfordern;
- Einsatz sauberer und umweltfreundlicher Technologie.

Nach dem städtebaulichen Vorbild von Trinity Lane, einer mittelalterlichen Straße in Cambridge, besteht das Queen's Building aus einer

Ansammlung kleinerer Gebäude mit Innenhöfen, die als Freiluftklassenzimmer genutzt werden können. Die insgesamt rund 10 200 qm fallen nicht unangenehm auf, und die ganze Anlage ist als erstes Beispiel für die Wiederentdeckung des gotischen Baustils gefeiert worden. Ortsansässige Maurer, von denen viele arbeitslos waren, schufen einen wunderschönen, farbigen Backsteinbau, dem viele traditionell gemauerte Ecken und Erker ein erfreuliches Ansehen geben.

Das Queen's Building ist wohl der größte natürlich belüftete Bau in Großbritannien. Sein schmaler Grundriß läßt nicht nur Tageslicht in alle Räume herein, sondern macht auch die fast ausschließlich passive Belüftung möglich. Eine kreuzweise angeordnete Ventilation und acht große, mit Luftschlitzen besetzte Schmuckkamine, durch die die warm Luft nach oben strömt, sorgen für Frischluft. In einem öffentlich geförderten Entwicklungsprojekt entstand selbst für die Hörsäle ein passives Belüftungssystem. Die Fenster können nach Belieben geöffnet werden. Sechzig Prozent der Außenhaut des Gebäudes sind beweglich! Es gibt aber auch ein automatisches Temperaturkontrollsystem, das die vielen Schieber, Luftklappen und Thermostate steuert.

Gezielt angebrachte Überhänge und schwere Steinmauern minimieren den Klimatisierungsbedarf. Geheizt wird vorwiegend mit passiver Solarenergie, mit der Abwärme der vielen technischen Geräte und der Körperwärme der Tausende von Studenten und Angestellten. Zusätzlicher Wärmebedarf wird durch eine Gasheizung gedeckt.

All diese Maßnahmen reduzieren den Stromverbrauch. Nur 24% der Baukosten des Queen's Building flossen in mechanische und elektrische Installation; üblicherweise sind es 34–40%. Das Gebäude verbraucht außerdem nur 25–50% der bei seiner Größe sonst typischen Energie. Die Baukosten betrugen insgesamt 12 Millionen Pfund, was bei Komplettausstattung einen Quadratmeterpreis von ca. 3000 Mark, für den Rohbau von 1700 Mark ergibt; beide Preise sind für heutige Verhältnisse niedrig.

7. Kostengünstiges Renovieren:
   Beispiel Backstein-Reihenhäuser

Wie in den meisten amerikanischen Städten und auch anderswo besteht die alte Gebäudesubstanz in St. Louis, Missouri, vorwiegend aus Straßenzügen voller schmaler, dreistöckiger Reihenhäuser aus Stein oder Backstein. Viele dieser alten, soliden Häuser sind verfallen und verkommen. Was kann man mit ihnen machen?

Ted Bakewell*, ein innovativer Immobilieninvestor, und die Mercantile Bank in St. Louis erkannten, daß die urbane Zukunft in der Renovierung dieser alten Häuser lag. Aber viele befanden sich in einem schrecklichen Zustand. Manche waren innen nicht nur völlig verwüstet, zum Teil durch Brände, sondern hatten vielfach schiefe Wände und unebene Fußböden. Die Handwerksarbeit, die nötig gewesen wäre, alles tipptopp herzurichten, war unbezahlbar. Und wenn man es irgendwie hätte finanzieren können, wären daraus sicher keine Wohnungen für die vielen Armen der Stadt geworden, die sich schon die Stromrechnungen in den schlecht isolierten Häusern nicht mehr leisten können.

Nach langen Experimenten fand Bakewell eine bezahlbare Lösung. Zunächst wurden aus porösem, wärmeisolierendem Fließzement Estriche gegossen. Lokale Werkstätten produzierten feuerfeste Doppelwände, die mit Isolierschaum gefüllt waren und gut schließende Kanten hatten. Mit einem einfachen, für schiefe Wände angepaßten Montagesystem ließen sich die Gebäude komplett mit diesem attraktiven und superisolierenden Material (k-Wert 0,11) auskleiden; das Dach wurde ebenfalls isoliert (k-Wert 0,09).

Man entwickelte auch eine einfache Methode, die Öffnungen für Fenster und Türen auszuschneiden. Da es zu dieser Zeit noch keine Superfenster gab, ersann Bakewell eine andere Alternative: zwei hintereinander parallel aufgehängte Fenster mit je einem oberen und unteren verschiebbaren Teil. Durch das Öffnen und Schließen der inneren und äußeren, oberen und unteren Schiebefenster in den verschiedenen Kombinationen kann das Haus je nach Jahreszeit geheizt, gekühlt, belüftet oder isoliert werden. Die traditionelle Fassadenansicht der Häuser blieb erhalten.

Die Mittel waren bemerkenswert schlicht, aber effektiv. Lediglich ein einfacher 30-kW-Wärmeaustauscher wurde zusätzlich benötigt. Die gute, über die gesamte Lebenszeit des Hauses haltbare Isolation führte zu einer Halbierung der Energiekosten. Der Heizbedarf sank um 90%, und selbst ohne Heizen fiel in den kältesten Wintern die Innentemperatur nie unter 12 °C dank der passiv-solaren Wirkung der Fenster. Der sommerliche

---

* von ihm stammt die Information über dieses Unterkapitel. Seine Anschrift: Bakewell Corp. 7800 Forsyth, St.Louis MO 63105

Kühlbedarf ging ähnlich stark zurück, so daß eine kleine, im Fenster installierte Klimaanlage das gesamte Haus bequem kühlen und entfeuchten konnte.

Die Kosten? Weniger als 2000 Dollar über die ohnehin unerläßlichen Renovierungsmaßnahmen hinaus, um aus einer Ruine ein attraktives, elegantes, stabiles und erschwingliches Haus zu machen. Die für St. Louis so vielversprechend begonnene Renovierungswelle lief allerdings bald wieder aus. Die Steuervorteile für Häuserrenovierungen wurden zur Unzeit gestrichen, und die lokalen Handwerker setzten durch, daß fortan bei größeren Projekten nur noch mit ihnen und nicht mehr mit billigen, ungelernten Kräften renoviert werden durfte.

8. International Netherlands Group: die Bank, die Barings rettete

Anfang 1995 ging ein Bankenzusammenbruch durch die Presse. Von Singapur aus hatte sich ein Derivatenspezialist der Londoner Barings Bank auf spekulative Geschäfte in Milliardenhöhe, insbesondere mit japanischen Aktienoptionen, eingelassen. Als dann im Januar das fürchterliche Erdbeben von Kobe kam und die japanischen Kurse purzelten, flog alles auf, und das ehrwürdige Bankhaus Barings, dem auch das britische Königshaus vertraute, war dem Konkurs nahe. Der Retter kam vom Kontinent, die zweitgrößte holländische Bank ING (International Netherlands Group).

Die hieß nicht immer so, und sie war auch noch nicht lange eine international ernstgenommene Bank. 1978 hieß sie noch Nederlandsche Middenstandsbank (NMB) und war nur die viertgrößte Bank der Niederlande. Ihr sagenhafter Aufstieg in den letzten fünfzehn Jahren hat viel mit Ressourceneffizienz zu tun.

Die NMB war »schwerfällig und konservativ«, urteilt Tie Liebe, der Leiter der Immobilienabteilung der Bank. Sie brauchte sowohl ein neues Image als auch ein neues Hauptgebäude. Eine Abstimmung unter den Bankangestellten führte zur Wahl eines Bauplatzes im aufstrebenden Süden von Amsterdam. Und der progressiv denkende Vorstand wollte gerne ein Gebäude, das natürliche Materialien, Pflanzen, Sonnenlicht, Energieeffizienz, Kunst, Ruhe und Wasser auf organische Weise miteinander verband.

7. *Die Zentrale der ING Bank in Amsterdam ist zehnmal so energieeffizient wie das Stammgebäude und bietet außerdem einen viel höheren Arbeitskomfort. Mit dem Gebäude, entworfen von dem anthroposophischen Architekten Anton Albers, begann der sagenhafte Aufstieg der Bank. Zufall? (Foto: D. Hennings)*

Die Bank stellte ein interdisziplinäres Team zusammen, das dieses Gebäude planen und bauen sollte. Drei Jahre lang arbeitete das Team an den Plänen und beriet sich regelmäßig mit den zukünftigen Benutzern. Erst 1983 wurde mit dem Bau begonnen, und die Bauarbeiten waren erst 1987 abgeschlossen. Der Chefarchitekt, Anton Albers, ist anthroposophisch (also von der Lehre Rudolf Steiners) inspiriert. Und so durfte es im ganzen Gebäude keine rechten Winkel geben.

Das Gebäude, das 2400 Angestellten auf gut 50 000 qm reichlich Platz bietet, ist in eine Reihe von zehn schrägen, ziegelverkleideten Türmen aus vorgefertigten Betonplatten aufgeteilt. Der Grundriß ähnelt einem unregelmäßigen S, auf dem sich Gärten und Innenhöfe abwechseln, unter denen es rund 30 000 qm Raum für Parkplätze und Versorgungsanlagen gibt. Entlang der inneren Straße zwischen den zehn Türmen befinden sich Restaurants und Konferenzräume. Der Architekturhistoriker Charles Jencks (1990) beschrieb den Bau als »Bodenkratzer«, der mit »wallendem Körper die Erde umarmt«. Die umliegende dichte Wohn-, Büro- und Geschäftsbebauung verstärkt diesen Eindruck. Die Bank wirkt wie eine mittelalterliche Burg mit angrenzendem Dorf.

Die geringe Tiefe der Räume macht es möglich, daß kein Schreibtisch weiter als 7 Meter von einem Fenster entfernt steht und reichlich Tageslicht erhält. Dachfenster, Atrien, Jalousien und weiße, lichtreflektierende Wände und Decken lenken das Tageslicht auf raffinierte Weise in jeden

Winkel des Hauses bis ins Tiefgeschoß. Nur ganz wenige, auf den jeweiligen Arbeitsplatz abgestimmte Punktbeleuchtungsquellen, Wandleuchten und Deckenlampen ergänzen es.

Mit gleicher Sorgfalt wurde der Wärmehaushalt des Gebäudes geplant, so daß die passive Solarenergie selbst bei dem eher trüben holländischen Wetter einen nennenswerten Beitrag liefert. Dabei standen zur Zeit des Baus noch keine Superfenster (Beispiel 5) zur Verfügung, und es wurden nur normale Doppelfenster verwendet. Die Außenhaut des Gebäudes aus Ziegelsteinen ist von den vorgefertigten Betonelementen gut isoliert.

Zusätzliche Wärme kommt aus Heizkörpern, die von einem 100-m^3-Warmwassertank im Keller gespeist werden. Das Wasser wird mittels Kraft-Wärme-Kopplung (KWK) im Gebäude sowie unter Nutzung der Abwärme aus Aufzugsmotoren und Computerräumen geheizt. Außerdem gibt es Luft-Luft-Wärmetauscher, mit denen die warme Abluft zum Vorwärmen der einströmenden Frischluft verwendet wird. Wie viele Gebäude in Europa ist die NMB Bank nicht klimatisiert. Man vertraut auf die thermischen Eigenschaften des Baumaterials, einfache Ventilation, Fensterlüftung und eine gelegentlich benötigte Entfeuchtungsanlage, die mit Abwärme aus der KWK betrieben wird.

Die Synergie zwischen Architektur, Tageslicht und Installation führte zu eindrucksvollen Ergebnissen. NMBs alte Zentrale verbrauchte jährlich 4,8 Gigajoule/qm, das neue Gebäude nur noch 0,4 GJ/qm und Jahr, also 92% weniger. Ein zur gleichen Zeit erbautes benachbartes Bankgebäude braucht – bei gleichen Baukosten – immerhin fünfmal soviel Energie pro Fläche (Olivier, 1992). Für die energieeffizienten Einrichtungen wendete die NMB zwar zusätzlich etwa 1,5 Millionen Gulden auf, aber die Anlagen amortisierten sich wegen der jährlichen Energieeinsparungen in Höhe von etwa 5 Millionen Gulden schon in drei Monaten (Olivier, 1992). Dr. Liebe stellte befriedigt fest, daß NMB die niedrigsten Energiekosten aller holländischen Bürogebäude hat.

Die Synergien waren noch weitreichender. Die Architektur harmoniert auch mit Kunstwerken, Pflanzen und Wasser inmitten der natürlichen Baumaterialien des Gebäudes. Freiräume in der Bank sind mit Kunstwerken geschmückt, die aber nicht wie Fremdkörper herumstehen (»plop art«), sondern Teil des Gesamtbildes sind. So reflektieren etwa bunte Metallstücke oben in den Atrien buntes Licht nach unten, wo es dann Skulpturen umspielt, erneut reflektiert wird und die umliegenden Wände in buntes Licht taucht. Die hohe, schmale Messingplatte, die eine Wandfuge in einem der langen Flure verdeckt, wird oben Teil eines Reliefs, das in der Wand liegt und von einem Fächer aus bunten Marmorsteinen und Lichtern umgeben ist.

Dächer, Atrien und andere Innenräume sind wie Landschaften in vielfältigen Stilen gestaltet. Zisternen fangen Regenwasser auf, das für die Bewässerung und für Brunnen verwendet wird. »Fließskulpturen« schaffen einen stetig plätschernden Wasserfluß, der mitunter sogar im Treppengeländer sichtbar wird. Manchmal ertappt man Herren in Nadelstreifenanzügen beim Spiel mit dem Wasser. Neben ihrem visuellen Reiz verhindern die Wasserkreationen das Austrocknen der Luft und schaffen eine naturnahe, beruhigende Geräuschkulisse. Die Baukosten waren nicht nur niedriger als ortsüblich, sondern die Firma spart jetzt auch noch daran, daß die Fehltage der Angestellten mit dem Umzug ins neue Gebäude merklich zurückgingen. Und schließlich hat sich der mutige Schritt, ausgetretene Wege zu verlassen und etwas Neues, Schönes zu schaffen, fabelhaft auf das Image der NMB/ING ausgewirkt, die heute als progressive, kreative Bank gilt.

Das Geschäftsvolumen nahm drastisch zu. Die NMG/ING wurde die zweitgrößte Bank in Holland und hatte 1995 ein derart solides Polster, daß sie es sich leisten konnte, mit der Baring-Sanierung die wohl größte europäische Akquisition des Jahres zu tätigen.

9. Haushaltsgeräte: Der Stromverbrauch kann um drei Viertel verringert werden

Ungefähr 30–50% des Stroms wird in den meisten Industrieländern für den Betrieb von Haushalts- und Kleingeräten (einschließlich Beleuchtung, Warmwasser und Belüftung) im Privat- und Dienstleistungssektor verbraucht. In Dänemark, auf das wir uns hier als Beispiel konzentrieren, sind es etwa 45%. Eine sorgfältige, umfassende Studie an der Technischen Universität Dänemarks hat ergeben, daß »das gegenwärtige Niveau elektrischer Leistung – für Kühlen, Putzen, Kochen und saubere Luft – mit nur 26% des heutigen Stromverbrauchs erreicht werden kann, wenn man Anstrengungen in Richtung Entwicklung und Durchsetzung effizienter Technologien unternimmt« (Nørgård; 1989). Das wäre knapp ein Faktor 4.

Die geschätzten Kosten für den erforderlichen Geräteaustausch betragen nach der Nørgård-Studie durchschnittlich weniger als 5 Pfennig pro gesparte Kilowattstunde. Der größere Teil der Energie, die von dem jeweils effizientesten auf dem Markt erhältlichen Gerät eingespart wird, ist sogar noch billiger, etwa 1 Pfennig pro Nega-Kilowattstunde. Seit Veröffentlichung der Studie scheinen die Kosten noch weiter zu sinken und die erreichbare Effizienz zu steigen. Inzwischen ist also der volle Faktor 4 erreichbar.

Überrascht werden sich Leserinnen und Leser fragen, wie ein Land wie Dänemark, das doch schon recht effizient mit Energie umgeht, die Effizienz bei Haushaltsgeräten gegenüber dem Niveau von 1988 noch einmal vervierfachen kann. Nun, da wird nicht gezaubert. Es handelt sich um bekannte Techniken:

• 1988 lag der Durchschnittswert dänischer 200-l-Kühlschränke ohne Tiefkühlfach bei 350 kWh/Jahr. Bessere Isolierung, Kompressoren, Kühlmittel, Wärmeaustauscher und Steuerung konnten den Bedarf des besten Modells desselben Jahres auf 90 kWh senken. Die Nørgård-Studie fand, daß man den Energiebedarf mit einem besseren Motoren/Kompressoren-Design oder aber unter Nutzung der »kostenlosen« Kühlung mit Hilfe der Außenluft um weitere 40 kWh auf 50 kWh senken kann. Wie im zehnten Abschnitt dieses Kapitels beschrieben, ist diese Schätzung noch vorsichtig: Mit den erstgenannten Mitteln verbessert, arbeitet ein holländisches Gerät bereits heute mit 50 kWh/Jahr, mit den letzteren verbessert, arbeitet ein im Rocky Mountain Institute gebautes Gerät inzwischen mit 38 kWh/Jahr. Wird eine Vakuumisolierung verwendet, sollte der Verbrauch des holländischen Geräts sogar auf 30 kWh/Jahr absenkbar sein.

• Die beste 250-l-Tiefkühltruhe auf dem dänischen Markt (1988) verbrauchte mit 180 kWh/Jahr nur etwa ungefähr 36% der durchschnittlich von solchen Geräten benötigten Energie von 500 kWh/Jahr. Neuere Modelle arbeiten sogar mit 100 kWh, was einer Energieeinsparung um 80% entspricht. Gleiches gilt für die Kühlschrank/Gefrierfach-Kombinationen.

• Eine durchschnittliche dänische Waschmaschine mit einem Fassungsvermögen von 4 kg lief 1988 gut 200 mal pro Jahr (wir verwenden fast genausoviel Zeit auf das Wäschewaschen wie vor Generationen, als man alles von Hand wusch) und verbrauchte dabei rund 400 kWh Energie – einschließlich der Energie, die für das Vorheizen des Wassers nötig ist. Das beste 1988 erhältliche Modell verbrauchte nur 240 kWh, ein verbesserter Prototyp sogar nur 115 kWh – soviel wie die in den USA erst 1994 erhältlichen besten Modelle. Weitere Techniken, den Verbrauch auf 40 kWh/Jahr zu senken, waren schon konzipiert, etwa durch Wasservorwärmung ohne Strom. Die Verbesserungen kommen nicht nur von der Waschmaschine selbst, sondern auch von verbesserten Waschmitteln, die etwa Fett schon in kaltem Wasser lösen können. (Aber aufgepaßt: da ist oft Gentechnik im Spiel; da muß man wegen möglicher Auswirkungen an ganz anderer Stelle wachsam sein!) Einige effiziente Maschinen trennen und optimieren die Dauer des Einweichens (wofür hohe Waschmittelkonzentrationen benötigt werden) und des mechanischen Waschprozesses (für den mehr Wasser benötigt wird). Weitere Beispiele für Neuerungen sind intelligente Sensoren, die Wasser und Waschmittel exakt nach dem Grad der Verschmutzung und der Beschaffenheit des Gewebes zugeben. Mit Hilfe dieser Sensoren kann im Vergleich zu herkömmlichen Maschinen ein Mehrfaches an Energie und Wasser eingespart werden.

- Der Jahresstromverbrauch von Spülmaschinen lag in Dänemark 1988 durchschnittlich bei 500 kWh, der des besten erhältlichen Modells bei 310 kWh. Er kann durch besseres Design auf 165 kWh und im Extremfall sogar auf 35 kWh gesenkt werden, wenn das Wasser anderweitig aufgewärmt wird. Die wichtigsten Verbesserungen betreffen die Steuerung, die Motoren, Pumpen, Spülmittel und die Isolierung.

- Dänische Wäschetrockner verbrauchten 1988 durchschnittlich 440 kWh/ Jahr für 130 Ladungen zu je 3,5 kg. Die besten 1988 erhältlichen Modelle verbrauchten 350 kWh, Verbesserungen derselben senkten den Wert auf 180, beim Verzicht auf eine elektrische Heizung sogar auf 100 kWh. Die nächstliegenden Schritte sind bessere Isolierung, Steuerung und Wärmepumpen. Möglicherweise lassen sich sogar Mikrowellen zum Trocknen verwenden. Deutliche Einsparungen könnten weiterhin erreicht werden, wenn die Wäsche vor dem Trocknen schneller geschleudert würde, wie es bei einigen neuen Waschmaschinen schon der Fall ist; das kostet rund dreißigmal weniger Energie als beim elektrischen Wäschetrockner.

- 1988 verbrauchten dänische Elektroherde durchschnittlich 700 kWh/ Jahr, die besten Modelle nur 400, und fortschrittlichere Versionen leisteten mit nur 280 kWh sogar noch mehr. Einige Verbesserungen rund um den Elektroherd sind sehr einfach, zum Beispiel Töpfe mit hitzespeichernden Sandwichböden, die optimal auf den Kochplatten aufliegen (bei älteren Modellen werden nur 30% der Hitze in den Topf geleitet), Dampfdrucktöpfe, eingebaute Heizelemente, gut isolierte Backofeneinsätze. Das Forschungsteam konstruierte etwa eine elektronische Kontrolle, die die Temperatur am Topfboden mißt und genau soviel Hitze durchläßt, wie für die gewünschte Temperatur notwendig ist. Sogar der traditionelle dänische Milchreis-Nachtisch, der normalerweise mühsames Rühren erfordert, um die Milch am Anbrennen zu hindern, gelänge dann perfekt und ohne Rühren. Weitere Gesamtenergieeinsparungen sind durch den Ersatz von Strom durch Gas möglich.

- Ein anderes wichtiges und doch oft übersehenes Haushaltsgerät ist eine kleine Pumpe, die warmes Wasser vom Heizofen aus durch das ganze Haus leitet. 1988 hatte die typische dänische Pumpe 65 Watt Leistung, obgleich physikalisch nur 1 Watt erforderlich wäre. Eine billigere 20-Watt-Pumpe und eine bessere Steuerung reduzierten den jährlichen 400-kWh-Verbrauch auf ungefähr 100 kWh. Ein noch effizienteres 5-10-Watt-Modell, das bereits verfügbare Technologien verwendet, senkt diesen Wert weiter auf 50 kWh. Davon abgesehen, kann das gesamte Heiz- und Pumpsystem mit Hilfe von Superisolierung, Superfenstern und Wärmeaustauscher-Belüftung erheblich verkleinert oder ganz überflüssig gemacht werden (vgl. die Beispiele 2, 3 und 5 in diesem Kapitel).
- Belüftungssysteme, wie sie in Bürogebäuden gang und gäbe sind und zunehmend in Wohnhäusern eingebaut werden, die immer luftdichter werden, sind oft äußerst ineffizient. Gewöhnliche Küchen- und Badezimmerventilatoren haben eine Effizienz von nur 1–4%; dabei gibt es wesentlich effizientere japanische Modelle. Die (1988) besten großen Systeme für ganze Gebäude können dänischen Studien zufolge 45% der 1988 typischerweise für diesen Zweck verwendeten Energie einsparen, während modernere Geräte diese Einsparungen sogar auf 85% erhöhen könnten. Sogar dieser Wert kann noch übertroffen werden: Die besten Belüftungssysteme in großen Gebäuden in Singapur erreichen heute eine Effizienz von 90% und sind zudem noch billiger (vgl. Beispiel 17).
- Für alle anderen Haushaltsgeräte, darunter Fernseher, nahmen die dänischen Forscher Einsparungen von kurzfristig nur 30% und von langfristig 50% an. Dies ist mit Sicherheit eine zu vorsichtige Schätzung, gibt es doch heute schon größere Einsparpotentiale bei bereits erhältlichen und keineswegs teureren Modellen.

Addiert man nun diese abrufbaren und rentablen Einsparungen, dann ergibt sich im Idealfall eine Senkung des Gesamtverbrauchs für dänische Haushaltsgeräte um 74%, also ziemlich genau um den Faktor 4. Er wird mit Hilfe von 1988 schon vorhandenen und 1995 bereits weitverbreiteten oder sogar übertroffenen Geräten erreicht. Diese Maßnahmen würden den Leistungsstand erhalten oder sogar verbessern und zugleich den Stromverbrauch pro Haushalt für Haushaltsgeräte und Beleuchtung von durchschnittlich 3200 kWh/Jahr auf 825 kWh/Jahr senken. Fügt man dem noch einige kosteneffektive Maßnahmen wie den Ersatz von Elektrizität durch andere Brennstoffe hinzu, dann werden daraus 80%, und der Stromverbrauch sinkt weiter auf 620 kWh/Jahr. Und, wie die dänischen Experten betonen, die Kosten für diese Stromeinsparungen sind niedriger als die Grenzkosten der Elektrizitätsproduktion.

Selbstverständlich kann in Dänemark in gleichem Umfang auch der für Heizung und Kühlung benötigte Energiebedarf gesenkt werden. Doch davon berichten wir an anderer Stelle.

10. Kühlschränke: Die Effizienz läßt sich spielend steigern

Daß Milch und Bier kühl sind und Fleisch, Fisch und Gemüse frisch bleiben, verdanken wir Kühlschränken, die es in den wohlhabenden Ländern der Erde in jedem Haushalt gibt. Eher noch größer ist der Nutzen von kleinen, solarbetriebenen Kühlschränken für Medikamente, die in manchen Dörfern der südlichen Breitengrade lebensrettend sein können. Egal zu welchem Nutzen stellt sich doch immer die Frage, was nötig ist, um einen bescheidenen Raum mit einem Volumen von einigen Litern ununterbrochen kühl zu halten. Die Antwort darauf ist eine isolierte Kiste und eine Kühlmethode. Letztere besteht traditionellerweise aus einem Gerät, das FCKWs abwechselnd komprimiert und ausdehnt und damit die Wärme aus der Kiste auf ein an der Außenseite der Kiste angebrachtes Kondensierungsgitter transportiert.

Das größte Problem moderner Kühlschränke ist die Isolierung. Von ca. 1950 bis 1975, als Strom immer billiger wurde, verringerten die Hersteller den Durchmesser der isolierenden Wände, damit der Innenraum bei gleichen Außenmaßen immer größer werden konnte. Zudem verwendeten sie ineffiziente Kompressoren, die oft unter dem Kühlschrank angebracht waren, so daß ihre Abwärme nach oben steigend die Wände erwärmte.

Kompressor und Kondensator waren so schlecht konstruiert und der Kondensator so klein, daß sie ständig von einem lauten, ineffizienten Ventilator vor dem Überhitzen bewahrt werden mußten. Die komplex angeordneten Kühlschlaufen des Kondensators sammelten rasch Staub an und verhinderten, daß die Wärme gut abstrahlen oder in die Umgebungsluft gehen konnte. Zudem ließen schlecht versiegelte Türen Luft aus dem Kühlschrank entweichen.

Die dünne Außenhaut kam bei feuchtem Wetter ins »Schwitzen«, weshalb die Hersteller elektrische Heizlüfter bauten, um die Außenhaut zu trocknen. Selbst in trockenen Küchen »schwitzten« diese Kühlschränke. Die Wärme der Elektrotrockner drang durch die dünnen Wände wiederum leicht ins Innere. Nun erfand man Ventilatoren für den Innenraum, welche die kühle Luft besser verteilen sollten. Das aber hatte zur Folge, daß nunmehr die Lebensmittel nicht nur gekühlt, sondern auch ausgetrocknet wurden. Um die Vereisung des Innenraums zu vermeiden, installierte man dort auch gelegentlich Abtau-Heizer, und damit die Familie bis in den hintersten Winkel der Kiste schauen konnte, gab es leistungsstarke Glühbirnen. Bei amerikanischen Modellen kamen noch Eiswürfelmaschinen hinzu, um den eiligen Benutzern das Öffnen der Kühlschranktür zu ersparen, doch das geschah um den Preis eines Loches in der isolierenden Wand. Aber der Strom kostete ja so gut wie nichts.

Viele Millionen solcher physikalisch absolut lächerlicher, energiefressender Kühlmonster wurden verkauft und sind immer noch in Gebrauch. Jedes einzelne verschwendet so viel Energie, daß die für deren Erzeugung notwendige Kohle das Innenvolumen des Gerätes jedes Jahr einmal füllen könnte. Oder, um ein anderes Bild zu wählen: Amerikanische Kühlschränke benötigten in den achtziger Jahren soviel Leistung wie dreißig Reaktorblöcke vom Typ Tschernobyl.

Erst Mitte der siebziger Jahre, als Energie auf einmal teuer wurde, und noch einmal um 1990 kamen die Hersteller darauf, daß man mit dickeren Wänden, besserer Versiegelung, optimiertem Design, größeren Kühlschlaufen und effizienteren Kompressoren, Lichtern und Steuerelementen Lebensmittel oder Medikamente genauso kalt und frisch halten kann, aber erheblich weniger Strom benötigt. Die Wirkung war dramatisch:

• Ausgangspunkt ist für uns das Jahr vor der ersten Ölkrise, 1972. Damals verbrauchte das durchschnittliche amerikanische Modell jährlich 3,36 kWh/l.

- Bis 1987, dem Jahr, in dem Kaliforniens Effizienzstandards in Kraft traten, war diese Zahl auf 1,87 gefallen.
- 1990 verbot ein neuer Bundesstandard den Verkauf von Geräten, die mehr als 1,52 verbrauchten, und die besten in Reihenproduktion hergestellten Modelle verbrauchten nur noch 1,32, obwohl sie billiger waren als vergleichbare Modelle derselben Größe.
- 1993 wurde der Bundesstandard auf 1,16 abgesenkt.
- 1994 gewann die Herstellerfirma Whirlpool den kalifornischen »Golden-Carrot«-Wettbewerb mit einem Kühlschrank, der nur noch 1,08 verbrauchte. Die wichtigsten amerikanischen Hersteller verpflichteten sich, diesen Wert bis 1998 auf 0,86 zu senken.
- Bereits seit 1988 produziert die dänische Firma Gram besser isolierte Kühlschränke, die nur noch 0,45 verbrauchen.

Einige Spezialanfertigungen für Nischenmärkte haben sogar noch bessere Werte:

- Bereits seit den frühen achtziger Jahren bietet die kleine Herstellerfirma Sun-Frost Kühlschränke mit jährlich nur noch 0,45–0,53 kWh/l an, meist für Solarhäuser, in denen das Stromsparen hohe Priorität hat.
- Seit 1983 verbraucht ein Sun-Frost-Kühlschrank im Rocky Mountain Institute (vgl. Beispiel 2) nur knapp 0,19, wobei die Hälfte der benötigten Kühlenergie passiv erzeugt wird: Die Lebensmittelwärme strömt durch eine »Wärmeleitung« nach draußen, wo es meistens kalt ist.

Nun könnte man meinen, die Reduktion des Energieverbrauchs um 86%/l von der US Norm 1972 bis zu den Sun-Frost-Modellen der frühen achtziger Jahre sei nicht weiter zu verbessern. Weit gefehlt. Es gibt noch viele andere Optionen:

- Mindestens fünf Arten von Iso-Materialien der neuesten Generation isolieren zwei- bis zwölfmal besser als die besten herkömmlichen Plastikschaumstoffe, die ihrerseits doppelt so gut sind wie Glas- oder Mineralwolle. Das vielleicht bemerkenswerteste dieser neuen Materialien besteht aus zwei Schichten Edelstahl, die an den Kanten zusammengeschweißt sind. Der zwischen den Platten entstehende, wenige Millimeter breite Hohlraum wird von winzigen Glaskügelchen auseinandergehalten. Im Hohlraum wird ein Vakuum erzeugt, und eine Spezialbeschichtung reflektiert Infrarotstrahlung. Eine pappdünne Schicht dieser »Kompaktvakuum«-Isolierung ist so effektiv wie 7 cm dicke Mineralwollmatten. Zwar kostet sie mehr, aber sie erlaubt die Herstellung dünner Kühlschrankwände, was dem Nutzvolumen zugute kommt, und das ist sicher soviel wert wie die höheren Materialkosten.

- Die Kompressoren sind noch sperrig und ziemlich ineffizient: Es gibt Verbesserungsansätze wie zum Beispiel Kompressoren mit einstellbarer Geschwindigkeit, die genau mit der gewünschten Rate kühlen. Neue Kompressorenmodelle mit Stirling-Motor können deren Effizienz um die Hälfte bis zu zwei Dritteln erhöhen. Außerdem lassen sie sich gut für die superisolierenden Kühlschränke verkleinern und steigern die Zuverlässigkeit, vermindern den Lärm und ersetzen chlorhaltige Kühlmittel durch das chemisch träge Helium.

- Die Kondensatorenschlaufen können dadurch verbessert werden, daß man sie mit einer schweren Metallplatte im Kühlschrank selbst verbindet; dies verdoppelt nahezu die Effizienz.

- Bessere Materialien und ein optimiertes Design verhindern Luftlöcher in der Versiegelung.

- Energiesparende Ventilatoren und Lampen verringern den Strombedarf und erwärmen die Lebensmittel nicht unnötig. Verwendet man gut konstruierte Lichtschächte oder Faser-Lichtleiter, so wird nur Licht und keine Wärme erzeugt. Und eine ausreichend große, oben angebrachte Kondensatorenspule kann den Ventilator ersetzen.

- Neue Sensoren spüren eventuell entstehenden Frost auf, enteisen nur, wenn nötig, und vermindern so die zum Abtauen notwendige Energie. Im übrigen kann man für das Abtauen statt Strom auch die Abwärme des Kondensators verwenden.

- Die Kondensatorwärme kann auch für weitere Haushaltszwecke benutzt werden.

Vermutlich können die Einsparungen von 86% auf 95% oder mehr gesteigert werden, wenn sich die Maßnahmen wirtschaftlich lohnen. Die Kühlfunktion jedenfalls leidet überhaupt nicht unter all den Verbesserungen.

11. Beleuchtungen: Lampenfabriken statt Kraftwerke

Ein Fünftel aller in den USA verbrauchten Elektrizität wird für Beleuchtung verwendet. Es ist sogar ein Viertel, wenn man die Energie einbezieht, die für die Entfernung der Abwärme der Lichtquellen benötigt wird. Dieses Viertel entspricht etwa der Stromproduktion von 120 Kraftwerken. Andere Länder kommen zwar mit wesentlich weniger Licht aus, aber dafür geht es dort noch ineffizienter zu.

Glühbirnen

Fast die Hälfte der gesamten in der USA auf Beleuchtung verwendeten Energie und ein noch höherer Anteil in den meisten Entwicklungsländern und den ehemals sozialistischen Staaten wird von normalen Glühbirnen verbraucht, die seit den dreißiger Jahren nur wenig weiterentwickelt wurden. Diese Glühbirnen kann man auch als elektrische Heizgeräte auffassen, die »zufällig« 10% ihrer Heizenergie in Form von Licht emittieren. Praktisch alle könnten durch Sparbirnen ersetzt werden. Diese wurden in Holland und Deutschland entwickelt, kamen 1981 auf den amerikanischen Markt und werden seit kurzem auch in Osteuropa und China hergestellt. Jährlich werden weltweit über 200 Millionen davon verkauft, mit Zuwächsen von jährlich über 10%. Allein die 1994 verkauften Sparbirnen werden im Laufe ihres Lebens Strom im Wert von 5 Milliarden Dollar sparen.

200 Millionen mag wenig erscheinen in einer Welt, die jährlich annähernd 10 Milliarden Glühbirnen verbraucht. Aber die Energiesparbirnen halten gut zehnmal länger, so daß 0,2 Milliarden von ihnen etwa 2 Milliarden normalen Glühbirnen entsprechen. Insofern machen sie heute schon etwa ein Fünftel des Weltmarktes aus. Zumindest in der Geschäftswelt, wo die Kosten der für das Auswechseln von Glühbirnen benötigten Arbeitszeit real bezahlt werden müssen, lohnt sich der Kauf von Energiesparbirnen schon wegen deren höherer Lebensdauer.

Ohnehin sind Energiesparbirnen ein guter Beleg dafür, daß vermiedene Umweltverschmutzung ein wirtschaftlicher Gewinn sein kann, wenn es nämlich billiger ist, Energie zu sparen, als sie herzustellen. Eine einzelne 18-Watt-Energiesparlampe, die eine 75-Watt-Glühbirne ersetzt, spart im Idealfall im Laufe ihres Lebens:

- etwa eine Tonne Kohlendioxid, 8 kg Schwefeloxid und 1 kg Stickoxide und andere Emissionen eines Kohlekraftwerks; oder
- ein halbes Curie Strontium-90 und Cäsium-137 nebst anderen radioaktiven Abfällen und waffengeeignetes Plutonium mit einem Sprengkraftäquivalent von 0,4 Tonnen TNT; oder
- etwa 200 Liter Öl für ein Ölkraftwerk, wie sie insbesondere in Entwicklungsländern existieren; die 200 Liter reichen aus, um mit einem ineffizienten heutigen Familienauto 1600 km weit zu fahren oder mit einem Hyperauto (vgl. Beispiel 1) mehrmals quer durch Indien.

Eine 7,5 Millionen Dollar teure Fabrik kann täglich 5000 Energiesparbirnen herstellen. Der von diesen Lampen gesparte Strom könnte den Bau von mehreren Kraftwerken überflüssig machen, die insgesamt mindestens vierzigmal soviel kosten. Oder um andere Vergleiche zu wählen, er entspricht der Energiemenge, die von einer viele Millionen Dollar teuren Bohrinsel kommt, oder der Energiemenge, die von 188 000 amerikanischen Autos oder sechs vollbeladenen, treibstoffeffizienten Boeing-757-Jets verbraucht wird, die je dreimal täglich um die Erde fliegen (Lovins, 1990). Das alles unter der Voraussetzung, daß die Lampen nur verwendet werden, um gleichviel Licht zu geben wie die alten Birnen, die sie ersetzen, und nicht etwa für noch höheren Lichtkomfort.

Energiesparbirnen können theoretisch auch den Spitzenstrombedarf einer Stadt wie Bombay um ein Drittel senken und so die knappen Energievorräte strecken. Oder sie könnten (bei gerechter Verteilung des Nutzens) das verfügbare Einkommen in einem armen Land wie Haiti um bis zu einem Fünftel steigern. Gar nicht schlecht für eine kleine Erfindung, die man selbst in die Hand nehmen und in die Fassung schrauben kann.

Energiesparbirnen sind nicht die einzige Option. Große Glühbirnen ersetzt man sinnvollerweise durch Metallhalogen- oder Hochdrucknatriumlampen, die zum Teil so weißes Licht erzeugen, daß es von Tageslicht praktisch nicht zu unterscheiden ist. Wenn ein gebündelter Lichtstrahl gefragt ist, etwa für Läden oder Ausstellungen, kann man Lampen benutzen, die das Licht einer kleinen Quarz-Halogen-Kapsel reflektieren und gleichzeitig eine Beschichtung ähnlich der in den Superfenstern (Beispiel 5) gebrauchten verwenden, um Wärme wieder auf den Glühfaden zurückzureflektieren. Er braucht dann weniger Energie, um weiterzuglühen. So erzeugen 60 Watt exakt das gleiche Licht, für das man zuvor 150 Watt brauchte.

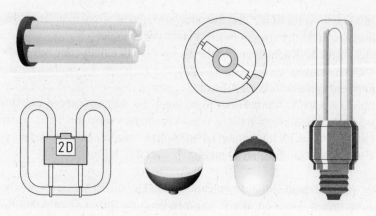

8. Sparglühbirnen kann man heute in allen möglichen Formen kaufen

Leuchtstoffröhren

Die Hälfte der in den USA für Beleuchtung benötigten Energie wird heute, zu Kosten von rund 360 Dollar pro Kopf und Jahr, in Leuchtstoffröhren und deren für das Starten erforderlichen »Ballast« verwendet. Auch hier werden, entgegen landläufigem Wunschdenken, etwa 80–90% der eingesetzten Energie gar nicht in Licht verwandelt. Und das erzeugte Licht ist qualitativ alles andere als befriedigend. Die Hauptverbesserungsmöglichkeiten sind:

- Mehr Licht aus den Leuchtkörpern austreten lassen; besonders geformte und glänzende Materialien können die Effizienz verdoppeln und die Lichtstrahlen blendfrei in die gewünschte Richtung lenken;
- die Leuchtkörper so konstruieren oder modifizieren, daß die Lampen und der Ballast optimal temperiert sind; oft sind sie zu heiß, verschwenden damit Energie und sind weniger lange haltbar;
- Lampen verwenden, die Licht in den Farben Rot, Grün und Blau abstrahlen, das den jeweiligen Farbrezeptoren im menschlichen Auge entspricht; so sehen Farben echter und attraktiver aus und helfen dem Auge, mit weniger Licht besser zu sehen;
- dünnere Birnen verwenden, die bis zu einem Viertel mehr Licht pro Watt abgeben und es leichter machen, den Lichtkegel optimal auf die zu erhellende Fläche auszurichten;
- die Lampen bei hoher Frequenz betreiben, um das Flackern und Brummen zu vermindern, das bei vielen Menschen Kopfschmerzen und

Müdigkeit verursacht; der Steuerungs»ballast« spart bei hohen Frequenzen außerdem bis zu einem Viertel der Energie;
- elektronische Kontrollen, die die Lampen ausschalten oder schwächer scheinen lassen, wenn genug natürliches Licht im Raum ist oder sich niemand darin aufhält, und die die Lichtstärke entsprechend dem jeweiligen Zweck und Winkel des Zimmers regeln, die Lampen jedoch heller leuchten lassen, wenn sie älter oder schmutziger werden;
- Lampen und Leuchtkörper sauberhalten und ersetzen, bevor sie schwach werden oder ausbrennen.

Die bis hier genannten Maßnahmen können die Effizienz typischer Leuchtstoffröhren mindestens vervierfachen und sich innerhalb weniger Jahre rentieren.

Lichtdesign
Ein großes Potential steckt auch in der Lichtarchitektur. Wie die Beispiele 2, 6 und 8 gezeigt haben, fühlen sich Menschen, die in geschlossenen Räumen arbeiten, einfach wohler, wenn diese von natürlichem Licht durchflutet werden. Die Abnahme von Krankheiten und Fehlzeiten ist vielleicht das ökonomisch wirksamste Argument für eine gute Lichtarchitektur. Das haben US-amerikanische Handelsketten, Postämter, Industriebetriebe und Versicherungen vielfach erfahren (Romm und Browning, 1994). Spezielle Anregungen sind:

- Verwendung hellerer Teppiche, Wandanstriche und Möbel, damit Licht gut im ganzen Raum gestreut wird;
- Licht tiefer in den Raum hineinstrahlen lassen, etwa mit reflektierenden Jalousien oder mit »Lichtregalen«, die Tageslicht über Dutzende von Metern seitlich transportieren können. Tageslicht sollte im allgemeinen an die Decke gestrahlt werden, so daß es ein Großraumbüro gleichmäßig beleuchtet;
- in schwierigen Fällen kann Sonnenlicht draußen, beispielsweise auf dem Dach, gebündelt werden und mittels Atrien, Lichtschächten, Lichtleitern, Glasfasern und anderer moderner Methoden in das Herz des Gebäudes gelenkt werden. Auf diese Weise leiten japanische Architekten Tageslicht viele Stockwerke tief unter die Erde;
- Büroräume so einrichten, daß das einfallende Licht nicht von der Arbeitsfläche reflektiert wird und damit blendet; diesen kontrastvermin-

dernden Schleierglanz abzuschaffen ist in einem typischen Büro zehnmal wichtiger, als für mehr Licht zu sorgen. Indirekte Beleuchtung, bei
weißen Decken und Wänden besonders effektiv, vermindert diesen
störenden Schleierglanz fast vollständig und kann die funktional nötige
Lichtmenge um 80% verringern;
- die ausreichende Menge Licht zur Verfügung stellen, statt zuviel Licht,
wie es oft gemacht wird. Die richtige Menge hängt von Augen, Alter, Tageszeit, Schwierigkeit und Wichtigkeit der Aufgabe ab; daher
sollte sich jeder das Licht individuell einstellen können.

In Kombination mit besseren Beleuchtungstechnologien kann ein solches
Lichtdesign bis zu 90% Energie kostengünstig sparen und wegen des
ästhetischen Gewinns das Arbeitsumfeld positiv beeinflussen.

12. Bürogeräte: Es kommt auf die richtigen an

Wir haben uns daran gewöhnt, die elektronische Informationsver-
arbeitung als energiesparend hochzuloben, indem wir sie mit Büchern
und Reisen (vgl. Kap. 2, Beispiel 3, u. Kap. 3, Beispiele 1 und 2) vergleichen oder mit der viel materialintensiveren Wertschöpfung früherer Zeiten. In Wirklichkeit ist der Ressourcenverbrauch durch informationsver-
arbeitende Bürogeräte heute überhaupt nicht mehr gering. In weiten Teilen der industrialisierten Welt ist der Stromverbrauch für Bürogeräte der
am schnellsten wachsende Bereich in dem am schnellsten wachsenden
Bausektor, nämlich dem gewerblicher Gebäude. Bürogeräte finden sich
nicht nur in Büros, sondern auch in Krankenhäusern, Schulen und an den
Kassen von Supermärkten, also überall, wo Menschen Information brauchen.

Computer
Ein ineffizienter Schreibtischcomputer braucht, wenn er eingeschaltet ist,
150 Watt, unabhängig davon, was er gerade macht. Mit der Hälfte davon
wird der Farbmonitor betrieben, der Farbfernsehern in vielerlei Hinsicht
ähnlich ist. Genaues Hinsehen beim Einkauf von Farbfernsehern ist loh-
nend, denn die besten Modelle benötigen nur rund ein Viertel soviel
Strom wie die ineffizientesten – bei gleichem Preis, gleicher Größe und
Ausstattung.

9. *Ein moderner Laptop verbraucht im Idealfall hundertmal weniger Strom als ein Tischgerät.*

Dasselbe gilt für Computer, aus demselben Grund: unterschiedliche Qualität des Designs. Bestimmte Arten von Chips und Netzteile brauchen erheblich mehr Strom als andere. Schon fünf Jahre alte Festplatten verbrauchen fünf- bis zehnmal mehr Energie als modernere, die zudem schneller und besser sind. Portables, die darauf angelegt sind, möglichst lange Strom aus möglichst kleinen Batterien herauszuholen, verbrauchen nur wenige Watt, sind aber oftmals ebenso leistungsfähig wie die 150-Watt-Computer. So läuft etwa der Kleinstcomputer, auf dem weite Teile dieses Buches geschrieben wurden, mit 1,5 Watt, also einem Prozent der Norm für ineffiziente PCs mit exakt denselben Leistungen, nur ist er erheblich leichter zu tragen. Er läuft 6 – 9 Stunden lang mit einer nur 150 Gramm schweren aufladbaren Nickel-Metallhybridbatterie. Einige ausgewachsene »palmtop« (Handteller-) Computer laufen sogar einen ganzen Monat lang mit zwei kleinen AA-Alkalibatterien.

Der Unterschied ist teilweise im internen Energiemanagement begründet. Kanadische Wissenschaftler fanden heraus, daß – gemessen an der Zahl der Anschläge – Computer während 90% der Zeit, die sie angeschaltet sind, gar nicht benutzt werden. Dagegen gibt es Vorrichtungen und Software, die den Computer in einen Schlafzustand versetzen, sobald er keinen Tastendruck und keine Mausbewegung spürt. Portables verfügten von Anfang an über eine derartige Schlaffunktion. Einige Modelle schalten im »Schlafzustand« sogar den Hauptprozessor-Chip auf extrem langsamen Betrieb oder gar ganz ab, wenn er nicht benutzt wird. Der »Schlaf« tritt bei modernen Geräten nicht etwa erst nach 15 Sekunden ein, sondern selbst während der winzigen Zeiten zwischen zwei Anschlägen.

Solches Effizienzmanagement macht tragbare Computer gar nicht teurer als Schreibtischcomputer. Nur die flachen Bildschirme sind noch ein Kostenfaktor. Die meisten Hersteller bauen beide Arten und verwenden inzwischen größtenteils die gleichen Elemente, um den Produktionsprozeß zu vereinfachen. Der Hauptunterschied besteht also nur noch in der äußeren Hülle, dem Platz für Programm- oder Speichererweiterungen und der Art des Bildschirms. Darüber hinaus haben die tragbaren Computer große praktische sowie versteckte ökonomische Vorteile: Die ununterbrochene Stromversorgung, die Kabel und der Büroplatz, den der PC in Anspruch nimmt, können sich zu Kosten in Höhe von einigen hundert Mark summieren.

Vor einigen Jahren wollte einer der großen Computerhersteller einen PC mit den Eigenschaften eines Laptops bauen, also kompakte Form, flacher Farbbildschirm, kreditkartengroße Öffnungen für Erweiterungen und vergleichbare Energieeffizienz. Die erste Aufgabe bestand in der Verbesserung der Stromversorgung, da die Netzteile entsetzlich ineffizient sind, 50–60% bei hoher Auslastung und bodenlos schlecht bei niedriger Auslastung – das ist der übliche Zustand. Es stellte sich heraus, daß zu einem geringen Aufpreis eine Effizienz um 95% erreicht werden konnte, quer durch das Spektrum der verschiedenen Auslastungsgrade. Dennoch widersetzten sich die Pfennigfuchser vom Marketing gegen die höheren Kosten.

Doch dann erkannten die Designer, daß sie durch Abschaffung des Ventilators noch mehr Strom sparen können: Netzteil, neue Chips und Mechanik waren jetzt so effizient, daß keine aktive Kühlung mehr nötig war. Der Strombedarf und damit das Netzteil schrumpften derart, daß die Geräte insgesamt erheblich verkleinert werden konnten, was Material und Kosten sparte. Nun bemerkten die Marketingleute, daß sie die reinste Goldgrube gefunden hatten: Sie konnten den Computer als ersten ganz leisen PC vermarkten, weil er keinen Ventilator hat, viel weniger Platz auf dem Schreibtisch braucht, weniger störanfällig ist, da es keinen Lüftungsschlitz gibt, durch den Staub in die Maschine eindringen kann, und daß er außerdem klein genug ist, um ihn bequem in eine Schublade einzuschließen.

Energie-effiziente Bilder

Computer sind keineswegs das einzige Beispiel für Bürogeräte, bei denen man den Energieverbrauch zum Nulltarif drastisch absenken kann. Drucker, Faxgeräte und andere »Bild«geräte verbrauchen im Schnitt noch mehr Strom als die im Büro verwendeten Computer und Bildschirme. Die modernen Büromaschinen beruhen dabei alle auf demselben Prinzip des Abbildens eines »Bildes« auf einer photoempfindlichen Trommel per Laser und dem darauffolgenden Fotokopiervorgang, in welchem Tonerpulver auf einer heißen Rolle in das Papier geschmolzen wird. Das Aufheizen der Rolle braucht viele hundert Watt, und nebenbei wird das ganze Büro, sommers wie winters, aufgeheizt. Zudem sind Laserdrucker störanfällige Gebilde, oft mit rotierenden Spiegeln, genau eingestellten Linsen und anderen sensiblen Teilen.

Moderne Tintenstrahldrucker hingegen brauchen keine heiße Rolle. Statt dessen verwenden sie mikroskopisch kleine Ströme, die in einem walnußgroßen Druckkopf winzige Mengen schnelltrocknender Tinte erhitzen, die sie in noch kleineren Tröpfchen auf das Papier sprühen. Die Technologie liegt im Druckkopf, der allerdings ähnlich Computerchips serienmäßig herstellbar ist. Tintennachfüllung und Druckermechanismus sind prinzipiell ganz einfach.

Tintenstrahldrucker und -faxgeräte benötigen weniger als 10% des von den Laserdruckern verbrauchten Stroms, haben aber für die meisten Zwecke eine ebenso gute Druckqualität bei annähernd gleicher Geschwindigkeit. Sie sind außerdem kleiner, leichter, zuverlässiger und kosten nur etwa die Hälfte.

Fotokopierer sind die größten Stromfresser in typischen Büros. Am Rocky Mountain Institute wurde kürzlich ein Drittel des Kopierer-Strombedarfs durch klugen Einkauf eingespart, und 15% billiger war der neue Kopierer auch noch. Ferner wurde ein kleiner, leicht bedienbarer Kopierer ohne Aufwärmphase für Einzelkopien gewünscht. Ein älteres Gebrauchtmodell erfüllte diesen Zweck, bei dem das Tonerpulver statt mit einer heißen Rolle mittels einer kalten Kompressionsrolle auf das Papier gebracht wird. 90% der Anschaffungskosten und 90% Strom wurden gleichzeitig gespart. Große, schnelle Maschinen desselben Typs werden inzwischen für den Massendruck von Kreditkartenrechnungen eingesetzt.

Das ist wohl erst der Anfang. Neue Arten von Heißtoner-Geräten bringen den Toner auf erhitzte Gürtel auf – statt auf Rollen –, was Zeit und Strom beim Aufheizen spart. Demnächst kommen neue Toner auf den Markt, die mittels eines Ultraviolettblitzes ohne vorheriges Schmelzen auf das Papier befördert werden. Und einige Hersteller bieten bereits Geräte an, die – anstelle des Xerokopierens – technisch an die alten Matrizenabzüge anschließen. Sie funktionieren allerdings digital, sind schöner als die alten Geräte und kommen mit weniger als einem Zehntel des Strombedarfs heutiger Fotokopierer aus.

Strommanagement kommt auch bei Kopiergeräten in Mode. Praktisch alle modernen Laserdrucker und -kopierer auf dem amerikanischen Markt entsprechen jetzt dem freiwilligen Energy-Star-Standard der amerikanischen Umweltbehörde, der einen energiesparenden Stand-by-Modus verlangt. Präsident Clinton etwa schrieb allen Bundesbehörden vor, nichts anderes zu kaufen, wenn sie keinen triftigen Grund haben. Viele Privatunternehmen machen es ähnlich. Jetzt, da praktisch alle Hersteller diesen Schritt vollzogen haben, gilt es, den Standard weiter anzuheben, um den bereits vorhandenen besseren Technologien zum Durchbruch zu verhelfen. Dies wird durch weitere freiwillige Selbstverpflichtungen der Industrie beschleunigt. Ein Beispiel für das, was gerade kommt, sind »schlafende« Computer, die durch einen Modem-Anruf geweckt werden, also nachts nicht eingeschaltet bleiben müssen, weil irgendwann eine Nachricht kommen könnte.

Die aufgeführten Einsparungen an Strom und Geld können sich ergänzen und addieren. Alles zusammengenommen – Büroflächen, Verkabelungen, Reparaturdienste, Kraftwerksstrom usw. –, kommt man ähnlich wie bei Autos, Heizung, Haushaltsgeräten und Beleuchtung auf viele Milliarden, die die Volkswirtschaft zum eigenen Wohl und zum Wohl von Klima und Umwelt einsparen kann.

13. Photovoltaik bei 48 Volt Gleichspannung: Edisons Genie wird wiederentdeckt

Thomas Alva Edison (1847-1931) war der größte technische Erfinder seiner Zeit. Von ihm stammt die (Kohlefaden-)Glühbirne, das Mikrophon, das verbesserte Telefon, die frühe Schallplatte und die erste Filmkamera. Und Edison schuf durch Verknüpfung der Dampfmaschine mit dem Großgenerator das erste öffentliche Elektrizitätswerk (New York, 1882).

Dies bedeutete, daß der ungefährliche, effizient einzusetzende Niedrigspannungs-Gleichstrom durch den Wechselstrom mit lebensgefährlichen 220–230 oder 110 Volt verdrängt wurde.

Der Wechselstrom ist historisch die technische Konsequenz aus den Überlandleitungen gewesen. Für verlustarme Leistungsübertragungen braucht man, sollen die Kabel nicht zu dick werden, sehr hohe Spannungen von z. B. 50 000 Volt. Diese gilt es dann wieder auf handliche 110 oder 220 Volt herunterzutransformieren, und das geht physikalisch mit Gleichstrom nicht.

Daß Wechselstrom zur Verschwendung verleitet, liegt daran, daß bei Motoren und Transformatoren hundertmal pro Sekunde eine verlustträchtige Ummagnetisierung erfolgt und daß viele Endnutzungsgeräte, insbesondere fast alle elektronischen Geräte, Gleichstrom brauchen, der durch ein wiederum energieverbrauchendes vorgeschaltetes Netzgerät aus dem Wechselstrom hergestellt wird. Eine 20-Watt-Wechselstrom-Umwälzpumpe kann bei genau gleicher mechanischer Leistung durch eine 8-Watt-Gleichstrompumpe ersetzt werden: Der Wirkungsgrad ist bei Gleichstrom zweieinhalbmal besser.

Ähnlich sieht es bei den üblichen Haushaltsgeräten aus. Beim Übergang von Transformatornetzteilen auf effiziente Gleichstromschaltnetzteile (die allerdings vielfach auch für Wechselstrom erhältlich sind), ist etwa ein Faktor 2 zu gewinnen. Hinzu kommen die in Beispiel 9 erwähnten Gewinne sowie die Warmwassergewinnung durch passive Solarenergie statt durch Strom.

Friedrich Lapp, Günter Scharf und Gerd Ehrmann von der Nürnberger Berufsschule 1 fanden, es sei an der Zeit, die Vorteile des Gleichstroms wiederzuentdecken. Ihr Motiv: die Begeisterung für Photovoltaik (PV) und zugleich das Bedauern über die hohen Kosten der Solarpanele. Will man den Stromverbrauch einer vierköpfigen Familie mit PV befriedigen, dann braucht man bei Verwendung der heutigen auf 220 Volt Wechselstrom eingestellten Geräte mindestens 30 Quadratmeter PV-Panele auf dem Dach, und das kostet nicht weniger als DM 80 000. Bei Gleichspannung genügen knapp 8 Quadratmeter für gut 20 000 Mark plus wenige tausend Mark für passiv-solare Warmwasserzubereitung.

Das Nürnberger Solarteam ist außerdem der Frage nachgegangen, wie hoch die Gleichspannung sein sollte. Bei 12 Volt, wie sie in Autos üblich sind, bräuchte man wegen der größeren Entfernungen im Haus Kupferleitungen von 24 Quadratmillimetern – ein erheblicher Kostenaufwand und ein überschwerer ökologischer Rucksack (vgl. S. 269). Bei 24 Volt beträgt der erforderliche Querschnitt nur noch 6 Quadratmillimeter, und bei 48 Volt reichen die handelsüblichen 1,5 Quadratmillimeter.

Man könnte der Photovoltaik also auf diese Weise ohne zu hohe Kosten zum Durchbruch verhelfen und von der Effizienz des Gleichstroms im Privathaushalt profitieren. Bezüglich der CO_2-Einsparung wäre das weit mehr als ein Faktor 4. Das Problem ist, daß es bislang keine industrielle Fertigung von Haushaltsgeräten für 48 Volt Gleichspannung gibt. Die Industrie sieht noch »keinen Bedarf«. Das ist auch kein Wunder in Ländern, wo der 220 (oder 110) Volt Wechselstrom reichlich und bequem in jedes Zimmer geliefert wird und wo die Sonneneinstrahlung im Winter nicht ausreicht, so daß man dann doch noch Netzstrom zukaufen möchte.

Der Durchbruch für die Edisonsche Vernunft in unserer Zeit kommt vielleicht in ganz anderen Ländern. Wo noch keine flächendeckende Überland-Versorgung existiert, die Sonne aber großzügig scheint oder kleinste Wind- und Wasserkraftwerke möglich sind, dort scheint der Gleichstrom-Effizienzpfad vernünftiger als die großflächige Verschwendung. Vielleicht kann die Klimadiplomatie (vgl. S. 252) einen Anstoß geben. Zwischen Ländern des Nordens und des Südens könnten *joint-implementation*-Projekte definiert werden, bei welchen der Norden eine Industrie mit 48-Volt-Gleichspannungsgeräten im Süden unterstützt und so den Bau neuer klimabelastender Kohlekraftwerke bremst.

14. Energieversorgung in kalten Klimazonen: Wasser, Wind und Sonne

Niels Meyer u.a. (1993) schätzen für die Länder Skandinaviens, daß eine Reduktion der CO_2-Emissionen um 95% notwendig ist, um das Ziel der Klimastabilisierung von skandinavischer Seite aus zu erreichen. Nach Meinung dieser Autoren würde eine ökologisch nachhaltige Energiestrategie aus den folgenden vier Teilen bestehen:

- bessere Technologien (also die Effizienzrevolution);
- umweltfreundliche Energiequellen (also erneuerbare);
- strukturelle Veränderungen, insbesondere im Transportsektor;
- vermindertes Wachstum der Energiedienstleistungen.

Diese Strategie stimmt im wesentlichen mit der unsrigen überein. Vorge-schlagen werden Reduktionen des gesamten Verbrauchs von Primärener-gie von 79% (mehr als ein Faktor 4) für Dänemark, 59% für Norwegen und 54% für Schweden. Insgesamt betragen die Reduktionen für alle drei Länder also 66%. Wir haben in Abschnitt 9 dieses Kapitels am Beispiel Haushaltsgeräte (Dänemark) vorgeführt, daß solche Verbrauchssenkun-gen durchaus erreichbar sind.

Die nachstehende Tabelle zeigt die entsprechenden Resultate dieses Szenarios für Norwegen:

Einheiten in TWh/Jahr*	1987	2030	2030 (% von 1987)
Biomasse	11	9	82
Wasserkraft	104	112	108
Windkraft	0	12	n. def.
Wellenkraft	0	10	n. def.
Solarenergie	0	0	—
Erdgas	0	3	n. def.
Öl	26	0	0
Benzin	22	0,3	1
Diesel	32	1,2	4
Kohle	0	0	—
Stromimporte	3	0	0
Stromexporte	3	68	2267
Gesamtverbrauch	195	80	41

* 1 Terawattstunde = 1 Billion Wattstunden

Primärenergieverbrauch in Terawattstunden pro Jahr in Norwegen 1987 und extrapoliert für 2030 für das Szenario von Meyer u.a. (aus Meyer u. a., 1993, S. 134).

Dieses Szenario ist in mehrerlei Hinsicht bemerkenswert.

• Sonnenenergie (photovoltaisch und passiv) spielt keine Rolle, weil in Norwegen praktisch der gesamte Energiebedarf für Heizung und Warmwasser aus billigem (Wasserkraft-) Strom gedeckt werden kann. In den meisten anderen Ländern der Welt wird die Sonnenenergie eine nicht zu vernachlässigende Rolle spielen.

79

- Es wird nicht verlangt, daß der Gesamtverbrauch wie in Dänemark um einen Faktor 4 sinkt. Das liegt an der Sondersituation Norwegens mit der Wasserkraft, die es dem Land erlaubt, ein lukrativer Ort für energieintensive Industrien wie die Aluminiumverhüttung zu bleiben.
- Dennoch bleiben nach dem Modell 60% der norwegischen Wasserkraft für den Export in andere Länder übrig.
- In dem angenommenen Modell werden die meisten Privatautos Skandinaviens hocheffizient mit Strom, Hybridmotoren oder Brennstoffzellen angetrieben.
- Schließlich wird (für ganz Skandinavien) angenommen, daß die Energiedienstleistungen bis 2030 nicht steigen. Dies folgt aus dem kompromißlosen Postulat eines bis 2030 erreichten tragfähigen globalen Energieverbrauchs. In der rauhen politischen Wirklichkeit wird dies natürlich kaum zu erreichen sein.

Obwohl die in dem Modellszenario erreichte Gesamtreduktion des Energieverbrauchs weniger als ein Faktor 4 ist, haben wir uns dennoch aus den nachstehenden Gründen für seine Aufnahme in unser Buch entschieden:

- Erneuerbare Energiequellen sind in gewisser Hinsicht äquivalent zu Effizienzverbesserungen. Unter dem Gesichtspunkt der »Kohlenstoffeffizienz« entspricht das Modellszenario einer rund dreißigfachen (!) Steigerung;
- die Studie ist vermutlich das einzige verfügbare ökologisch nachhaltige Zukunftsszenario für die Gesamtheit aller Sektoren einer modernen Wirtschaft, und das nicht nur für ein Land, sondern gleich für eine Gruppe von Ländern mit höchst unterschiedlichen geographischen und demographischen Eigenschaften. (Dänemark verfügt über keinerlei Wasserkraft und ist sehr dicht besiedelt);
- wenn Skandinavien unter den Bedingungen des Szenarios in der Lage ist, fast 30% seines Stroms in andere Länder zu exportieren, dann kann das dem Rest Europas bei der Einhaltung der CO_2-Minderungsziele helfen;
- Faktor 4 war gar nicht das vorgegebene Ziel der Studie. Wäre dies der Fall gewesen, so hätte man es, wie das dänische Beispiel zeigt, mutmaßlich auch erreichen können.

Obwohl die Ergebnisse der Studie von Niels Meyer und seinen Kollegen sehr ermutigend sind, können sie doch nicht ohne weiteres auf andere Länder übertragen werden. Die Situation in Skandinavien ist einzigartig in bezug auf Wasserkraft und die geringe Bevölkerungsdichte. Und generell gesehen sollte man im weltweiten Kontext die erneuerbaren Energiequellen nicht als ökologisches Allheilmittel ansehen. Die riesigen ethnischen und ökologischen Kontroversen um Staudämme in vielen Teilen der Welt (Goldsmith u. Hildyard, 1985–1989) deuten dies an, und auch Biomasseplantagen verheißen auf Dauer nichts Gutes.

15. Rindfleisch: Weniger verbrauchen, bessere Qualität genießen

In der guten alten Zeit war die Landwirtschaft Hauptquelle der Energieversorgung. In traditionellen Gesellschaften dürften rund 80% der vom Menschen induzierten Energieumsätze durch landwirtschaftliche Produkte gegangen sein. Und diese haben ihre Energie aus der in Pflanzen gespeicherten Sonnenenergie. Gewiß wurde in der alten bäuerlichen Landwirtschaft auch mechanische Energie investiert, etwa beim Getreidemahlen, aber die blieb weit unter den in Kalorien gemessenen, in den Nahrungsmitteln enthaltenen Energiemengen.

Aus der Hauptenergiequelle wurde im Laufe dieses Jahrhunderts eine der größten Energiesenken. Heute verbraucht die moderne Landwirtschaft viel mehr Energie, als wir nachher in Kalorienform zu uns nehmen. Den Umschwung brachte die Motorisierung und Mechanisierung der Landwirtschaft sowie die weltweite Ausweitung der Einzugsgebiete für Futter- und Lebensmittel.

Die Relation zwischen der in Nahrungskalorien verfügbaren Energie und dem hierfür vorher aufgewandten Energieeinsatz ist ein Maß für die »Energieproduktivität«. Früher war sie hoch, weit über eins, vermutlich bei zehn. Heute ist sie klein, für fleischreiche Kost liegt sie bei etwa einem Zehntel, das heißt, für eine Kalorie auf dem Teller werden vorher zehn Kalorien investiert (vgl. Abb. 10).

Für Reis, Kartoffeln und Weizen liegt der Wert heute noch zwischen 10 und 2, für Gemüse zwischen 2 und 0,1, für Milch und Eier ebenfalls zwischen 2 und 0,1. Auch bei Fleisch von freilaufenden Hühnern wird ein Wert von 2 erreicht, dagegen fällt er bei Mastrindern aus der Intensivzucht auf kümmerliche 0,03. Mit anderen Worten: Für eine Kalorie Rindfleisch werden zuweilen über 30 Kalorien Fremdenergie aufgewandt. Auch die Hochseefischerei ist extrem energiefressend, und am schlimmsten ist in Europa angebautes Gewächshaus-Wintergemüse (vgl. unser Tomatenbeispiel, Nr. 16). Abbildung 10 zeigt die Energieeffizienz für die genannten Nahrungsmittel, allerdings mit dem zahlenmäßigen Kehrwert, welcher die Energie-Input-Output-Relation angibt.

Will man die Energieproduktivität im Agrarbereich wesentlich verbessern, sollte man beim Massenprodukt Rindfleisch ansetzen. Die einfachste Antwort ist die Umstellung der Massenhaltung von Mastvieh, das mit Futterimporten aus Übersee versorgt wird, auf Weideviehhaltung. (Die Massenviehzucht hat außerdem den Nachteil, daß riesige Güllemengen anfallen, die vor allem im mitteleuropäischen Flachland Probleme verursachen.) Die Fleischproduktion geht dann pro Hektar etwa um die Hälfte zurück. Bekanntlich wandert derzeit ohnehin ein großer Teil des Fleisches in Kühlhäuser und wird von dort schubweise – mit Hilfe von Exportsubventionen, die bislang selbst unter GATT noch erlaubt sind – in anderen Weltgegenden zu Schleuderpreisen auf den Markt geworfen.

Abbildung 11 zeigt ein Flußdiagramm für die US-amerikanischen Energieflüsse in der Nahrungsmittelherstellung.

Daraus kann man entnehmen, daß der Durchschnittsamerikaner nur ein Zehntel der Energie auf den Teller bekommt, die vorher an technischer Energie für sein Essen investiert wurde. Die in der Biomasse gespeicherte Sonnenenergie in Höhe von mehr als dem Doppelten der technischen Energie ist dabei noch nicht einmal berücksichtigt, sonst fiele der Verlust noch deutlich höher aus.

Auf der Basis solcher Analysen kann man nunmehr systematisch vorgehen, um den Faktor 4 der Erhöhung der Energieproduktivität zu erreichen. Wir halten es nicht für unsere Aufgabe, Landwirten und Agrarplanern Detailvorschläge zu machen, aber wir sehen absolut keinen Grund, warum es nicht gehen sollte. Die ökologische Landwirtschaft mit ihrem Prinzip des integrierten Pflanzenanbaus und der integrierten Tierhaltung scheint ein quantitativ und qualitativ sowie auch ökonomisch gangbarer Weg zu einer Verminderung des Energieeinsatzes (nicht nur bei Rindfleisch) um einen Faktor 4 zu sein (vgl. auch Kap. 2, Beispiele 13–14).

Schließlich kann es aber auch nicht schaden, wenn sich manche Leser überlegen, ob sie nicht mit der Hälfte des heute durchschnittlich verzehr-

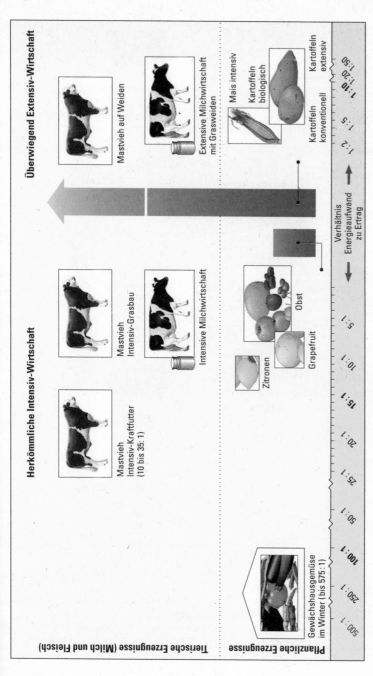

Herkömmliche Intensiv-Wirtschaft

Überwiegend Extensiv-Wirtschaft

Tierische Erzeugnisse (Milch und Fleisch)

Mastvieh
Intensiv-Kraftfutter
(10 bis 35 : 1)

Mastvieh
Intensiv-Grasbau

Intensive Milchwirtschaft

Mastvieh auf Weiden

Extensive Milchwirtschaft
mit Grasweiden

Pflanzliche Erzeugnisse

Gewächshausgemüse
im Winter (bis 575 : 1)

Zitronen

Grapefruit

Obst

Mais intensiv

Kartoffeln
biologisch

Kartoffeln
konventionell

Kartoffeln
extensiv

Verhältnis
Energieaufwand
zu Ertrag

500 : 1 250 : 1 **100 : 1** 50 : 1 25 : 1 20 : 1 **15 : 1** 10 : 1 5 : 1 1 : 2 1 : 5 **1 : 10** · 1 : 20 1 : 50

10. Eine Auswahl von Nahrungsmitteln mit ihrer Input-Output-Energiebilanz. Hohe Zahlenwerte entsprechen niedrigen Energieeffizienzen. Bei Winter-Gewächshausgemüse wenden wir über 500 Kalorien Fremdenergie für eine Kalorie Nahrungsmittel auf (nach Linzer, 1979).

83

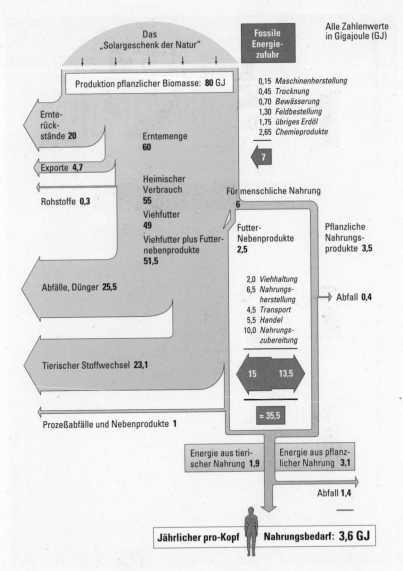

11. Energieströme in der Nahrungskette (USA). Die US-amerikanische Wirtschaft bringt jährlich 35,5 Gigajoule technischer Energie für die 3,6 Gigajoule auf, die in der Nahrung eines Amerikaners enthalten sind. Die 80 Gigajoule an Energie, die von der Sonne jährlich zur Erde gestrahlt werden und über Tier und Pflanze ebenfalls in die Nahrung eingehen, sind in der Gegenüberstellung noch nicht einmal enthalten (nach Barney, 1980, S. 624).

ten Rindfleischs auskommen wollen (und dabei höhere Qualität und bessere Gesundheit eintauschen). Die Studie *Sustainable Netherlands* (Buitenkamp u.a., 1992; vgl. den ersten Abschnitt des Kapitels 8) rät aus ökologischen Gründen zu solchen Entschlüssen.

16. Tomatenanbau: Es geht auch ohne Energieverschwendung*

Holland ist einer der größten Tomatenexporteure der Welt. Das Nachtschattengewächs wurde zu Beginn des 16. Jahrhunderts aus Mittel- und Südamerika nach Europa gebracht, wo es zunächst als Zierpflanze kultiviert wurde. Erst im 20. Jahrhundert fand es mit der Massenkultur in Gewächshäusern als Nahrungsmittel größere Verbreitung, denn die Temperaturen in Mitteleuropa sind für die Freilandkultur von Tomaten zu niedrig. Wie kam es zur Massenkultur?

Ausschlaggebend war die Entdeckung bedeutender Erdgasvorkommen in den Niederlanden. Mit dem Gas werden riesige Gewächshausanlagen geheizt, in denen man zu jeder Jahreszeit Tomaten anbauen kann. 1991 wurden in den Niederlanden auf etwa 1570 ha Gewächshausfläche 650 000 Tonnen Tomaten in einem Wert von gut einer Milliarde Mark produziert. Aus dieser gewaltigen Produktion entstand auch ein entsprechend leistungsfähiges Vermarktungssystem. Heute sind die holländischen Gemüseauktionen so attraktiv, daß Tomaten sogar von den Kanarischen Inseln nach Holland geflogen werden, um von hier aus weitervermarktet zu werden. Etwa ein Siebtel der Tomaten wird in den Niederlanden selbst verzehrt, sechs Siebtel werden exportiert, davon etwa die Hälfte nach Deutschland. Sogar bis Ungarn, einem der klassischen Tomatenanbauländer, werden holländische Gewächshaustomaten verkauft, und zwar meist unter dem Preis der lokalen Ware.

Einer der Hauptgründe dafür ist die in den Niederlanden billige, nach Meinung sämtlicher Umweltschützer stark subventionierte Energie. Der Energieaufwand ist höher als 50 Megajoule/kg Tomate. Wenn 1 kg Tomate einen Energieinhalt von etwa einem halben Megajoule hat, ist dies also

---

* Wir verdanken den Inhalt dieses Abschnitts Geert Posma und Wouter van Dieren, IMSA, Amsterdam.

eine Energievernichtung von etwa einem Faktor 100. Der bei weitem größte Teil der Energie (79%) geht in das Heizen der Gewächshäuser; 18% verbleiben in der Konservenindustrie.

Gibt es Strategien zur Verminderung der Energieverluste um einen Faktor 4 oder mehr? Dies ist mit Sicherheit der Fall. Mit einer wesentlich verbesserten Isoliertechnik, mit Wärmepumpen und mit einer besseren Flächennutzung für kontinuierliche Produktion müßte nach Posma und van Dieren ein Faktor 4 ohne weiteres erreicht werden können. Dabei ist die Möglichkeit des Einsatzes von Superfenstern (Kap. 2, Beispiel 5) noch nicht einmal berücksichtigt. Eine andere Strategie ist selbstverständlich die Verlagerung der Produktion in wärmere Länder. Dort wachsen die Tomaten ohne nennenswerten Input von technischer Energie. Und selbst die Flugreise würde »nur« 15 Megajoule/kg an Energie kosten, wäre also gut dreimal so günstig wie die Gewächshausaufzucht.

17. Ventilatoren, Pumpen und Motoren: Mr. Lee revolutioniert die Technik

In einem Gewerbegebiet in Singapur entwirft ein stiller, amüsanter chinesischer Ingenieur namens Lee Eng Lock* die effizientesten Klimaanlagen der Welt. Das Klima in Singapur ist tückisch: Die relative Luftfeuchtigkeit beträgt durchschnittlich 84%, tagsüber ist es heiß bis höllisch heiß.

Kühlungseffizienz mißt man in Kilowatt pro »Tonne«** Kühlleistung. Die meisten Ingenieure wären im Klima von Singapur froh, wenn sie mit 1,75 kW Leistung für eine »Tonne« Kühlung auskämen; realistischer sind 2 kW und mehr. Die Anlagen von Lee Eng Lock brauchen nur 0,61 kW pro »Tonne«. Das ist keine Schätzung, sondern genauestens gemessen, einmal pro Minute, mit handgeeichten Sensoren, die ihre Meßergebnisse auf sechs Ziffern genau an die zugehörigen Geräte mit selbstentwickelter Kontrollsoftware übermitteln.

* Adresse: Supersymmetry Services Pte Ltd, Block 73 Ayer Rajah Crescent # 07/06-09, 0513 Singapore, 65 + 777-7755, Fax 65 + 779-7608.
** Für die eigenartige Definition der Kühlungs-»Tonne« vgl. Fußnote , S. 47

12. *Lee Eng Lock aus Singapur ist der reinste Zauberer, was Klimaanlagen und Wasserpumpen angeht. Sein Motto: »Wie chinesische Küche. Alles verwenden. Auch Füße essen.«*

Die Anlagen von Herrn Lee sind zu allem auch noch besser, kleiner, zuverlässiger und im allgemeinen billiger herzustellen. Die Produktionskosten sind unter anderem deswegen niedriger, weil alle Teile nicht größer als notwendig sind.

Elegante Genügsamkeit ist Lees Parole. Energie, Geld, Zeit, Metall: Alle Ressourcen werden bezüglich Menge, Ort und Zeitpunkt präzise dosiert und eingesetzt. Der Mengenbedarf wird gemessen, nicht geschätzt. Energie wird so lange wiederverwendet, bis nichts mehr davon übrigbleibt. Auf ein Kompliment über eine besonders elegante Art, Abluft aus einem Haus – mittels eines Gerätes ohne bewegliche Teile – zur Entfeuchtung der Frischluft zu verwenden, sagte er in seinem eigentümlichen Telegraphen-Englisch: »Wie chinesische Küche. Alles verwenden. Auch Füße essen.«

Die meisten Ingenieure würden vermuten, der beste Ort zum Stromsparen an einer Klimaanlage sei der Kühler. Dort erreicht Lee in der Tat Einsparungen von etwa einem Drittel, hauptsächlich, indem er die Wärmeaustauscher drei- bis zehnmal größer macht als üblich und den Kühler mit der genau richtigen Geschwindigkeit laufen läßt. Dies bringt aber erst ein Fünftel der Gesamteinsparungen. Zwei weitere Fünftel kommen von den Versorgungsventilatoren, welche die kalte Luft durch das ganze Gebäude pusten, und die restlichen zwei Fünftel der Gesamteinsparungen von den Pumpen und den Ventilatoren, welche die warme Luft nach draußen blasen.

Lees Versorgungsventilatoren brauchen mit nur 0,061 kW/t um 90% weniger Energie als gute herkömmliche Anlagen (0,60 kW/t). Seine Kaltwasserpumpen verbrauchen mit 0,018 kW/t um 89% weniger als herkömmliche (0,16), die Kondensator-Wasserpumpen, welche die Wärme beseitigen, verbrauchen mit 0,018 kW/t um 87% weniger als herkömmliche (0,14), und die »Kühltürme« von Lee schließlich verbrauchen mit 0,012 kW/t um 88% weniger Energie als andere (0,10). Wie kommen diese fast zehnfachen Einsparungen bei verbesserter Leistung zustande?

Mit gesundem Menschenverstand, ganzheitlichem Systemdesign, einer gesunden Skepsis gegenüber der herkömmlichen Vorgehensweise und mit der rigorosen Anwendung technischer Prinzipien, die oft vergessen werden; vor allem aber sind sie der restlosen Beseitigung von Reibungswiderständen zu verdanken.

Fünfmal Warum?

Taiichi Ohno, dem die (Wieder-)Erfindung der Just-in-time-Produktionsmethode bei Toyota zugeschrieben wird, hatte – wie Henry Ford – die Obsession, Verschwendung zu vermeiden, und die Angewohnheit, nach den Wurzeln eines Problems zu suchen. Ohno schrieb einmal:»Hinter der ›Ursache‹ eines Problems liegt die *wahre Ursache* verborgen. In jedem Fall müssen wir danach graben, indem wir fragen *warum, warum, warum, warum, warum?*« Joseph Romm (1994, S.28) zitiert das folgende Beispiel:»Warum fiel die Maschine aus? Die Sicherung ist rausgesprungen. Warum gab es einen Kurzschluß? Das Lager war nicht gut genug geschmiert. Warum war das Lager nicht gut genug geschmiert? Die Schmierpumpe hat schlecht gepumpt. Warum hat sie schlecht gepumpt? Der Pumpschaft war abgenutzt und rüttelte. Warum war der Schaft abgenutzt? Es war kein Sieb dran, und so konnten Metallstückchen da hereinkommen.«

Genauso geht Lee (im Grunde natürlich auch jeder gute deutsche Ingenieur) bei der Analyse seines Hauptproblems vor: bei den Widerständen.

Ventilatoren und Pumpen bewegen Luft und Wasser gegen Widerstände. Woher kommen diese Widerstände?

- Die Leitung im ursprünglichen Modell hat zuviel Widerstand, weil sie zu lang ist und um zu viele Ecken geht. Das liegt daran, daß der Ingenieur erst die Anlage aufstellt und dann die Leitungen anschließt, die um alle möglichen Ecken müssen, um von A nach B zu kommen. (Den Leitungslegern ist das egal, denn sie werden pro Stunde bezahlt.) Statt dessen sollte man erst die Leitungen legen und dann die Anlage anschließen. Das spart Röhren-, Raum- und Materialkosten.
- Die Leitung hat außerdem zuviel Widerstand, weil sie innen rauh statt glatt ist. Das richtige Material kann Reibung bis zum Vierzigfachen verringern.
- Die Leitung ist zudem zu schmal. Der Widerstand gegen den Wasserfluß nimmt fast mit der fünften Potenz der Verkleinerung des Durchmessers zu. Weitere Rohre können die Reibung fast ganz vermeiden. Sie kosten etwas mehr, aber sie ermöglichen eine Verkleinerung der ganzen beweglichen Teile inklusive Pumpe, Motor usw., die damit auch billiger werden.
- Die Röhre hat so viele Ventile, weil die Reibung so groß ist, daß einige Teile des Leitungssystems weniger Wasser bekommen, als sie brauchen, und man daher die anderen Teile mit Ventilen versieht, um den Wasserfluß in die unterversorgten Leitungsteile zu leiten. Warum macht man statt dessen nicht einfach alle Röhren so groß, daß das Wasser dahin fließt, wo es hin soll – genau so, wie man elektrische Leitungen dick genug macht, damit der Strom überall hinfließt, statt ihn auf umständliche Weise im Haus zu verteilen.
- Die Ventile wiederum haben einen so großen Widerstand, weil sie vom falschen Typ sind, was vor Lee aber niemand bemerkt zu haben scheint. So wird der Wasserfluß noch ungleichmäßiger, weswegen man noch mehr Ventile braucht, usw.

Analog geht Lee mit den Versorgungsventilatoren vor:

- Die Verteiler, die die Luft in die Räume pusten, sind ineffizient und erzeugen Lärm und Reibung.
- Sie sind durch scharf geknickte Rohre verbunden, die meist zu eng sind und zudem an den falschen Stellen Knicke aufweisen. Sanfte Biegungen könnten das Problem lösen.
- Die Spulen sind schlecht konstruiert und kühlen beziehungsweise ent-

feuchten nur schlecht; außerdem haben sie einen etwa zwanzigmal höheren Luftwiderstand als nötig.

- Die Filter sind zu klein, vermutlich deshalb, weil man damit Geld sparen wollte. Macht man sie größer, ist das jedoch kostengünstiger, weil sie dann länger halten und ihre Reibung winzig sein wird.
- Um die Reibungswiderstände zu überwinden, ist der Ventilator viel zu groß und verursacht entsprechend viel Lärm, der dann durch einen Dämpfer vermindert wird, der seinerseits wieder Reibung verursacht.

Das Beheben der genannten Mißstände steht aber erst am Anfang des Designvorgangs. Lee fängt bei der Endleistung an und stellt fest, wie groß der Fluß für eine gewünschte Kühlleistung eigentlich sein muß. Dann überlegt er, welche Form die Röhren haben müssen, um ihn zu transportieren. Dann wählt er Pumpe und Ventilatoren, individuell nach geforderter Größe und Eigenschaften, um diesen Fluß so effizient wie möglich zu erzeugen. Notfalls sucht er auf der ganzen Erde nach der besten englischen Pumpe oder dem besten deutschen Ventilator. Erst danach beschäftigt er sich mit dem mechanischen Antrieb und dem Motor, der den Ventilator mit exakt berechneter Geschwindigkeit antreibt, und mit der Elektrik. An jedem Punkt vermeidet Lee Verluste; die einzelnen Teile werden fast alle kleiner, einfacher und billiger. Lee verfügt wie andere Genies auch über eine unendliche Bereitschaft, jeden Weg auszuprobieren.

Motoren bewegen die Welt

Lee kannte sich nicht nur bei Ventilatoren und Pumpen aus, sondern auch bei den Motoren, die sie antreiben. 1989 konnte das Rocky Mountain Institute fünfunddreißig Verbesserungsvorschläge machen, wie man Motoren effizienter gestaltet, angefangen bei der Stromzuführung und den Systemen, die das Drehmoment an die betriebene Maschine transportieren, über die Auswahl, Größe, Pflege und Lebensdauer der Motoren, über vier verschiedene Kontrolleinrichtungen bis hin zum Betrieb und zur Wartung des Gesamtsystems. Zusammengenommen können diese Maßnahmen helfen, bis zu 50% der Energie, die normalerweise in den Motor eingespeist wird, einzusparen, wobei noch keine Verbesserungen bei der nachfolgenden Nutzung der Motorenleistung berücksichtigt sind (Howe u.a., 1994). Diese Einsparungen zahlen sich innerhalb eines Jahres aus, weil man nur in sieben Verbesserungen investieren muß und die anderen achtundzwanzig kostenlos dazubekommt. Sogar das Forschungsinstitut der amerikanischen Stromunternehmen stimmt diesen Erkenntnissen zu (vgl. Fickett u.a., 1990).

Auf Motoren entfällt über die Hälfte des weltweit verbrauchten Stroms. Allein die oben angeführten fünfunddreißig Verbesserungen könnten fast ein Viertel der Gesamtelektrizität einsparen – allein in den USA würden hundertsechzig Großkraftwerke überflüssig – und das zu Kosten, die (wenn man die Transaktionskosten außer acht läßt) selbst deutlich unter den Betriebskosten eines heutigen Kohlekraftwerkes liegen.

Wozu braucht man eigentlich Klimaanlagen?
Mit relativ einfachen Maßnahmen kann man verhindern, daß Räume zu warm werden oder auskühlen: etwa durch die Verwendung von Superfenstern (Beispiel 5) in Verbindung mit effizienter Beleuchtung (Beispiel 11) und Bürogeräten, einer guten Architektur (Beispiele 5, 7, 12). Die meisten amerikanischen Büros sind so gebaut, daß sie rund eine »Tonne« Kühllast pro 100 Quadratmeter Bodenfläche benötigen. Eine gute Umrüstung verbessert den Wert auf rund 300 qm, und mit allerneuester Technologie kommt man auf rund 400 qm, eine Effizienzerhöhung um den Faktor 3–4. In solchen Häusern fühlen sich die Menschen zudem wohler, und die Gebäude sind billiger zu betreiben und zu bauen, weil sie weniger Klimatechnik benötigen, die pro »Tonne« immerhin 3000 Dollar kostet.

18. Klimatisierung: »Weiße Mützen« und andere neue Technologien

Die sommerliche Umwandlung amerikanischer Gebäude von Solar-Öfen in elektrische Kühlschränke verschlingt rund 16% der verfügbaren Elektrizität des Landes, das viele Menschen für das Land mit den kühlsten Sommern halten – drinnen nämlich, in den Häusern. Doch es kommt noch schlimmer: Auf das Konto von Klimaanlagen gehen 43% des Spitzenstromverbrauchs an heißen Sommernachmittagen, und mehr als zweihundert Großkraftwerke, jedes einige Milliarden Dollar teuer, arbeiten »nur« für den Betrieb von Klimaanlagen.

»1982 zahlten die Privathaushalte in Houston, Texas, allein 3,31 Milliarden Dollar für kalte Luft. Das ist mehr als das Bruttosozialprodukt von zweiundvierzig afrikanischen Staaten«, konnte man am 21. September 1983 im *Wall Street Journal* lesen. Und dieses Verlangen nach künstlich gekühlter Luft breitet sich rasch aus. Am schnellsten derzeit in Asien, wo der Spitzenstrombedarf aus diesem Grunde jährlich um 25 000–50 000 Megawatt ansteigt. Die rasch reicher werdende Bevölkerung strebt westliche Standards an und vergißt ihre traditionellen Kühlmethoden und dem Klima angepaßte Kleidungsgewohnheiten. Der Kapitalbedarf für diesen Luxus ist monströs.

Mindestens achttausend Jahre lang war es dem Menschen selbstverständlich, seine Behausungen so zu errichten, daß sie ihn vor ungewollter Hitze oder Kälte schützten. Von der Türkei bis nach Tunesien, von Zypern bis Mali, von Algerien bis Zululand gab es überall intelligente passive Kühlsysteme, die für eine derart komfortable Klimatisierung sorgten, daß sie die Bewohner »moderner« Gebäude in diesen Regionen neidisch machen könnten. Moderne Wissenschaft und Technologie versprechen noch viel mehr. Der gegenwärtige Energieverbrauch fürs Kühlen kann nicht nur um ein Zwei- oder Zehnfaches, sondern um das bis zu Hundertfache gesenkt werden, wenn man die jeweils besten Technologien in sechs einfachen Schritten zusammenschließt (Houghton u.a., 1993).

Kälte ist die Abwesenheit von Wärme
Der erste Schritt besteht darin, ungewollte Wärme nicht ins Innere von Gebäuden eindringen zu lassen. Superfenster (Beispiel 5) lassen kaltes, blendfreies Tageslicht herein und blocken die Wärmestrahlung fast ganz ab. Effizientere Beleuchtung (Beispiel 11) und effiziente Bürogeräte (Beispiel 12) reduzieren die Kühllast um ein Mehrfaches. Beleuchtung und Bürogeräte zusammen erzeugen dann nur noch ein Drittel soviel Wärme wie die Menschen im Gebäude, deren Wärmeabgabe nicht reduziert wird.

Gute Architektur kann ein Drittel des Stroms ohne zusätzliche Kosten einsparen. Verwendung von Schatten und wärmereflektierenden Oberflächen (wie in den weißgetünchten Mittelmeerstädten), verbunden mit Landschafts- und Pflanzenarchitektur, ist sinnvoll: Ein großer Baum »arbeitet« so gut wie zwölf Zimmerklimaanlagen.

Den Komfort verbessern
Unsere Befindlichkeit hängt davon ab, wie hart wir arbeiten, wie atmungsaktiv unsere Kleidung, wie hoch die Umgebungswärme und wie warm, feucht und bewegt die Luft um uns herum ist. Jede dieser Variablen bietet Gelegenheit, unseren Komfort zu erhöhen.

Beispielsweise können Deckenventilatoren gleichbleibendes Wohlbefinden bei 5 °C höheren Temperaturen gewährleisten. Bürostühle mit Gittersitzen ventilieren den Körper besser und erhitzen ihn ca. 10–15% weniger als gepolsterte Stühle. Allein der Verzicht auf Krawatten würde helfen, Strom und Geld zu sparen; schon ein Drittel aller großen Firmen hat ihre ehemals strenge Kleiderordnung aus diesem und aus anderen Gründen gelockert.

Zusammengenommen können solche simplen Maßnahmen den Kühlbedarf um 20–30% oder mehr reduzieren.

Eine weitere Möglichkeit, bei der Klimatisierung von Gebäuden Energie zu sparen, ist die, den Betrieb der Anlagen zeitlich am tatsächlichen Bedarf zu orientieren. Der Körper reagiert nicht sofort auf Wärme. Es dauert recht lange, bis die 50–70 kg Wasser, aus denen unser Körper hauptsächlich besteht, so erwärmt sind, daß wir uns nicht mehr wohl fühlen. Die Regierung der kanadischen Provinz Alberta hat sich diese Verzögerung zunutze gemacht. In ihren großen Gebäuden werden die Klimaanlagen am Spätnachmittag, noch vor Dienstschluß, ausgeschaltet. Noch bevor sie die Wärme spüren, haben die Angestellten die Gebäude verlassen. Auch dies spart eine Menge Energie und Geld, ohne daß sich jemand beklagte.

Passives Kühlen

In einem weiteren Schritt sollte ungewollte Wärme, die weder vermieden noch ignoriert werden kann, ohne zusätzliche Geräte entfernt werden. Natürliche Belüftung, die das Gebäude von unten kühlt oder die Wärme in den Himmel abstrahlt, kann dies in den meisten Klimazonen erreichen. Selbst in der Augusthitze von Miami genügen Deckenventilatoren und ein Dachteich, um einen offiziell definierten Komfortstandard zu halten. Tagsüber speichert der Dachteich Wärme, nachts gibt er sie an die Außenwelt ab.

Einige sehr effiziente Methoden sind fast passiv. Die Davis Energy Group in Davis, Kalifornien, hat eine »weiße Mütze« für Gebäude entwickelt, einen flachen Dachteich unter einer weißen Schaumstoffschicht. Tagsüber wird die Gebäudewärme an das Wasser abgegeben, und nachts sprüht eine kleine Pumpe das Wasser in die Luft, so daß zwei Drittel der Wärme abgestrahlt werden und ein Drittel durch Verdunstung gekühlt wird. Das Wasser tropft dann durch Ritzen in der Schaumstoffschicht in den Teich zurück und bleibt darunter kühl. Der Stromverbrauch der

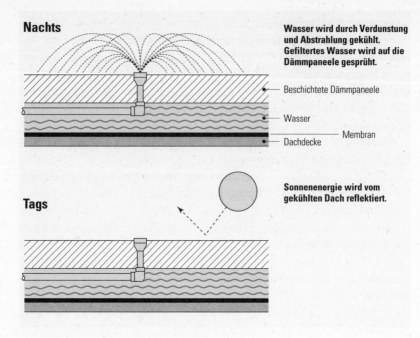

Nachts

Wasser wird durch Verdunstung und Abstrahlung gekühlt. Gefiltertes Wasser wird auf die Dämmpaneele gesprüht.

Beschichtete Dämmpaneele

Wasser

Membran
Dachdecke

Sonnenenergie wird vom gekühlten Dach reflektiert.

Tags

13. Die Grafik zeigt das Kühlsystem »Weiße Mütze« im Querschnitt, das auf dem Dach eines Gebäudes installiert wird.

Pumpe ist im Vergleich zur eingesparten Kühlenergie verschwindend klein. Zusätzliche Kosten gibt es keine, nicht zuletzt deshalb, weil die Gebäudedecke durch die Anlage auf dem Dach vor ultravioletter Strahlung, Temperaturumschwüngen, Ozon und anderen Einflüssen geschützt ist. Die Verwendung der »weißen Mütze« in Kombination mit Dachfenstern, so daß Kühlung und Beleuchtung passiv sind, kann bis zu 90% der Elektrizität in vielen ein- und zweistöckigen Flachdachgebäuden im Westen der USA sparen.

Ein anderes Beispiel für passive Kühlmethoden sind gefrorene Teiche, welche die Winterkälte bis in den Sommer hinein bewahren. Schon das Einfrieren von Schneematsch unter einer Schicht Stroh kann genügen. Das eiskalte Schmelzwassser wird dann mit einem Bruchteil der von einer Klimaanlage benötigten Energie durch das Gebäude gepumpt. Selbst dort, wo es nur ein oder zwei Wochen lang friert, kann diese Methode angewandt werden.

Alternative Kühltechniken

Drei Kühltechniken können in dem hier vorgestellten Programm der sechs Schritte den Rest erledigen und sind auf der ganzen Welt anwendbar. Absorptionskühlung und Trockenmittel-Entfeuchtung rücken der Luftfeuchtigkeit zu Leibe. Die entsprechenden Geräte werden nicht von rotierenden Achsen angetrieben, sondern von Verbrennungswärme, einem elektrischen Generator, einem industriellen Prozeß oder einem Sonnenkollektor. Mit Verdunstungskühlung kann entweder feuchte oder trockene kalte Luft erzeugt werden. Gut konstruiert und mit einem kleinen Ventilator betrieben, verbraucht ein entsprechendes Gerät geringe Wassermengen und kaum Energie. Die drei Techniken können auch kombiniert werden.

Im ersten ACT-Experiment (Beispiel 4) wurde ein 1900 qm großer Teil des PG&E Forschungslabors in San Ramon, Kalifornien, mit effizienter Beleuchtung, leicht verbesserten Geräten und Fenstern ausgestattet, die Isolierung und die Abdichtungen wurden minimal verbessert. Dies reduzierte die Kühllast um 50%. Dann wurde das gesamte Kühlsystem durch einen indirekten Verdunstungskühler ersetzt, der in 5–10% der Betriebszeit durch ein sehr kleines, maßgefertigtes Kühlgerät unterstützt wird. Dessen Designeffizienz ist rekordverdächtig: nur 0,14 kW/t oder 25 Einheiten Kühlung pro verbrauchte Stromeinheit. Der achtundzwanzig Jahre alte australische Ingenieur, der es konstruiert hat, glaubt, es noch verbessern zu können. Der Wechsel von den üblichen 2,0 kW/t-Anlagen auf die 0,14 kW/t bringt eine Verbesserung von 93%. Da aber auch der Kühlbedarf halbiert wurde, betrug die insgesamt im »Sunset Building« gesparte Kühlenergie 97%. Weil die alten Bürogeräte nach und nach durch effizientere Modelle ersetzt werden, müßte der Kühlbedarf weiter absinken, so daß die Kühlenergieeinsparungen nahezu 98% erreichen können – und das in einer Gegend, in der die Außentemperaturen rasch auf über 38°C ansteigen.

Supereffiziente Klimaanlagen

Werden diese ersten vier Schritte vollzogen, braucht weltweit niemand mehr konventionelle Klimaanlagen. Sollen sie dennoch benutzt werden, so können sie bei geringeren Kosten immerhin siebenmal effizienter als bisher konstruiert werden (vgl. Beispiel 17).

1994 baute die California State Automobile Association im Rahmen eines ACT-Projektes das vielleicht effizienteste Bürogebäude. Sein

Strombedarf liegt – gemessen an den strengsten amerikanischen Energie-standards – noch um einen Faktor vier niedriger. Dennoch sind Behaglichkeit und Komfort des Baus hervorragend, und er ist zudem der billigste, den die CSAA je gebaut hat: Die Klimaanlage ist um 40% effizienter (bei Teilauslastung um noch mehr) als herkömmliche Dachanlagen, obwohl sie im Prinzip ganz gewöhnlich ist. Die Kühllast wurde durch Verwendung von Tageslicht, Superfenstern, effizienter Beleuchtung und Geräten um das Doppelte reduziert. Die Architekten akzeptierten zwar nicht das beste Konzept der »weißen Mützen« der David Energy Group und Skylights (das Einsparungen von 90% bei noch geringeren Kosten eingebracht hätte), aber selbst der schließlich ausgeführte drittbeste Vorschlag kommt noch auf beachtliche 72%.

Kontrollmechanismen und Speicherung

Jedes nicht komplett passive System braucht Kontrollmechanismen. Mit verbesserter Technologie und Software können noch einmal 10–30% des verbleibenden Stromverbrauchs eingespart werden. Werden die für den Betrieb solcher Anlagen Verantwortlichen mittels Computersimulationen geschult, kann dieser Wert sogar auf 50% erhöht werden. Große Gebäude sind ähnlich komplex wie Flugzeuge, die man ja auch nicht ohne Training fliegen würde.

Multiplikation der Einsparungen

Energieeinsparmaßnahmen, die schrittweise erfolgen, addieren sich nicht, sondern müßten sich multiplizieren lassen. Nehmen wir beispielsweise folgende Einsparungen vor:

- 70% des Kühlbedarfs durch bessere Isolierung, Fenster, Beleuchtung usw.;
- 20% der Kühllast durch Verbesserungen der Einrichtungen am Arbeitsplatz (Beleuchtung usw.), die das Wohlbefinden der Mitarbeiter erhöhen;
- 80% der Energie pro »Tonne« Kühllast durch passive oder alternative Methoden (93% waren es im Falle des Sunset Building);
- 50% der Energie pro »Tonne« Kühllast des verbleibenden Kühlbedarfs (wenn dieser überhaupt noch existiert);
- 20% durch eine verbesserte Reglertechnologie.

Rein rechnerisch ergibt das Gesamteinsparungen von:
(1-0,7) × (1-0,2) × (1-0,8) × (1-0,5) × (1-0,2) = 0,0192.
Die für Kühlung benötigte Energie beträgt dann nur noch 2% der Menge, die am Anfang stand. In der Realität gibt es die ideale Multiplikation der Effekte wohl nicht. Es ist aber beruhigend zu wissen, daß man gar nicht bei jedem einzelnen Schritt unbedingt viel einsparen muß, weil viele Schritte zusammengenommen zu einem eindrucksvollen Gesamtergebnis führen.

Warum macht das nicht jeder? Eine gute Frage, die wir im zweiten Teil des Buches wiederaufgreifen.

19. Effizienzkette: Fünf kleine statt eines großen Schritts

Meistens ist der Faktor 4 nicht mit einem einzigen Schritt zu erreichen. Dann kann die Strategie heißen, mehrere einander ergänzende und verstärkende kleinere Schritte nacheinander zu unternehmen, wie das folgende Beispiel zeigt:

- Bei einer neuen Generation von Kraftwerken, den Gas- und Dampfturbinenkraftwerken, erhöht sich der Wirkungsgrad, das heißt das Verhältnis von zugeführter Primärenergie zu abgegebener Endenergie Strom, von heute rund 34–40% auf 50–55%. Das entspricht einer Erhöhung der Ausbeute pro Einheit Primärenergie um etwa 28% beziehungsweise einer Senkung des Primärenergiebedarfs auf 72%.
- Kombiniert mit Kraft-Wärme-Kopplung (wo diese noch nicht vorhanden ist) sowie mit Gas-Brennwert-Kesseln kann man eine weitere Wirkungsgradsteigerung um 25% erreichen, d. h. eine Senkung des Primärenergiebedarfs auf 75% des bisherigen.
- Die novellierte Wärmeschutzverordnung von 1995 zielt auf eine Reduktion des Raumwärmebedarfs um ein Drittel. Gleichzeitig könnte der Strombedarf der Haushaltsgeräte um ein Drittel sinken. Das wäre weit weniger als das, was wir im Beispiel 9 dieses Kapitels als technisch möglich bezeichnet haben. Zusammen ergäbe sich eine weitere Senkung des Primärenergiebedarfs auf 67% des bisher errechneten.
- Weiter nehmen wir an, daß der Modellhaushalt eine Verminderung der Vergeudung um 7% schafft und daß zusätzlich eine Verminderung des Energiekomforts um 3% akzeptiert wird. Es geht dabei (mit unscharfer

Trennlinie zwischen Vergeudungsvermeidung und Komfortverzicht) um das Abstellen der Heizung bei Abwesenheit, das Löschen nicht benötigter Lichter, das Wäschewaschen mit nicht zu warmem Wasser, die Benutzung von Dampfdrucktöpfen und vielleicht auch darum, sich wärmer zu kleiden, um die Raumtemperatur auf ein vernünftiges Maß senken zu können. Mit diesen Maßnahmen wird der Primärenergiebedarf noch einmal gesenkt, und zwar auf 90% des bisher errechneten.

• Schließlich nehmen wir an, daß durch dezentrale Biogasanlagen, Stroh- und andere Biomasse-Reststoffe, Solarenergie (vgl. Beispiel 13), Windkraft und Wasserkraft ein zwanzigprozentiger Beitrag zur Energieversorgung geleistet werden kann, was den Primärenergiebedarf aus zentraler Versorgung erneut auf 80% des bisher errechneten senkt.

Die fünf Schritte ergeben zusammen eine Reduktion von
$$72\% \times 75\% \times 67\% \times 90\% \times 80\% = 26\%$$

Das entspricht ziemlich genau einem Faktor 4. Der Zeithorizont für die Verwirklichung der fünf Schritte auf möglichst breiter Basis könnte dreißig bis fünfzig Jahre sein. Wenn man den ersten Schritt, die Einrichtung eines effizienten Kraftwerkparks, nicht in Westeuropa, sondern in einem Entwicklungsland (einschließlich China) unternimmt, ist der Effekt noch größer. Allerdings geht es dort realistischerweise nicht um eine Nettoverminderung der Energieerzeugung, sondern um die Bremsung des Anstiegs.

20. Industrielle Produktion: Rentables Energie- und Abfallsparen

Seit 1960 hat sich der Verbrauch an fossilen Brennstoffen in der deutschen chemischen Industrie um recht genau einen Faktor 4 vermindert. Das ist eine enorme Leistung, die auch nicht dadurch geschmälert wird, daß sich in dieser Zeit der Gesamtausstoß der Branche mehr als vervierfacht hat, so daß also der absolute Brennstoffbedarf in den fünfunddreißig Jahren gestiegen ist. Es ist sehr ermutigend, daß auch in dieser energieintensiven Branche die Energieproduktivität derart steigerungsfähig gewesen ist.

In diesem Unterkapitel wollen wir eine wahre Geschichte aus den USA erzählen, wo die Initiative eines Einzelnen in einer großen chemischen Fabrik dazu führte, daß große Mengen Geld gespart wurden.

Ken Nelson leitete das Energiesparprogramm von Dow, einer der beiden ganz großen Chemiefirmen der USA. Nelson kümmerte sich zwölf Jahre lang schwerpunktmäßig um die Fabrikationsanlagen in Louisiana, mit ihren etwa 2400 Mitarbeitern. Der Preiskampf in dieser Branche ist hart. Wie alle Firmen der Grundstoffchemie muß Dow genauestens kalkulieren. Um so überraschender war es für Ken Nelson, als er zu Beginn seiner Beschäftigung bei Dow feststellen mußte, daß der Umgang mit Energie und Materialien verschwenderisch war.

Daraufhin veranstaltete er jährlich Wettbewerbe unter den Arbeitern und Angestellten (unter Ausschluß der leitenden Angestellten). Jede und jeder konnte Ideen anbieten, wie man Energie sparen oder Abfall vermeiden könnte. Die Projekte sollten sich innerhalb eines Jahres bezahlt machen und nicht mehr als 200 000 Dollar kosten. Die Vorschläge wurden von der Belegschaft selbst beurteilt und die vielversprechendsten und rentabelsten dann in die Praxis umgesetzt. Eine Auswertung und Umsetzung von mehr als 1000 solchen Projekten führte zu überraschend guten Ergebnissen:

- Die Kosten-Nutzen-Vorausschätzungen waren im Gesamtdurchschnitt bis auf 1% genau!

- Nur in einem einzigen der zwölf Jahre fiel die durchschnittliche prozentuale Rendite auf eine »nur« zweistellige Zahl, nämlich 97%. Alle anderen elf Jahre brachten durchschnittlich dreistellige Rendite-Prozentzahlen. 575 bilanzierte Projekte hatten eine Rentabilität von durchschnittlich 204% pro Jahr (vorausberechnet waren 202%). In Absolutzahlen entsprach das Einsparungen im Wert von jährlich 110 Millionen Dollar (Nelson, 1993).

- Im ersten Jahr brachten siebenundzwanzig Projekte, die zusammen 1,7 Millionen Dollar kosteten, eine durchschnittliche Rendite von 173%, und viele Mitarbeiter dachten, mehr sei kaum drin. Im darauffolgenden Jahr kosteten zweiunddreißig Projekte insgesamt 2,2 Millionen Dollar und brachten durchschnittlich 340% Rendite. Nelson begriff schnell, schaffte die 200 000-Dollar-Obergrenze ab und erweiterte den Wettbewerb auf solche Projekte, die die Produktion erhöhten. 1989 brachten vierundsechzig Projekte mit Gesamtkosten von 7,5 Millionen Dollar der Firma Ersparnisse von 37 Millionen Dollar im ersten und in jedem folgenden Jahr. Das entspricht einem Ertrag von 470% auf eine Investition (soweit das beste Ergebnis). Selbst im zehnten Jahr des Wettbewerbs, 1992, nach etwa 700 realisierten Projekten, brachten die hundertneun ausgewählten Projekte dieses Jahres durchschnittlich 305% ein, und 1993 kamen hundertvierzig Projekte auf durchschnittlich 298%.

• Die Gewinne aus Einsparungen wurden also in den späteren Jahren immer größer und profitabler. Man hätte annehmen können, in den ersten Jahren seien die besten Gelegenheiten zum Einsparen ausgeschöpft worden. In Wirklichkeit schienen die Wettbewerbe wie Lehrbeispiele für das Aufspüren immer neuer Gelegenheiten und besserer Technologien zu wirken.

• Dieses Renditegeschenk für die Firma erwirtschafteten die Arbeiter für keinen anderen Lohn als für die Anerkennung von seiten der Kollegen. Obwohl Nelsons Methoden und Erfahrungen sorgfältig gemessen und dokumentiert wurden, haben sie nichts mit modischen Managementtheorien, Qualitätszirkeln, Motivationsworkshops, Committees oder anderen heute beliebten Ritualen zu tun. Vielmehr beruhen sie auf der Erfahrung der Arbeiter in der Fabrikhalle, deren Ideen in bare Münze umgesetzt werden. So funktionieren Märkte wirklich, wenn sie funktionieren. Leider gibt es zu wenige Persönlichkeiten von dem Format eines Ken Nelson, um die Märkte in Bewegung zu bringen.

Der gesamte Prozentsatz der eingesparten Energie und des vermiedenen Mülls ist nicht leicht abzuschätzen. Aber es gab über die Jahre Dutzende von Beispielen einer Vervierfachung der Energie- und Stoffproduktivitäten. Die hohe Rentabilität war wohl hauptsächlich darin begründet, daß Abfälle für die Chemieindustrie zu einem großen Kostenfaktor geworden sind, ihre Einsparung also finanziell hohe Priorität hatte; die Energieeinsparung scheint auch von einer Kopplung mit der Abfalleinsparung profitiert zu haben.

Verwunderlich ist, daß die guten Erfahrungen aus Louisiana nicht anderswo Schule gemacht haben, ja noch nicht einmal in der eigenen Firma. Das mag auch daran liegen, daß in vielen Firmen noch eine Abneigung gegenüber Innovationen besteht, vor allem dann, wenn etwas »nicht im Hause« erfunden wurde.

2. Kapitel:

Zwanzig Fälle vervierfachter Stoffproduktivität

S toffproduktivität ist ein neues Konzept. Wir verdanken es hauptsächlich unserem Freund Friedrich Schmidt-Bleek, dem Leiter der Abteilung Stoffströme und Strukturwandel des Wuppertal Instituts. Er hat das Konzept von Materialintensität pro Service (MIPS) entwickelt, das für jede wohldefinierte Dienstleistung auszurechnen oder zu schätzen gestattet, wie viele Tonnen oder Kilo Stoffe dafür irgendwo auf der Erde bewegt werden müssen. Das kann der Abraum aus einer chilenischen Kupfermine plus Wasser, Sand und Lösungsmittel, die bei der Halbzeugfertigung in Portugal umgesetzt werden, plus Chemikalien, Füllstoffe und Verpackungen bei der Endfertigung in Stuttgart plus der Stoffaufwand beim Groß- und Einzelhandel sein. Kapitel 9 erklärt die MIPS-Idee ausführlicher.

Stoffproduktivität ist demnach die Verminderung von MIPS. Offensichtlich erhöht die Langlebigkeit von Produkten die Stoffproduktivität, weil man annehmen kann, daß die Qualität der Dienstleistungen über die Zeit weitgehend unverändert bleibt. Andererseits steht Langlebigkeit im Konflikt mit modischer und technischer Modernität (einschließlich neuer Effizienztechnik). Stoffproduktivität umfaßt viel mehr als die Haltbarkeit. Sie betrifft den Produktzyklus »von der Wiege bis zur Bahre«.

Friedrich Schmidt-Bleek (1994) hält eine Reduktion der MIPS um einen Faktor 4 für unzureichend. Für die OECD-Länder sei ein Faktor 10 notwendig (s. Kap. 9). Möge er uns Kleinmütigen verzeihen, wenn wir hier viele Beispiele, die nur einem Faktor 4 gerecht werden, anführen. Auf jeden Fall weisen sie in die richtige Richtung.

Das Institut für Produktdauer-Forschung in Genf, geleitet von Walter Stahel, gibt Strategien für die Erhöhung der Stoffproduktivität an. Alle stehen im Kontext der »Dienstleistungsgesellschaft«, bei der es auf die

Dienstleistungsqualität beim Endnutzer ankommt (Giarini u. Stahel, 1993). Zu den Strategien gehören:

* Vermieten statt verkaufen: dann hat der Hersteller ein Interesse an langlebigen Produkten;
* erweiterte Produkthaftung: dann achtet der Hersteller auf emissionsfreie Nutzung und bequeme Wiederverwendung/Entsorgung;
* gemeinsame Nutzung (etwa Autos oder Waschmaschinen): dann genügen weniger Produkte für die gleiche Nutzungsqualität;
* Remanufacturing: das stabile Gehäuse/Gerüst bleibt erhalten, nur die Verschleißteile werden bei Bedarf erneuert;
* recyclinggerechte Produktgestaltung.

Systemlösungen sind gefragt. Wir beginnen am Ende: Den Ausgangspunkt bildet die Zufriedenheit des Kunden, des Endnutzers. Wir versuchen, möglichst viel Nutzerzufriedenheit mit möglichst wenig Stoffaufwand zu erreichen.

Wenn man Tassen aus unzerbrechlichem Material herstellt, dann können wir sie an unsere Kinder und Kindeskinder weitergeben; die Tassen werden immer ihren Zweck erfüllen. Wenn einmal jeder so viele Tassen hat, wie er/sie braucht, müssen eigentlich keine neuen produziert werden, und die Versorgung mit Trinkgefäßen ist bis ans Ende der Zeit gegeben.

Das ist ein Extrembeispiel und kulturell nicht unbedingt wünschenswert, wenn man an die wunderschönen Hutschenreuther-, Wedgwood- oder Limoges-Tassen denkt, die jenseits ihres ursprünglichen Zwecks einen Beitrag zu unserer Hochkultur und Lebensqualität liefern. Das andere Extrem ist die Wegwerfgesellschaft mit Plastikbesteck, Einwegflaschen, Einmalspielzeug, Messepavillons und modischer Kleidung, die es kaum verhehlen kann, in der nächsten Saison schon wieder »out« zu sein. Irgendwo dazwischen wird sich die Hochkultur der mindestens vervierfachten Stoffproduktivität anzusiedeln haben.

1. Büromöbel: Haltbarkeit und modernes Design schließen sich nicht aus*

Langlebige Güter zu produzieren ist eine der einfachsten Strategien zur Verminderung von Abfall und zur Erhöhung der Stoffproduktivität. Einige Teile nutzen sich natürlich schneller ab als andere oder verlieren ihren ästhetischen Reiz wegen äußerer Abnutzung, weil die Mode sich ändert oder die Ansprüche des Besitzers. Wenn man bei der Produktion jedoch von vornherein dafür sorgt, daß sich Verschleißteile leicht austauschen lassen, kann die Langlebigkeit des Gesamtprodukts entscheidend erhöht werden.

Nehmen wir das Beispiel Bürostuhl: Nach Walter Stahel, dem Leiter des Instituts für Produktdauerforschung in Genf und einem der Pioniere des »Langlebigkeitsdenkens«, ist der »ewige Bürostuhl« keine Fiktion mehr (Deutsch, 1994). Den besten technischen Ansatz zur Abfallvermeidung sieht Stahel darin, die strukturellen von den sichtbaren Elementen eines Produkts zu trennen. Zu den strukturellen Elementen eines Bürostuhls gehören sein »Fuß«, sein »Bein« und die Sitzmechanik. Diese Basiselemente können hinsichtlich ergonomischer Qualität, Bequemlichkeit, Robustheit, Haltbarkeit und Reparaturfreundlichkeit optimiert werden. Das sichtbare Element des Bürostuhls ist das Polster. Sichtbare und strukturelle Elemente müssen leicht aneinander zu befestigen und wieder zu trennen sein, wenn die Erneuerung der abgenutzten Teile fällig wird. Die sichtbaren Elemente können »dematerialisiert« (also mit minimalen MIPS hergestellt) werden und sind leicht wiederaufzufrischen oder zu rezyklieren.

Wenn die Firmenleitung wechselt oder der Vorstand ein neues Design, vielleicht im Rahmen einer neuen Corporate Identity, wünscht oder wenn er den Angestellten mit modernen Möbeln einfach einen Gefallen tun will, kann das Polster mit geringem finanziellem und ökologischem Aufwand ausgetauscht werden.

Viele heute berühmte Möbelstücke wurden nach diesem Prinzip gebaut, etwa Stühle von Le Corbusier oder Eames, die als Klassiker unter anderem im Museum of Modern Art in New York ausgestellt sind. In den deutschen Massenmarkt drang das Prinzip erst mit Ankündigung eines Gesetzes zur obligatorischen Rücknahme haltbarer Produkte. Möbelhersteller

---

* Dieses Kapitel verdanken wir Walter Stahel. Siehe auch Giarini u. Stahel, 1993.

wie Sedus, Wilkhahn und Grammer wenden es bereits für ihre neuen Kollektionen an.

Es liegen noch keine zuverlässigen Daten darüber vor, ob sich mit der Herstellung und dem Vertrieb solcher effizienter Bürostühle ein Faktor 4 oder gar ein höherer Faktor bei der MIPS-Reduktion ergeben kann. Eine vorläufige Schätzung läßt allerdings einen Faktor zwischen 5 und 20 wahrscheinlich erscheinen, je nach benutzten Materialien und der Vergleichsgrundlage.

Langlebige Büromöbel könnten rein theoretisch zum Alptraum für die Industrie werden. Der Markt könnte relativ schnell gesättigt sein. Das Auswechseln der Polster und die Instandhaltung der Stühle ist eher ein lohnendes Geschäft für kleine Handwerksbetriebe, kaum für den Hersteller.

Gibt es einen Weg, auch Hersteller und Händler für dieses Langlebigkeitskonzept zu interessieren? Die Antwort lautet: Leasing statt Verkauf. Damit wird die Haltbarkeit des Produkts zum unmittelbaren Geschäftsinteresse.

Der Übergang vom Verkauf zum nutzungsoptimierenden Leasing kann weitreichende Folgen für die Industriegesellschaft haben. Er kann das Startsignal für den Aufbruch in eine gebrauchs- und nutzenorientierte Dienstleistungswirtschaft werden.

2. Hyperautos: Rostfrei, leicht und sicher

Autofahren bedeutet – materiell gesehen – mehr, als den eigenen Körper von einem Ort zum anderen zu befördern. Eine gute Tonne Metall, Gummi und Polster werden mitbewegt. Und bevor uns das Auto überhaupt als Fortbewegungsmittel zur Verfügung steht, werden schon vor und während der Herstellung riesige Stoffmengen bewegt. Schmidt-Bleek spricht in diesem Zusammenhang vom »ökologischen Rucksack« eines Produkts. Nach Schmidt-Bleeks MIPS-Abschätzungen (Kap. 9) ist der »ökologische Rucksack« eines Autos gute 15 t schwer; allein der Katalysator »wiegt« wegen des Platins 2–3 t.

Das im ersten Beispiel von Kapitel 1 vorgestellte Hyperauto scheint auch unter dem Blickwinkel der Stoffbewegungen weit mehr als einen Faktor 4 einzusparen (Lovins u.a., *Hypercars*, 1995).

In den USA ist ein Zehntel aller Beschäftigten in der Automobilindustrie bei Zulieferfirmen und Werkstätten tätig. Sie erwirtschaften zusammen ein Siebtel des Bruttosozialprodukts. Der Automobilindustrie kommt außerdem ein Zehntel des gesamten Konsums zugute. Was die Stoffströme im Land anbelangt, so sind die Anteile der Automobilindustrie aber sehr viel größer. Die Autobranche verarbeitet etwa 70% des im ganzen Lande verbrauchten Bleis, 60% des Gummis, des Schmiedeeisens, der Materialien für die Teppichherstellung, 40% des Platins, und 40% aller benötigten Maschinen werden in dieser Branche verwendet, 34% des Eisens insgesamt, 20% des Aluminiums, Zinks, Glases und der Halbleiter, 14% des gesamten Stahls und 10% des Kupfers. In Deutschland liegen die Prozentsätze eher noch höher. Dieser Materialverbrauch ist in den letzten Jahrzehnten fast unverändert geblieben: In der Zeit von 1984 bis 1994 veränderte sich die Materialzusammensetzung eines Durchschnittsautos in den USA nur um 3%, hauptsächlich von Stahl zu nichteisenhaltigen Metallen und Polymeren.

Die Herstellung ultraleichter Hybrid-Hyperautos würde diese immensen Stoffströme in der Autoindustrie drastisch reduzieren. Hyperautos wiegen drei- bis viermal weniger als die heutigen Stahlkarossen. Ihre Strukturelemente werden nicht wie bei heutigen Fahrzeugen aus Stahl und anderen Metallen bestehen, sondern aus Polymerverbundstoffen. Das Rocky Mountain Institute hat errechnet, um wieviel höher oder niedriger der Materialverbrauch für das Protomodell eines Hyperautos im Vergleich zu einem heutigen Auto ist:

- 86% mehr Verbundstoffe und Polymere,
- bis zu zwei Drittel mehr Kupfer,
- 94% weniger Eisen und Stahl,
- ein Drittel weniger Aluminium,
- weniger als halb soviel Gummi und
- vier Fünftel weniger Platin und Flüssigkeiten (ohne Treibstoff).

Bei der Gewichtsreduzierung dieses Prototyps gibt es noch einen gewissen Spielraum. In den späten neunziger Jahren dürfte es auf dem Markt neue elektrische Speichereinrichtungen und Antriebe geben, die gut drei Fünftel des verbleibenden Metalls, inklusive aller Eisen-, Nickel- und Metallhydridlegierungen sowie vielleicht die Hälfte allen Aluminiums und den meisten Stahl überflüssig machen könnten. Diese und andere Fortentwicklungen würden das Gewicht des Hyperautos auf etwa 400 kg reduzieren. Der Kupferanteil fiele nach und nach wieder auf das heutige Niveau zurück. Der Platinverbrauch würde wohl wieder steigen (aber nicht über das heutige Niveau hinaus), wenn bestimmte Brennstoffzellen als Antrieb verwendet würden. Der Verbrauch von Spezialmetallen wie Magnesium und Titan könnte etwas zunehmen.

Dem Kritiker drängt sich die Frage auf, ob die zunehmende Verwendung moderner Verbundstoffe – etwa mit ultrafesten Materialien wie mit Kohlefasern verstärkte Kunstharze – zu einer Expansion der Kunststoffindustrie führen. Das wird nicht der Fall sein, jedenfalls nicht in Tonnen gerechnet. Heutige Autos verbrauchen 7% der OECD-Polymerproduktion. Und Polymere und Verbundstoffe machen bereits etwa 9% des Gewichts eines durchschnittlichen Autos aus. Diese 9% entsprechen beim Gewicht eines heutigen Neuwagens über 100 kg an Polymeren und Verbundstoffen. Rund 100 kg wird aber die gesamte Grundstruktur eines Hyperautos (Chassis, Türen, Motorhaube und Kofferraum) wiegen, beziehungsweise etwa die Hälfte der gesamten in einem frühen Hyperauto-Modell verwendeten Polymere und Verbundstoffe. Sollte die amerikanische Autoproduktion vollständig auf Hyperautos umgestellt werden, würde der amerikanische Polymerverbrauch um 3% steigen, was gerade dem heutigen normalen Zuwachs eines Jahres entspricht. Um eine ganze Größenordnung würde allerdings der Markt für Höchstqualitäts-Verbundstoffe wachsen, der 1993 einen Warenwert von 10 Milliarden Dollar hatte. Und die Kohlefaserproduktion würde um ein Mehrhundertfaches zunehmen.

Ungefähr zwei Drittel bis drei Viertel der Masse eines Hyperautos machen die Autoteile oberhalb des Chassis aus; bei heutigen Autos sind es über 80% des Gewichts. Viele Teile sehen den heutigen ähnlich, sind aber wesentlich leichter. Manche werden ganz verschwinden wie Servolenkung, Servobremsen, einzelne Achsen, Kupplung, Differentialgetriebe, Anlasser usw. Der Motor könnte zehnmal kleiner werden als ein heutiger Verbrennungsmotor. In Frage käme ein kleiner Sterlingmotor oder eine Gasturbine, bis man völlig neue Antriebsarten ohne bewegliche Teile entwickelt hat (mit Brennstoffzellen oder thermo-photovoltaischer Antrieb). Als Energiespeicher wäre anfangs eine ungiftige, rezyklierbare Nickel-Metallhydrid-Batterie denkbar, die 40 kg wiegen könnte (aber den heutigen 14-kg-Blei-Akku ersetzt). Später könnte er von einer neuartigen Kondensatorbatterie abgelöst werden, die nur noch 10–20 kg wiegt, oder von einer nur noch 5 kg schweren dünnschichtigen Lithiumbatterie oder von einem mechanischen Energiespeicher in Form eines Kohlefaser-Schwungrads. In jedem Fall wird wesentlich weniger Metall eingesetzt.

Hyperautos brauchen – wie bereits erwähnt – sehr viel weniger Flüssigkeiten als heutige Autos. Der Treibstoffbedarf ist ohnehin um einen Faktor 5 geringer, und insbesondere die Reduktion von benzol- und schwermetallhaltigem Motorenöl (durchschnittlich verbraucht ein Auto in den USA derzeit jährlich 22 l) bringt ökologische Vorteile. Auch Benzin- und Öladditive, die den Motor sauberhalten und länger haltbar machen oder das Starten an kalten Tagen erleichtern sollen, destilliertes Wasser, Frostschutzmittel (plus Heizungswasser und Korrosionsschutzaddive), Bremsflüssigkeiten sowie Fett und verschiedene Schmiermittel können weitgehend eingespart werden.

Die Hälfte der mechanischen Verschleißteile verschwände ebenfalls, oder die Teile würden so lange halten wie das Auto selbst, während die restlichen erheblich kleiner und haltbarer wären. Je nach gewählter Antriebsart könnten folgende Teile ganz oder teilweise eliminiert werden: Treibriemen (für Heizlüfter, Wasserpumpe, Lichtmaschine, Klimaanlagenkompressor, Servolenkungspumpe, Auspuffpumpe usw.), Schläuche (für Luft, Benzin, Öl, Kühlmittel usw.), Starter, Batterien, Kupplungsteile, Glühbirnen, Bremsscheiben, Luftfilter und Zündkerzen. Entsprechend würde die Menge von Ersatzteilen erheblich reduziert, ebenso wie Häufigkeit und Umfang von Reparaturen.

In den USA werden jährlich mehr als 10 Millionen Autos verschrottet, von denen 94% ausgeschlachtet werden. Drei Viertel der Masse wird rezykliert (37% des amerikanischen Eisenschrotts), während ein Viertel als nicht ungiftige Shredderreste (davon rund 42% Faserstoffe und 19% Polymere) auf Müllhalden landet. Die wiederverwerteten Metalle entsprechen vom Gewicht her dem gesamten Stahl und einem Drittel der Metalle, die jährlich in der Neuwagenproduktion verwendet werden. (Allerdings geht dieser Stahl nicht etwa in die Autoproduktion, sondern wird zumeist mit weniger kupferhaltigen Metallen zu Baustahl umgeschmolzen.) In Autos verwendete Kunststoffe sind vorläufig nicht leicht rezyklierbar. Allerdings haben die skandinavischen und deutschen Rücknahmevorschriften für Altwagen einen starken Druck auf die Industrie ausgeübt. Ziel ist es, eine annähernd vollständige Wiederverwendung möglich zu machen. Der hohe Schrottwert der Metallteile finanziert beim herkömmlichen Auto die Wiederverwertung der übrigen Stoffe.

Für Hyperautos müßte eine neue Verwertungstechnik und -infrastruktur entwickelt werden. Schwieriger oder unrentabler als die heutige Autoverwertungswirtschaft wäre die künftige nicht. Eher trifft das Gegenteil zu. Es gibt folgende Optionen:

- extensive Wiederverwendung und Wiederverwertung;
- Lebensverlängerung;
- Primärrecycling, wobei die wertvollen Fasern wiederverwertet werden (etwa durch Methanolyse, wobei das Harz unter Druck heißem Methanol ausgesetzt wird, was die wertvollen Kohlefasern für ihre Wiederverwendung erhält);
- notfalls Sekundärrecycling durch Zerkleinern (Füllstoffe) oder
- schlimmstenfalls Tertiärrecycling durch Pyrolyse, um den Energiegehalt und die chemischen Grundsubstanzen zurückzugewinnen.

Primärrecycling dürfte wegen des hohen Werts der Kohlefasern schon heute wirtschaftlich sein, obwohl es noch erheblich verbessert werden könnte; vor allem bedarf es einer Technik, bei der auch lange Fasern erhalten bleiben. Tertiär- und vermutlich auch Sekundärrecycling, welches die wertvollen Fasern zerstört, dürfte nur selten nötig sein. Und selbst im allerschlimmsten Fall, wenn die gesamte Polymer- und Verbundstoffmasse sämtlicher Hyperautos auf Mülldeponien landen würde und die Hyperautos keinen Tag länger hielten als normale Autos, wäre die Menge der Shredderreste immer noch geringer als beim heutigen Auto (331 kg), und im Gegensatz zu deren Resten wären sie völlig ungiftig.

Eine MIPS-Analyse des Hyperautos steht noch aus. Aus dem Gesagten ergibt sich aber, daß alleine schon wegen der Langlebigkeit, Energieeffizienz und Wiederverwertbarkeit des Hyperautos ein Faktor 4 bei der Verminderung der MIPS höchst plausibel ist, vielleicht aber auch ein Faktor 10 oder 20.

3. Elektronen statt Buchstaben: Die Bibliothek in der Westentasche

Jeder amerikanische Arzt kennt das Merck Manual, ein weltweit führendes Nachschlagewerk für den Praktiker. Da es 4000 Seiten umfaßt, kann man es leider nicht zu Hausbesuchen mitnehmen, vor allem dann nicht, wenn die Patienten im vierten Stock eines Hauses ohne Aufzug wohnen.

Im elektronischen Zeitalter gibt es eine Alternative: das ganze Nach-schlagewerk zusammen mit einem ähnlich umfangreichen Medikamen-tenlexikon, Physicians Desk Reference, auf einer handtellergroßen CD-ROM. Mit einem entsprechend umgerüsteten Laptop können Ärzte nun alle Informationen im Handumdrehen abrufen – zehnmal bequemer und sehr viel materialeffizienter.

Bild der Wissenschaft oder *SPIEGEL* sind ebenfalls auf CD-ROMs erhältlich. Das hat den Vorteil, daß man mit Stichwort-Suchbefehlen in Sekundenschnelle die gewünschten Artikel aus vielen unterschiedlichen Jahrgängen aufspüren kann. Dies kommt eher der Bequemlichkeit entge-gen und ist nicht materialeffizienter, denn die Zeitschriften werden ja weiterhin (noch) in unverminderter Auflagenhöhe gedruckt.

Günstiger sieht es mit der Stoffproduktivität vielleicht bei technischen

14. CD-ROM versus Papierdokumentation. In dem gewaltigen Aktenberg im Hintergrund und in der kleinen CD-ROM für den Computer steckt jeweils der gleiche Informationsgehalt. Für die papierlose Informationsspeicherung sprechen die geringeren Materialkosten und eine um den Faktor 50 bessere Materialeffizienz sowie der schnelle und bequeme Informationszugriff.

Katalogen und Nachschlagewerken aus, die Ingenieure, Architekten oder Naturwissenschaftler im Regal stehen haben. Das Nachschlagen und Herauskopieren der benötigten Seiten ist ziemlich aufwendig. Zur Überwindung dieser Mühsal gibt es die Kataloge nun elektronisch als *AutoCad* mit zugehöriger Software. Seit April 1995 ist *AutoCad* in einer Form verfügbar, die es erlaubt, Zeichnungen und Spezifikationen der Teile *direkt* in die Konstruktionszeichnung zu übernehmen. Eine 99 Dollar-CD-ROM, *PartSpec*, liefert sämtliche Details von mehr als 200 000 Teilen von sechzehn führenden Herstellern. Nicht allen Herstellern ist das recht, denn die Kunden können damit Preise und Qualitäten der verschiedenen Anbieter schnell vergleichen.

Dieses Konzept kann von Gangschaltungen, Motoren, Ventilatoren und anderen Maschinenbauteilen leicht auf Tapeten, Möbel, Fenster oder andere für Architekten relevante Teile übertragen werden. Von hier ist es nur noch ein kleiner Schritt bis zum elektronischen Einkauf. Haushaltswaren können schon seit geraumer Zeit über den elektronischen Versandhandel bestellt werden.

Papierkataloge wird es sehr wahrscheinlich bald überhaupt nicht mehr geben, wie Don Clark (1995) im *Wall Street Journal* schreibt. Elektronische Kataloge, die nicht nur bequemer benutzt, sondern auch umweltschonender hergestellt werden können, sind ein hervorragendes Beispiel für Einsparungen zu »negativen Kosten«.

4. Stahl: Renaissance eines Baustoffs

Häuser, Brücken, Hochspannungsmasten und viele andere Konstruktionen können aus Stahl oder anderen Materialien wie Beton oder Holz gebaut werden. Holz wird in bezug auf seine Anwendbarkeit für Hochleistungszwecke immer wieder massiv unterschätzt (vgl. Beispiel 19). In Zusammenhang mit der Optimierung der Stoffeffizienz wollen wir uns jedoch hier dem klassischen Vergleich zwischen Stahl und Beton zuwenden. Die »Stahlgruppe« am Wuppertal Institut unter Christa Liedtke hat diesen Vergleich mit Hilfe des MIPS-Konzeptes angestellt. Das Ergebnis: Die Gruppe kam zu der Überzeugung, daß Stahl eine Renaissance verdient.

Für einen einfachen ersten Vergleich wurden Stahl- und Beton-Hochspannungsmasten für 110-Kilovolt-Leitungen gewählt. Ihre Dienstleistungsfunktion kann als »Tragen von 110-kV-Kabeln über einen festen

Zeitraum von 40 Jahren« beschrieben werden. Auf der Grundlage einer solchen, wohldefinierten Dienstleistungsfunktion wurde dann der Stoffumsatz oder -input pro Dienstleistungseinheit (MIPS) abgeschätzt (Liedtke u. a., 1994).

Das MIPS-Konzept läßt Stahl aus zwei Gründen als ökologisch wünschenswerte Alternative erscheinen:

- Zur Herstellung von Betonmasten benötigt man heute dreimal soviel Material wie für Stahlmasten. Für den in Zentraleuropa üblichen Mast beträgt der Stoffumsatz in absoluten Zahlen für einen Betonmast (mit 45 t Eigengewicht) 90 t und für einen Stahlmast (mit 6 t Eigengewicht), der dieselbe Funktion erfüllt, 36 t.
- Die Lebensdauer von Stahlmasten kann doppelt so lang oder noch länger sein als die von Betonmasten. Allerdings müssen Stahlmasten je nach Klimabedingungen alle zehn bis zwanzig Jahre gewartet werden.

Hinzu kommt, daß Stahlmasten aus Alteisen und -stahl hergestellt werden können, was die MIPS-Rechnung weiter zugunsten von Stahl verbessert, denn dadurch wird noch einmal ein Faktor 2,5 gewonnen.

Alles in allem kann, wie aus Abbildung 15 ersichtlich, beim Wechsel

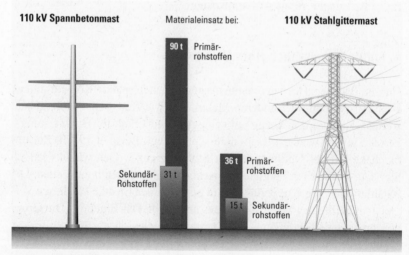

15. Ein MIPS-Vergleich zwischen einem Stahl- und einem Betonmast von gleicher funktionaler Qualität.

von Beton- zu Stahlmasten von einer bis zu sechsfachen Stoffeffizienz ausgegangen werden.

Stahl war das traditionelle Baumaterial für Hochspannungsmasten, Brücken usw., bis sich nach dem Zweiten Weltkrieg Beton in allen OECD-Ländern durchsetzte, sogar in den Ländern mit einer bedeutenden Stahlindustrie. Die ökonomisch-historische Analyse von Liedtke und anderen zeigt, daß diese Verdrängung von Stahl durch Beton weniger mit dem realen Vergleich der relativen Kosten zu tun hatte als vielmehr mit Moden und Ingenieurs»schulen«. Beton galt als moderner und »eleganter«. In jüngster Zeit läßt allerdings die Lawine von anfallenden Reparaturen Beton in der Wertschätzung wieder hinter Stahl zurückfallen. Die Überlegungen zu MIPS und Faktor 4 könnten diesen Vorgang noch beschleunigen.

Die Marktposition von Stahl wäre noch besser, wenn die Stahlproduktion weiter optimiert würde. Stahl wird immer noch hauptsächlich als Oxigen-Stahl geschmolzen. Diese Methode ist sehr energie-, wasser- und materialintensiv. Die Alternativmethode, die elektrische Stahlherstellung, verbraucht im günstigsten Fall pro Tonne Stahl nur ein Zehntel des Brennstoffs, ein Achtel des Wassers, ein Fünftel des Sauerstoffs und weniger als ein Vierzigstel sonstiger Stoffe. Allerdings benötigt sie 30% mehr Strom.

Wenn man Strom mit seinem durchschnittlichen (in Deutschland gültigen) »ökologischen Rucksack« gewichtet, dann fällt der Vergleich nicht mehr so günstig aus. Dennoch kann für den Übergang vom Oxigen- zum Elektro-Stahl ein Faktor 4 der Verbesserung der Stoffeffizienz angenommen werden.

Das kommerzielle Interesse an Konstruktionen von hoher Lebensdauer und damit an Stahl könnte verstärkt werden, wenn Brücken, Strommasten usw. vermietet statt verkauft würden. Dann hätten die Herstellerfirmen ein erhebliches wirtschaftliches Interesse an Langlebigkeit und niedrigen Instandhaltungskosten. Die Zeit ist möglicherweise reif für die Einführung des Leasing-Konzeptes für Brücken. Viele Gemeinden in Deutschland und anderswo sind hoch verschuldet und müßten sich für neue Brücken Geld leihen. Wenn sie statt dessen Brücken mieten könnten, würden sie dies sicher gerne tun, allerdings nur, wenn sie dafür nicht mehr als die andernfalls anfallenden Kapital- und Instandhaltungskosten bezahlen müssen.

5. Tröpfchenbewässerung: Die Wüste blüht

Die Sundance Farms im Casa-Grande-Tal im US-Bundesstaat Arizona sind ein Musterbeispiel für Effizienz bei der landwirtschaftlichen Bewässerung. Auf 800 ha mit Baumwolle, Weizen, Hafer, Mais und kernlosen Wassermelonen hat Howard Wuertz einen Faktor 4 gegenüber ineffizienten Betrieben beim Wasserverbrauch erreicht.

Mit unterirdischer Tröpfchenbewässerung steigerte er die Bewässerungseffizienz auf über 95%, das heißt, daß von einem Liter ausgebrachten Wassers 0,95 l von den Pflanzen aufgenommen werden. Die Tröpfchenleitungen werden 20–25 cm tief in der Erde eingegraben und bewässern die Wurzelballen der Pflanzen direkt. Die Bodenoberfläche bleibt trocken, was den Verlust von Wasser durch Verdunstung verhindert. Da die Wurzelzone nie wassergesättigt ist, versickert praktisch nichts.

Wassersparen ist im trockenen Arizona natürlich ohnehin wichtig, aber es gibt noch andere Vorteile der Tröpfchenbewässerung. Erstens stellte Howard fest, daß er statt der aufwendigen Feldarbeiten zur Vorbereitung für Saat und Bewässerung den Boden nur noch flach zu pflügen brauchte. Untersuchungen der University of Arizona auf seiner Farm belegen, daß er damit nur noch halb soviel Energie verbrauchte. Zweitens hat die vereinfachte Feldbestellung zur Folge, daß nach der Ernte schneller wieder neu ausgesät werden kann, so daß teilweise zwei Ernten pro Jahr möglich werden. Drittens verbrauchte Howard aufgrund des verminderten Wasserverlusts 50% weniger Herbizide und 25–50% weniger Stickstoffdünger.

Viertens schließlich stiegen auch die Ernteerträge um 15–50%. Hierfür ist vermutlich eine Reihe von Faktoren verantwortlich: Das Wasser wird gleichmäßiger verteilt. Insektizide, die über die Leitung direkt an die Wurzeln gelangen, entfalten eine bessere Wirkung, und im Boden lagert sich wegen fehlender Verdunstung weniger Salz ab. Alles in allem ist die Wasserproduktivität viermal so hoch wie bei ineffizienten und doppelt so hoch wie bei effizienten Vergleichshöfen.

Sundance Farms ist kein Ökobauernhof, sondern ein großer kommerzieller Betrieb. Die Installation der langlebigen und tief vergrabenen Tröpfchenleitungen war teuer, wird sich aber wegen der kumulativ wirkenden Arbeitserleichterung und wegen der Steigerung der Produktivität auch finanziell lohnen, vor allem, wenn das Wasser einmal so teuer wird, wie es eigentlich sein müßte.

Wer, so wird man sich fragen, hat die Idee der Tröpfchenbewässerung erfunden? Niemand anders als die Anasazi – die schon lange ausgestorbenen Ureinwohner des amerikanischen Südwestens. Sie vergruben einen ungebrannten Tontopf bis zum Hals in der Erde, füllten ihn mit Wasser und pflanzten ringsum Mais und Bohnen an. Die Pflanzen sogen das Wasser aus dem feuchten Ton. Ihre Wurzeln reichten in und um den Topf, die Blätter beschatteten den Deckel. Und alle paar Tage oder einmal pro Woche füllt man Wasser nach.

Heute verwendet man elektronisch kontrollierte High-Tech-Plastikleitungen, doch das Prinzip ist das gleiche wie vor 1000 Jahren.

6. Wasser in der Industrie: Revolutionäre Verbesserungen

Papier und Pappe

Um 1900 verbrauchten Papierhersteller in Europa durchschnittlich noch 1 t Wasser für die Herstellung von 1 kg Papier. Bis 1990 verbesserte sich das Verhältnis um das Fünfzehnfache, das heißt, man brauchte jetzt nur noch 64 kg Wasser für 1 kg Papier oder Pappe. Davon gingen 34 kg in die Produktion der Pulpe und 30 kg in die Weiterverarbeitung der Pulpe zu Papier und Pappe (Liedtke, 1993).

In letzter Zeit wurde in Deutschland der Wasserverbrauch auf 20–30 kg Wasser pro Tonne Papier reduziert, vor allem deshalb, weil sich die Abwassergebühren erhöhten. Einige Hersteller gingen noch weit darüber hinaus. Eine norddeutsche Papierfabrik veränderte die Technik der Packpapierproduktion dahingehend, daß kein Abwasser anfällt. Das Abwasser aus dem Produktionsprozeß wird gereinigt und erneut der Produktion zugeführt. Nur der Verlust durch Verdunstung wird durch kleine Mengen Frischwasser ausgeglichen. Die Fabrik verwendet nur noch 1,5 kg Frischwasser pro Kilo Packpapier. Die Abbildung zeigt die eindrucksvolle Verringerung des Wasserverbrauchs.

Die vollständige Wiedergewinnung des Wassers wird dadurch erreicht, daß die im Wasser enthaltenen Partikel aus Pulpeherstellung und Papierfertigung in aufeinanderfolgenden Sedimentierungs-, Aufschwämmungs- und Filterungsprozessen entfernt werden.

Im »Faktoren-Jargon« dieses Buches entspricht der Erfolg dieser Papierfabrik ungefähr einem Faktor 20 im Vergleich zu den in Europa üblichen Werten und einem Faktor 8 im Vergleich zur eigenen ehemali-

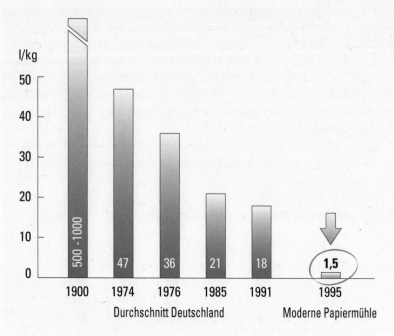

16. *Die eindrucksvolle Reduktion des Wasserverbrauchs in der Papier-*
herstellung. Die Grafik zeigt die vierzigfache (bei Packpapier sogar
sechshundertfache) Abnahme des durchschnittlichen Wasserverbrauchs in der
Pappe- und Papierherstellung von 1900 bis 1995.

gen Leistung. Ein höherer Faktor ist wohl nicht zu erreichen, denn Wasser
gehört zur chemischen Zusammensetzung von Papier, und die Rückgewinnung des Wassers aus der Verdunstung wäre zu teuer.

Rasierklingen und Mikrochips
Die Firma Gilette, einer der weltweit führenden Hersteller von Rasier-
utensilien, verbrauchte 1993 in ihrem South Boston Manufacturing
Center 96% weniger Wasser für die Herstellung einer Rasierklinge als
1972. Die Angestellten und Arbeiter suchten kontinuierlich nach Mitteln und Wegen, den Produktionsprozeß effizienter zu gestalten. In
Teamarbeit wurden Lösungen erarbeitet, die ein einzelner wohl kaum
hätte finden können. Brauchwasserrecycling und die Einsparung von
Kühlwasser waren hauptsächlich die Ursachen für diesen Erfolg. Dane-

ben konnte Gilette von 1987 bis 1993 seinen Sonderabfall um 97% reduzieren.

Solche dramatischen Verbesserungen sind sogar bei komplizierten High-Tech-Produktionsverfahren möglich. Beispielsweise begann Mitsubishi Semiconductors America 1991, den Wasser- und Ressourcenverbrauch ihrer Mikrochip-Fabrik in North Carolina zu senken. Während die Produktion um 30% stieg, fiel der Wasserverbrauch um 70%, und das Abwasservolumen verringerte sich um 75% (im Vergleich zum Niveau von 1991). Außerdem wurden Chemikalien zur Wasserreinigung gespart, die Wasserqualität wurde besser, und die Produktivität stieg. Die Kosten zahlten sich innerhalb von zwei Jahren aus. Außerdem ging der Sonderabfall seit 1992 um 75% zurück. Der FCKW-Ausstoß wurde ganz gestoppt und der Bleianteil im Schlamm um 97% reduziert.

7. Wasser in Privathaushalten: Faktor 4 in Sicht

Ein typischer amerikanischer Haushalt verbraucht heute noch rund 300 l Wasser pro Person und Tag. Mit einer neuen Vorschrift, die 1992 in Kraft trat, soll der Verbrauch auf 190 l pro Person und Tag reduziert werden, was einer Senkung des Verbrauchs um 35% entspricht. Diese Forderung von 190 l kann jedoch um weitere 50% unterschritten werden, und zwar mit Toiletten nach dem australischen Standard (6 l pro Spülung sowie Spartaste), wenn für diese außerdem Brauchwasser verwendet wird und wenn effizientere Wasch- und Spülmaschinen benutzt würden. Die Gesamtwassereinsparung betrüge dann 69%. Außerdem blieben noch 110 l Brauchwasser für die Gartenbewässerung übrig (für alle Angaben in diesem Abschnitt vgl. RMI, 1994).

Die benötigten Technologien unterscheiden sich nicht stark von den herkömmlichen, funktionieren mindestens ebenso gut und müssen nicht einmal mehr kosten. Das australische Toilettenspülungsmodell mit Spartaste ist um 80% sparsamer als heute noch gebräuchliche ältere Modelle mit 20 l Wasserverbrauch pro Spülvorgang. Ein schwedisches Modell mit 3 l Wasserverbrauch verbraucht gar 84% weniger und funktioniert besser, weil das Wasser in einem starken Sog konzentriert wird.

Ähnliche funktionale Verbesserungen bietet eine Toplader-Waschmaschine mit horizontaler Achse, die von der Firma Shaper Industries aus

Groveport, Ohio, angeboten wird. Aufgrund einer besonders günstigen räumlichen Anordnung strömt das Wasser mit Kraft durch die Wäsche, und diese wird schon mit einem Drittel des üblichen Wasser- und Heizenergiebedarfs sowie mit einem Viertel der üblichen Waschmitteldosis sauber. Ähnliche Maschinen werden in Europa angeboten.

Mit künftigen Maschinen werden noch größere Einsparungen erzielt werden können. Um 1980 ließ ein amerikanischer Erfinder seinen »Min-Use«-Duschkopf patentieren. Seine Sprühdusche verbraucht nur 2 l pro Minute (statt 10–30 l in heutigen amerikanischen Haushalten) und wird von einem Niedrigdruck-Warmluftgebläse kraftvoll vorangetrieben – eine Variante des Sprühduschen-Konzeptes für U-Boote, das von dem legendären Buckminster Fuller entwickelt worden war. Die höheren Gerätekosten können größtenteils durch niedrigere Installationskosten ausgeglichen werden, weil für die geringe Wassermenge nur eine kleine, flexible Leitung benötigt wird und man sich den Einbau einer festen, großen Wasserleitung sparen kann.

Effiziente Wassernutzung kann oft mit alternativen Wasserversorgungssystemen verknüpft werden. So ist zum Beispiel für alle Installationen außer den Wasserhähnen in Küche und Bad die Verwendung von Regenwasser vorteilhaft: Damit kann sich die Entnahme aus dem öffentlichen Wasserversorgungsnetz um 90% vermindern, und man spart wegen des weicheren Regenwassers Seife. In weiten Teilen von Hawaii, in der Karibik, Australien und Texas wird in Privathaushalten bereits mehr Regenwasser als Trinkwasser genutzt. Viele Bürobauten in Tokio verwenden Regenwasser für Toilettenspülungen und in Luftkühlgeräten. Brauchwassersysteme werden auch in Kalifornien immer beliebter, seit entsprechende Gesetze ihre Verwendung für Tröpfchenbewässerung und für Toilettenspülungen erlauben. In Deutschland hingegen erlaubt man sich noch meistens den Luxus, das Auto mit erstklassigem Trinkwasser zu reinigen.

Auch der Wasserverbrauch im Freien kann erheblich verringert werden. In vielen Teilen der USA ist dieser in den trockenen Monaten genauso groß oder sogar größer als der innerhalb der Häuser. Es gibt hier vielfältige und dramatische Einsparmöglichkeiten: Effiziente Bewässerungssysteme mit Regen- und Brauchwasser, Verminderung der Rasenflächen und Verwendung von Pflanzen, die weniger Wasser benötigen, können den Wasserverbrauch vielerorts um 50% reduzieren. All diese Maßnahmen haben, wie das Beispiel 5 (Sundance Farms) zeigte, auch noch Einsparungen von Arbeitskraft, Düngemitteln, Herbiziden zur Folge.

Zudem kann eine wassersparende Landschaftsarchitektur sehr ansprechend gestaltet werden, bietet in heißen Sommern mehr Schattenplätze und begünstigt die Ansiedlung einer großen Vielfalt von Tier- und Pflanzenarten.

Man kann mit dem Wassersparen auch bis zum Extrem gehen und auf jede äußere Zuleitung von Wasser verzichten. Entsprechende Techniken der Aufbereitung und Wiederverwendung von Wasser, die in der bemannten Raumfahrt genutzt werden, haben einige Erfinder für die Anwendung auf der Erde weiterentwickelt. Sie verzichten mit ihren Familien ganz auf die externe Wasserversorgung. Andere Tüftler haben völlig autarke Wohnmobile gebaut, in denen alle Abfälle und Abwässer rezykliert werden und die ihre Energie aus Solarzellen und einem kleinen Windrotor beziehen. Solche extremen Maßnahmen eignen sich nicht für die Anwendung in großem Stil. Und sie erwachsen auch nicht aus dem Motiv der Ressourcenschonung, sondern aus dem Wunsch, mit dem Wohnmobil jederzeit den Ort problemlos wechseln zu können.

8. Baumwollproduktion: Es geht auch mit weniger Wasser und Material

Wir alle brauchen Kleider. Textilien gehören zu den wichtigsten Produkten jedweder Kultur. 1990 wurden weltweit rund 37 Millionen t Textilien hergestellt. In den industrialisierten Ländern werden rund 20 kg pro Kopf und Jahr verbraucht, in den Entwicklungsländern weniger als 1 kg pro Person und Jahr.

Die Kleiderherstellung verursacht viele Umweltprobleme. Textilfarben sind vielerorts die größten Wasserverschmutzer, und Pestizide, die zum Schutz von Wolle eingesetzt werden, sowie Schadstoffe aus der Kunstfaserherstellung gelten als weitere umweltbelastende Nebenprodukte der Textilindustrie.

Weniger bekannt sind die Umweltprobleme, die mit den Stoffströmen bei der Textilherstellung zu tun haben. Eines der größten und problematischsten ist der Wasserverbrauch von Baumwollplantagen und die damit einhergehende Bodenerosion. Der Anteil von Baumwolle an den weltweit für Bekleidung verwendeten Textilfasern liegt bei rund 50%, das sind gut 18 Millionen t. Für die Herstellung von 1 kg Baumwollfaser werden gewöhnlich rund 5 t Wasser verwendet. Dies bedeutet einen Gesamtumsatz von rund 100 Milliarden t Wasser, der nicht nur zur Bodenerosion führt, sondern auch örtlich Wassermangel verursacht.

Christiane Richard-Elsner vom Wuppertal Institut hat sich mit den Stoffinputs des mittelgroßen Textilherstellers Brinkhaus in Warendorf beschäftigt. Brinkhaus spezialisiert sich auf Bettwäsche und Oberbekleidung aus Baumwolle. Die Firma hat große Anstrengungen unternommen, den Wasser- und Materialumsatz in der Herstellung zu vermindern und war dabei erfolgreich.

1987 umfaßten nach Schätzungen von Brinkhaus die für die Herstellung von 1 kg Baumwollbekleidung nötigen Materialströme 165 l Wasser, 2,4 kg anderer Stoffe und 6,3 kWh elektrischer Energie (darin sind die hohen Ressourcenverbräuche auf der Baumwollplantage noch nicht eingeschlossen). Seitdem wurden die benötigten Wasser-, Stoff- und Energiemengen drastisch reduziert. Der Wasserverbrauch sank um 80%, das Abwasservolumen um 92%. Der Energieverbrauch innerhalb der Fabrik sank um 13%, aber durch die Nutzung der Abwärme für die Heizung umliegender Wohnhäuser kann die Energieeffizienz noch um insgesamt 61% gesteigert werden. Weitere Materialeinsparungen könnten nach Richard-Elsner durch eine Verminderung der Anzahl der Produktionsschritte erreicht werden, was nicht unrealistisch ist.

Weitere Verminderungen der Stoffumsätze sind vom Anbaustandort und den Anbaumethoden abhängig. Baumwolle aus regenreichen tropischen Gegenden bringt heute im Durchschnitt eine Bodenerosion von 44 kg pro Kilo produzierten Baumwollstoffes mit sich. In trockenen Gegenden kommt man heute bei (sparsamer) künstlicher Bewässerung auf einen Wert von 2–3 kg Erosion pro Kilo Baumwollstoff. Beim Wasserumsatz liegen die Werte zwar ebenfalls beim untersuchten tropischen Standort (Uganda) deutlich höher als beim trockenen (Arizona); aber bei letzterem handelt es sich um Wasser aus der Bewässerungsleitung, bei ersterem um Regen, der nicht als vom Menschen verursachter Stofffluß gewertet werden darf. Durch bodenschonende Bewirtschaftung ließe sich der Stoffumsatz auch in Uganda drastisch reduzieren.

9. Stoffströme in der Industrie: Abfall vermeiden

Es gibt unzählige Beispiele dafür, wie in Industriezweigen oder einzelnen Unternehmen die unterschiedlichsten Stoffströme verringert oder sogar ganz überflüssig gemacht wurden. Viele Manager haben begriffen, daß Abfall eine Ressource am falschen Platz ist, oft also ein Zeichen schlechten Managements, das der Bilanz schadet. Die Vermeidung von Abfall und die Verwandlung von ungewollten und zum Teil giftigen Nebenprodukten in wertvolle Ko-Produkte ist zu einem probaten Mittel der Gewinnsteigerung geworden. Joseph Romm (1994) reiht die Verminderung von Stoffströmen in die Strategien des Total Quality Management ein. Sie kommt erst durch ganzheitliche Ansätze zustande und führt – bei den heutigen Abfallkosten – zu gewaltigen Einsparungen. Jahresrenditen von 50–100% sind keine Seltenheit. Ein paar Beispiele aus Romms Buch über das »schlanke und saubere Management«:

- Es war Harrah's Hotel und Casino in Las Vegas, Nevada, das als erstes in den USA seine Gäste fragte, ob sie Laken und Handtücher jeden Tag gewechselt haben möchten. Überraschenderweise anworteten 95%, sie seien wirklich froh, daß man sie frage, und die große Mehrheit beantwortete die Frage mit Nein. Strom- und Wasserkosten für die Reinigung der täglich anfallenden 1800 Wäschesets sanken um 70 000 Dollar im Jahr (Romm, 1994, S. 4–5). Die Laken und Handtücher halten seither länger, und die Umwelt wird weniger belastet.
- Seit 1992 verwendet die amerikanische Firma Baxter Healthcare 99,9% ihres Plastikmülls neu. Das Unternehmen sparte durch sein Recyclingprogramm in den vergangenen zehn Jahren insgesamt 9 Millionen Dollar (ebd., S. 159–160). Demnächst soll praktisch gar nichts mehr auf der Müllhalde landen. Auf FCKWs wurde ganz verzichtet, und der Abfall von jährlich 12 000 t Altöl entsteht nicht mehr. Die Investitionen in das Programm zahlen sich derzeit mit einem jährlichen Nettogewinn von 1,7 Millionen Dollar aus.
- Im Hauptwerk der Firma Republic Steel in Canton, im Staat Ohio, wurden Vorschläge der Arbeiter zur Verringerung des Wasserverbrauchs umgesetzt, und der Verbrauch ging innerhalb von zwei Jahren um fast 80% zurück. Dies brachte jährliche Einsparungen von rund 50 000 Dollar (ebd., S. 52–53).

In einer Fabrik der Ciba-Geigy im US-Bundesstaat New Jersey steigerten zwei Verfahrensverbesserungen bei der Farbenherstellung die Ausbeute um 40% und verminderten gleichzeitig die anfallenden Eisenabfälle um 100%, verringerten die Gesamtabfallmengen an organischen Kohlenstoffverbindungen um 80% und führten zu einer Ersparnis von 740 000 Dollar pro Jahr (ebd.). Eine weitere Steigerung der Ausbeute von 15% wurde später erreicht.

Die Firma Haworth Inc., ein Möbelhersteller, benötigte früher täglich 120 l Lösungsmittel zu Reinigungszwecken. Dies kostete jährlich 30 000 Dollar, und 9000 Dollar mußten zusätzlich für die Entsorgung bezahlt werden. Mittels zweier einfacher Destillationsapparate können hochwertige Lösungsmittel wiedergewonnen werden und verringern den Verbrauch für das eine Lösungsmittel auf ein Viertel (rentabel nach einem Jahr) und für das andere auf ein Zehntel (rentabel nach 1,5 Jahren; ebd. S. 159).

Ein paar weitere Beispiele:

Hallmark, ein großer Grußkartenhersteller, reduzierte seine Abfälle um 62% vermindert und peilt ein Reduktionsziel von 70% zum Ende des Jahres 1995 an.

In der Gebrauchtflaschen-Waschfabrik der Coors-Brauerei in Golden im Bundesstaat Colorado benutzte man früher Zitronensäure, um die aggressiven basischen Lösemittel, die zum Entfernen der Flaschenetiketten eingesetzt werden, zu neutralisieren. Arbeiter schlugen vor, anstelle der Zitronensäure die Schwefelsäureabfälle zu verwenden, die bei der benachbarten Dosenherstellung entstehen. Die Realisierung dieses Vorschlags kostete Coors 2000 Dollar, jedoch entfallen nun die Kosten von 200 000 Dollar für Zitronensäure, und die Arbeiter sind zudem weniger den Säuren ausgesetzt. Diese und andere große Abfallreduktionen erlaubten es Coors, (bei steigender Produktion) seine Sondermüllanlage zu schließen.

Viele weitere Beispiele können bei Romm nachgelesen werden. Darüber hinaus führt das von Stephan Schmidheiny (1992) für den Business Council for Sustainable Development herausgegebene Buch *Kurswechsel* über vierzig Fälle weltweit an, in denen zumeist industrielle Maßnahmen sowohl der Umwelt (häufig durch Abfallreduktion) als auch dem Geschäft gutgetan haben; dabei wurde allerdings der Faktor 4 nicht thematisiert.

10. FRIA: Eine Kühlkammer ersetzt den Kühlschrank

Ursula Tischner kommt vom Fachbereich Design der Universität Wuppertal. Sie schloß ihr Studium mit einer Diplomarbeit über ein neues Kühlsystem ab, das von Friedrich Schmidt-Bleeks MIPS-Konzept inspiriert wurde. Wie kann man ohne Schaden für die Kühlfunktion Energie und Material sparen? lautete die Aufgabenstellung ihrer Diplomarbeit (vgl. Tischner u. Schmidt-Bleek, 1993).

Das Ergebnis ist erstaunlich. Sie nennt es FRIA. Es handelt sich dabei um eine Mischung aus der altmodischen Speisekammer und High-Tech-Kühlmethoden. Die Speisekammer war schon immer ein fester, unbeweglicher Bestandteil eines Hauses, gut gegen die Wärme aus Koch- und Heizöfen isoliert und auf der nördlichen Hemisphäre üblicherweise nach Norden ausgerichtet. In Deutschland kann die Speisekammer etwa drei bis fünf Monate im Jahr so kalt sein wie ein Kühlschrank.

Man kann FRIA als einen in eine Speisekammer eingebauten Mehrkammerkühlschrank verstehen. Die Kammern können einzeln repariert und ausgetauscht werden. Es können auch Tiefkühltruhen integriert werden. Abbildung 17 zeigt FRIA im Modell. FRIA ist praktisch, funktional und sieht ansprechend aus.

FRIA kann extrem dauerhaft gebaut werden. Es gibt keinen Grund, warum die Kühlkammer eine geringere Lebenserwartung haben soll als das ganze Haus. Reparaturen und Neuinstallationen von moderneren Techniken sind dabei ohne weiteres möglich. So überlebt FRIA rund fünf bis zehn Generationen herkömmlicher Kühlschränke und kann daher alleine schon einen Faktor 5 an MIPS einsparen. Da FRIA nicht der Abwärme von

17. FRIA, die von Ursula Tischner entworfene Kühlkammer. Die Energie- und Stoffeffizienz kann um einen Faktor 4 bis 8 höher liegen als bei herkömmlichen Kühlsystemen.

Küchengeräten ausgesetzt ist, und dank guter Isolierung (vgl. Kap. 1, Beispiele 9 u. 10) ist FRIA mit ca 0,40 kWh pro Tag zwei- bis viermal so energieeffizient wie ein handelsüblicher, frei beweglicher Kühlschrank. Wenn die Kühleinheiten von Gram (vgl. Kap. 1, Beispiel 10) verwendet werden, verbessert sich dieser Wert auf 0,26 kWh/Tag. Eine dritte Möglichkeit bestünde in der Verwendung eines Zeolith-Heißwassersystems in FRIA. Dieses von der Münchner Firma Zeotech erfundene und hergestellte System kann Heißwasser 30% effizienter herstellen, als es der Industriestandard für Warmwassererhitzer vorsieht, und produziert als Nebenprodukt größere Mengen kalter Luft. Finge man diese ein und verwendete sie in FRIA, würden sich die Energieeinsparungen dem magischen Wert von 100% annähern.

Ein Faktor 4 bis 8 in der gesamten Ressourceneffizienz im Vergleich mit herkömmlichen Kühlschränken wird allermindestens erreicht.

11. Auf die Dienstleistung kommt es an: Gemeinschaftsnutzung von Geräten

Viele Gegenstände und Installationen in Wohngebäuden können auf niedrigen Ressourcenverbrauch hin optimiert werden. Dabei geht man vernünftigerweise von der Dienstleistung aus, nicht von den Gegenständen. Dann kommt man leicht zu der Einsicht, daß große Mengen kleiner, kurzlebiger Waren bei der Stoffeffizienz schlechter abschneiden als kleinere Mengen größerer, haltbarer Geräte. Schafft man Anreize, um die Langlebigkeit zu fördern, kann dies zusätzlich helfen, den Materialaufwand pro Dienstleistung drastisch zu vermindern. Wir illustrieren dies anhand der Dienstleistungen, die Gemeinschaftswaschmaschinen und Fahrstühle in Wohngebäuden bieten.

Gemeinschaftswaschmaschinen
Moderne Wohnblöcke, insbesondere in den Ländern Nordeuropas und an der amerikanischen Ost- und der Westküste, haben häufig Gemeinschaftswaschmaschinen im Keller, um Familien davon abzubringen, Waschmaschinen in ihren Wohnungen zu installieren (Stahel u. Gomringer, 1993).

Gemeinschaftswaschmaschinen haben pro Kilo Wäsche eine rund viermal so hohe Energieeffizienz wie Wohnungswaschmaschinen. Die Stoffproduktivität liegt vermutlich in der Gegend von einem Faktor 10. Die Dienstleistung des Wäschewaschens müßte man also auf einigen wenigen effizienten Maschinen aufbauen.

Die Energieeffizienz der Gemeinschaftswaschmaschinen hängt von der Wahl des Energieträgers ab. Während kleine Waschmaschinen fast ausnahmslos mit Strom laufen, arbeiten die Gemeinschaftsmaschinen zu Beginn des Waschprozesses, beim energieintensiven Erhitzen des Wassers, auf Erdgasbasis. Zudem können sie ihre Abwärme noch für das Wäschetrocknen nutzen, was in den kleinen Wohnungen mit ihren rein elektrisch betriebenen Wäschetrocknern undenkbar wäre.

Die Steigerung der Stoffproduktivität hängt hauptsächlich mit der intensiven Nutzung der Gemeinschaftsapparate zusammen. Sie sind robust gebaut und halten gut 30 000 Wäscheladungen lang, statistisch rund zehnmal länger als die kleinen Maschinen in den Wohnungen.

Sehr nachteilig ist, daß Gemeinschaftsmaschinen meist in kalten, einsamen und abweisenden Räumen im Keller oder auch unter dem Dach aufgestellt werden. In Kalifornien hat man das geändert und stellt Gemeinschaftswaschmaschinen in neuen Eigentumswohnanlagen nun neben dem Swimmingpool oder beim Gartengrill auf.

Andere Haushaltfunktionen können auf vergleichbare Weise dematerialisiert werden, indem länger haltbare Geräte hergestellt werden, Geräte gemeinsam genutzt werden und indem man – gemäß Giarini und Stahel (1993) – prinzipiell vom Güter- zum Dienstleistungsmarkt übergeht.

Fahrstühle

Hochhäuser sind ohne effiziente Aufzüge undenkbar. Aufzüge bestehen im wesentlichen aus einem Set von Schienen, einer Kabine, die darauf läuft, einem Gegengewicht, einem Schleppmotor mit Schaltkasten, einem Kontrollsystem und einer Notbremse. Wegen ihrer Modul-Bauweise und dem Umstand, daß der Großteil ihrer Technologie versteckt und damit geschützt ist, sind Aufzüge langlebige Güter, die relativ leicht mittels neuerer Technologien (wie elektronischer Kontrollen, flexibel gesteuerter Motoren) verbessert oder im Design modernisiert werden können (Auswechseln der Tastatur, der Kabinendekoration oder der ganzen Kabine).

Der Fahrstuhlhersteller Schindler AG in Ebikon in der Schweiz, der zweitgrößte der Welt, will die theoretische Langlebigkeit von Aufzügen ausnutzen. Schindler hat damit begonnen, »vertikalen Transport« als Produkt zu verkaufen, das heißt, seine Aufzüge zu verleasen. Die entsprechenden Verträge umfassen regelmäßige Wartung und Reparatur, was dem Kunden lästige Ausfälle weitgehend erspart. Natürlich besteht das wirtschaftliche Interesse der Firma in der Langlebigkeit ihrer Produkte. Schon 1992 bezog Schindler 70% seiner Einkünfte aus Dienstleistungsaktivitäten.

Die Faktor-4-Frage wurde von Stahel nicht ausdrücklich beantwortet. Immerhin stellt er fest, daß der Fahrstuhl bezüglich Stoff- und Energieeffizienz Personen zehn- bis vierzigmal besser befördert als das Auto.

12. Sanieren statt abreißen: Die »graue« Energie erhalten

Alte Gebäude können für neue Besitzer unbrauchbar sein, weshalb sie häufig abgerissen und mit großem Materialeinsatz durch neue ersetzt werden. Saniert man statt dessen, kann häufig ohne wirtschaftlichen Schaden ein Faktor 4 sowohl bei Energie- wie auch Stoffeffizienz gewonnen werden. Zugleich bewahrt man die kulturellen und sozialen Werte des gewohnten Stadtbildes und des zugehörigen Lebensraumes.

Dieser Faktor 4 resultiert hauptsächlich aus der Bewahrung »grauer Energie«, die in der tragenden Struktur eines Gebäudes, das heißt in Mauern, Ziegeln und Mörtel enthalten ist. Selbst wenn alle technischen Installationen für Heizung, Kühlung, Strom, Aufzüge und Fenster durch neue, hoffentlich effizientere (s. Kap. 1, Beispiele 2–11) ersetzt werden, bleiben immer noch 75% der ursprünglichen Energie und (Bau-)Stoffe erhalten. (Übrigens war die vor hundert Jahren ins Gemäuer investierte Energie im Zweifelsfall deutlich, vielleicht sogar um einen Faktor 10 geringer, als die für einen heutigen Neubau aufgewendete, denn die Baumaterialien wurden aus geringen Entfernungen herbeigeschafft, und Baumaschinen gab es fast keine.)

Einen höheren Preis zahlt man beim Renovieren und Sanieren für die handwerkliche Arbeit, weshalb heute noch häufiger abgerissen als saniert wird. Natürlich verschiebt sich die Bilanz deutlich zugunsten der Renovierung, wenn im Rahmen einer ökologischen Steuerreform (vgl. Kap. 7) der relative Preis von Ressourcen steigt und der der Handwerksarbeit sinkt.

Wiederverwendung der Materialien aus abgerissenen Gebäuden
Was geschieht mit dem Material, wenn ein Haus doch abgerissen statt
renoviert wird? Das meiste landet auf Mülldeponien, die immer voller
und teurer werden. In vielen Ländern der Welt haben sich die Ablade-
gebühren in zehn Jahren verfünffacht, und ein Ende der Preisbewegung
ist noch nicht abzusehen.

Solche Preissprünge regen normalerweise die geschäftliche Phantasie
an. Die kanadische British Columbia Buildings Corporation, ein Staats-
unternehmen, welches öffentliche Gebäude verwaltet, dachte sich etwas
Neues aus, den »umweltgerechten Gebäudeabriß«. Der erste Versuch
wurde bei einem mit viel Beton verunzierten Gefängnisanbau in Oakalla
gewagt. Das 24 mal 46 m große Gebäude aus dem Jahr 1963 hatte einen
Betonboden, Wände aus Betonblöcken, eine Innenverkleidung aus Holz
und Spanplatten und vergitterte Fenster.

Der Abriß wurde (nach Entfernung des Asbests) zu normalen wirtschaftlichen Konditionen ausgeschrieben, aber mit der ausdrücklichen
Maßgabe, Deponiemüll zu vermeiden. Angebote sollten die Wiederver-
wendungswege der Materialien beziehungsweise die Entsorgung spezifi-
zieren. Ferner mußten die Anbieter zwei Preise angeben: einen für einen
normalen Abriß und einen für einen Abriß mit maximaler Materialwiederverwertung. Das Rennen machte ein Anbieter, der den Abriß mit
Materialwiederverwertung um 24% kostengünstiger ansetzte als den
Normalabriß.

Der Abbau begann 1991, und man verwendete, wo immer möglich,
arbeitsintensive Methoden. Drei Viertel der Betonblöcke wurden von
einem Jugendclub zum Bau neuer Anlagen verwendet, der Rest zermah-
len. Die Holzbalken und anderes Bauholz wurden zu 97% gerettet und
wiederverkauft, ebenso Metall, verschiedene Gerätschaften, Fenster,
Stangen und andere nutzbare Materialien und die Gipswände (die in einer
Gipsfabrik rezykliert wurden). Loser Kies auf dem Dach wurde mit
einem Feuerwehrschlauch zur Seite gespült und von einem Landschafts-
architekten abgeholt, der ihn für einen Kiesweg nutzen konnte. Betonelemente, die Drahtgitter enthalten und daher nicht wiederverwendbar sind,
waren als Unterbau für eine neue Straße noch brauchbar. Die größten
Schuttmengen, die schließlich auf einer Deponie landeten, waren sprödes
Dachmaterial, dessen Glasfasern zu sehr mit Teer verklebt waren, als daß
man sie hätte wiederverwenden können, und zersplitterte Holzabfälle, die
wegen Lacken und Holzschutzmitteln als Feuerholz bedenklich waren.

Das Abrißmaterial setzte sich zusammen aus: schätzungsweise 64% Holz, 30% Beton, 2% Metall und 3% Dachmaterialien. Etwa 5% davon kamen auf die Deponie und 95% wurden wiederverwendet. Bei einem normalen Abriß wären über 90% des Materials auf der Deponie gelandet. Die anderthalb zusätzlichen Arbeitsmonate für den Sortier- und Demontageaufwand beim schonenden Abriß konnten vom Erlös der Materialien bezahlt werden. Der Unternehmer ist der Überzeugung, daß sich, sobald es einen gut funktionierenden Markt für Sekundärrohstoffe gibt, seine Methode auch bei Gebäuden mit einem geringeren Anteil wertvollen Holzes lohnt.

13. Landwirtschaft: Schluß mit dem »Krieg gegen die Erde«

Wes Jacksons Neuerfindung der Landwirtschaft
Landwirtschaft ist Wes Jackson ein Dorn im Auge. Nicht bloß die moderne, allenthalben kritisierte Landwirtschaft, sondern Landwirtschaft an sich. Jackson riskiert den Vorwurf, er wolle in die Steinzeit zurück, denn er stellt die Auswirkungen der uns vertrauten Landwirtschaft und ihre Nachhaltigkeit grundsätzlich in Frage. Das Pflügen des Bodens hat die Erde massiv verändert. Geologisch gesprochen war die Erfindung der Pflugwirtschaft laut Jackson das bedeutendste und explosivste Ereignis der Erdgeschichte und verändert diese noch schneller als seinerzeit die Entstehung des Lebens (Jackson, 1980).

Eine Geschichte aus der Frühzeit der Great Plains im Mittleren Westen der USA illustriert Jacksons Feststellung:

Ein Indianer schaute einem weißen, neu angesiedelten Farmer zu, der mit seinem Pflug die unberührte Prärie bearbeitete. Ausdruckslos sah der Indianer zu, wie die dichten Grasmatten zerschnitten und umgedreht wurden, so daß die Wurzeln in die Luft ragten. Nach einer Weile hielt der Farmer an und fragte ihn: »Nun, was denkst du?« Da sagte der Indianer: »Falsche Seite oben« – und ging weg.

Die »falsche Seite« liegt noch immer oben. In wenigen Jahrtausenden hat die Pflugwirtschaft aus weiten Gebieten der Erde mit ehemals gesunder Flora geordnete Flecken von Monokulturen gemacht. Und der mit dem Ackerbau vielfach einhergehende Verlust des Mutterbodens durch Erosion, der sich in einigen Gegenden erschreckend schnell, in anderen langsam, aber unausweichlich vollzieht, ist nicht langfristig tragbar.

Derzeit zieht pro Sekunde etwa eine Lastwagenladung aufgeschwemmten Mutterbodens im Mississippi an New Orleans vorbei. Im Westen von Iowa ist die Hälfte des Mutterbodens schon davongeschwommen. Jetzt braucht die Landwirtschaft laut Jackson ein ganz neues Konzept: die mehrjährige Mischkultur.

Am Land Institute in Salina, im Bundesstaat Kansas, hat Dr. Jackson, der Pflanzengenetiker ist, eine Anzahl ungewöhnlicher Wissenschaftler um sich geschart. Zusammen lernen sie von der amerikanischen Prärie, einem komplexen Ökosystem mit vielen Hunderten von perennierenden (ganzjährigen) Pflanzen, für die die Erde nicht aufgewühlt wird. Sie züchten außerdem mehrjährige Getreidesorten, welche die einjährigen Saatpflanzen ersetzen sollen. Getreideanbau in Mischkulturen fördert die Vielfalt der Bodenflora und -fauna. Mikroben, die für die natürlichen Zersetzungsprozesse organischer Materie so wichtig sind und die Bodenfruchtbarkeit erhöhen, können sich ungestört entfalten.

Noch steht in Lehrbüchern, daß perennierende Pflanzen keine hohen Erträge liefern. Doch die Wissenschaftler am Land Institute konnten innerhalb weniger Jahre zeigen, daß selbst nur nach »Augenschein« ausgesuchte Sorten des gewöhnlichen Präriegrases genauso hohe Hektarerträge bringen wie die empfindlichen, hochgezüchteten Hybridgetreidearten, die Wind und Wetter nur bei andauernder Pflege aushalten. Wenn es Pflanzen gäbe, die das Sonnenlicht effizienter nutzten als Präriegras, hätten sich solche längst enwickelt, meinen die Forscher vom Land Institute. Die Natur wird hier als Modell und Mentor, nicht als Störenfried, den es zu überlisten gilt, aufgefaßt, und diese Haltung bringt reiche Erträge. Man nutzt das Wissen, das sich in Milliarden von Experimenten in vielen Millionen von Jahren im Erbgut der Pflanzen angesammelt hat. Alles, was nicht funktioniert hat, ist längst vom »Hersteller« zurückgerufen worden.

Mit den mehrjährigen samentragenden Gewächsen, die in Kansas überall dort, wo noch ein Stückchen Prärie erhalten ist, bis zum Horizont reichen, waren die Biologen vom Land Institute noch nicht zufrieden. Das Team machte sich an allerlei Kreuzungsversuche und züchtete erstaunlich widerstandsfähige Hochleistungsgetreide. Die Samen dieser neuen Arten lassen sich zu köstlichem Brot verarbeiten. Auf Sortenreinheit der Körnerernte kommt es dabei gar nicht an. Auch Mischbrot ist wohlschmeckend. Man kann die Körner aber auch relativ leicht mechanisch trennen. Beim Anbau liegt der Witz in der Mischung. In Kombination gedeihen sie am besten und ergänzen einander. Die eine Sorte holt den Stickstoff aus Luft und Boden, die nächste produziert Herbizide gegen unerwünschte pflanzliche Konkurrenten, und die dritte wehrt Insektenangriffe ab. Sie sind viel widerstandsfähiger als Monokulturen, die man mit viel Chemie schützen muß.

Fruchtbare Felder, deren Erscheinungsbild dem der Prärie ähnelt, sind das Ziel dieser Art der Landwirtschaft. Die vielen verschiedenen Getreidearten gedeihen Jahr für Jahr ohne Pflügen und Aussäen und ohne künstliche Bewässerung. Und Bodenerosion kennt man bei dieser Form der Landwirtschaft nicht mehr. Wenn das Getreide reif ist, wird es entweder mit dem Mähdrescher oder mit Hilfe von Huftieren wie Bison oder Antilope geerntet.

Überraschte »sachverständige« Besucher der Forschungsfarm fragen zuerst: »Wann sprüht man Pflanzenschutzmittel?« »Gar nicht«, heißt es. »Und wie hoch ist der Düngemittelbedarf?« »Null.« »Nun, was macht der Landwirt denn, damit was wächst?« »Nichts. Er sitzt einfach rum und sieht beim Wachsen zu«, sagt Wes Jackson.

Faktor 10, Faktor 100 – wie hoch sind die Ressourceneinsparungen bei Wasser, Energie und Chemikalien? So gut wie unendlich, weil außer einer geringen Menge Energie zum Ernten nichts investiert werden muß – sieht man vom »Energieaufwand« des Farmers ab, der hin und wieder über seine Felder reitet oder wandert.

Man möchte sich am Land Institute nicht nur dieser besonderen Art der Landwirtschaft widmen. Man denkt auch an neue Praktiken für die konventionelle Landwirtschaft. Als vordringliche Aufgabe gilt dabei, den Bedarf an externer Energie möglichst auf Null zu senken.

Die Sunshine Farm ist ein solches Versuchsprojekt. Mit energiesparendem Pflügen, mit der Nutzung von Biomasse, Photovoltaik und Windturbinen ist die Farm praktisch energieautark. Offen ist noch, in welchen Mengen man Ölsaaten anbauen muß, um Treibstoff für die Traktoren zu erhalten, und wieviel davon für die Tierfütterung übrigbleibt. Später soll dieses Projekt in die Forschungsarbeit über perennierende Mischkulturen integriert werden.*

Nach Jackson wird es von der zweiten landwirtschaftlichen Revolution, die den »Krieg gegen die Erde« beendet und die »diplomatischen Bezie-

* The Land Institute, Annual Report, 1993, Salina, Kansas 67401, (913) 823 5376.

hungen zwischen der weisen Natur und dem gewitzten Menschen« wiederherstellt, abhängen, ob unsere Nachkommen gut leben und essen können werden oder nicht.

14. Biointensive Kleinlandwirtschaft: Alte Traditionen wiederentdecken

Lange Zeit nahm die weltweite Agrarproduktion rascher zu als die Zahl der Menschen. Diese Zeiten sind vorbei. Wir sind in eine Ära sinkender Pro-Kopf-Erträge und womöglich sogar abnehmender absoluter Erträge eingetreten. Bodenerosion, Bodenauslaugung und in deren Folge sinkende Erträge bei steigendem Verbrauch von Düngemitteln und Pflanzenschutzmitteln sind Zeichen der Stagnation. Die sogenannte moderne Landwirtschaft, die den Boden extensiv nutzt, erfüllt nicht das Kriterium der Nachhaltigkeit und hat daher keine Zukunft.

Neue Lösungsansätze entstehen überall auf der Welt, so auch in Willits im Bergland Nord-Kaliforniens. Dort entwickeln John Jeavons und seine Kollegen von Ecology Action eine »biointensive Mini-Landwirtschaft« auf Böden, die viele für nicht bewirtschaftbar gehalten hätten.

Diese Form der Landwirtschaft beruht im wesentlichen auf vier Prinzipien:

- Tiefenkultivierung des Bodens für optimales Wurzelwachstum;
- Anbau von Düngepflanzen zur Rückführung von Nährstoffen in den Boden;
- Mischkultur in größeren Beeten, um ein günstiges Mikroklima (Licht, Schatten, Feuchtigkeit) zu schaffen und um die Anfälligkeit gegen Schädlinge zu reduzieren;
- hoher Gemüse-, Salat- und Obstanteil in der Nahrung.

Obwohl Jeavons und seine Kollegen ohne Maschinen auskommen, ist der Arbeitsaufwand erstaunlich gering. Am meisten hatten sie zu Beginn des Projekts zu tun, denn das Anlegen »biointensiver« Beete ist arbeitsaufwendig. Die Pflege der Beete dagegen ist sehr einfach, denn die Natur erledigt den größten Teil der Arbeit.

Hinter dem Projekt von Ecology Action steht eine besondere Idee: Ecology Action hat den üblichen Flächenbedarf der mechanisierten, her-

kömmlichen Landwirtschaft in den USA für Personen mit hohem Fleisch-
verbrauch mit dem Flächenbedarf bei einer vorwiegend vegetarischen
Lebensweise verglichen: Im ersten Fall sind es mehr als 4000 qm, im
zweiten Fall weniger als 1000 qm. Wenn die Erdbevölkerung weiter
zunimmt und Wüstenausdehnung, Erosion, Siedlungsausdehnung und
andere Probleme die landwirtschaftlich nutzbaren Flächen weiter vermindern, wird es weltweit im Durchschnitt bald nur noch 800 qm bebaubares
Land pro Kopf geben, und diese verfügbaren Flächen werden eher noch
abnehmen. Ziel von Jeavons und seinen Leuten ist es also, den gesamten
Kalorien- und Nährstoffbedarf eines Menschen auf sowenig Platz wie
möglich anzubauen. Ihren bisherigen Erfahrungen nach genügen 180 bis
360 qm, um den gesamten Nahrungsbedarf eines vorwiegend vegetarisch
lebenden Menschen bereitzustellen. Doch ihre Experimente mit Getreide,
Hülsenfrüchten und anderen Pflanzen mit hohem Nährwert, die sie auf
kleinstem Raum kultivieren, werden fortgesetzt.

Erwähnenswert ist im Faktor-4-Zusammenhang: Jeavons' Beete und
Äcker verbrauchen im Vergleich zu herkömmlich bewirtschafteten
Flächen 88% weniger Wasser pro Produktionseinheit und 99% weniger
extern hergestellte Energie für Maschinen, Düngemittel usw. Chemische
Pflanzenschutzmittel werden überhaupt nicht benötigt.

Wie sieht es mit den Kosten für die Mini-Landwirtschaft aus? Nur das
relativ anspruchslose Land und ein paar Handwerkszeuge müssen bezahlt
werden, und das Nettoeinkommen pro Hektar ist erwartungsgemäß
wesentlich höher als bei der herkömmlichen Landwirtschaft. In ihrem
Jahresbericht 1993 geben es die Betreiber als doppelt so hoch an. In der
klassischen Agrarökonomie heißt das noch nicht viel, weil diese fast ausschließlich nach Deckungsbeiträgen pro landwirtschaftlicher Vollarbeits-
kraft rechnet, und hier kann Ecology Action natürlich nicht mithalten.
Aber wer sagt denn, daß die heutige Agrarökonomie noch gilt, wenn es in
einer übervölkerten Welt mit Milliarden von Arbeitslosen nur auf die
Hektarerträge ankommen wird?

Viele Techniken der biointensiven Landwirtschaft und des Gartenbaus
sind seit über tausend Jahren in China und anderen Teilen der Welt
bekannt. In warmen asiatischen Ländern gibt es eine hochentwickelte
kombinierte Land- und Teichwirtschaft mit teilweise noch wesentlich
höheren Hektarerträgen bei einer gleichzeitig gut ausgewogenen Zusam-
menstellung von pflanzlichen und tierischen Produkten. Normalerweise
werden dabei mehrere Lebenssysteme übereinander angeordnet: Man

züchtet etwa Kaninchen, deren Exkremente in einen Enten- und Fischteich fallen und diesen düngen, und der Teich bewässert Reis- und Gemüsebeete, mit deren Abfällen wiederum die Kaninchen gefüttert werden. Ecology Action experimentiert erst seit den frühen siebziger Jahren mit solchen Techniken und dokumentiert sorgfältig alle Erfolge und Mißerfolge mit dieser kombinierten Land- und Teichwirtschaft.

Während Ecology Action anfangs wegen seiner vegetarischen Grundideologie etwas sektiererisch wirkte, konnte die Gruppe um John Jeavons nicht zuletzt wegen zunehmender internationaler Kontakte immer mehr Fachleute überzeugen. Die Erfahrungen mit biointensiver Kleinlandwirtschaft erweisen sich in der weltweit geführten Diskussion um die Sicherung der Welternährung als ebenso überraschend wie nützlich. Während die energie- und stoffintensive Chemiebranche des Nordens immerfort behauptet, um der Sicherung der Welternährung willen sei ihre Produktion unerläßlich, sind chemische Hilfsmittel in der Landwirtschaft nach den Erfahrungen der biointensiven Kleinlandwirtschaft in der Regel gar nicht nötig. Allerdings muß man der Wahrheit zuliebe einräumen, daß eine Umstellung auf die Jeavonsschen Prinzipien nicht ohne deutliche Änderungen unseres heutigen Lebensstils in den reichen Industrieländern zustande kommt.

15. Chemikalien: Vermieten statt verkaufen*

Chlorierte Lösemittel
Chlorierte Kohlenwasserstoffe (CKWs) haben etliche nützliche Eigenschaften und tragen damit zur Qualität und Bequemlichkeit unseres Lebens bei: Wir verwenden sie als fettlösende Putzmittel, als Kleber, zur chemischen Trennung von Stoffen und als Lösemittel in der Textil-, Pharma-, Kunststoff- und der metallverarbeitenden Industrie. CKWs sind chemisch sehr stabil, nicht brennbar und nicht wasserlöslich.

Rund 1,2 Millionen t CKWs werden jährlich hergestellt, was den Umweltschützern mehr als nur ein Dorn im Auge ist. Die gleichen Eigenschaften, die die CKWs so nützlich sein lassen, machen sie auch gefähr-

---

* Wir verdanken den Entwurf dieses Abschnitts Sascha Kranendonk vom Wuppertal Institut, die ihre Informationen hauptsächlich von Dow Europe bekommen hat.

lich für Gesundheit und Umwelt. Durch ihre hohe Fettlöslichkeit gelangen sie leicht ins Fettgewebe von Mensch und Tier. CKWs lösen Leberschäden aus und vermutlich auch Krebs. Von den 600 000 im Jahre 1992 in Europa verkauften Tonnen CKW-Lösemitteln wurden nur rund 15%, also nur gut 90 000 t, rezykliert. Rund 450 000 t verdunsteten und trugen zur Luftverschmutzung bei, 20 000 t wurden verbrannt (allerdings größtenteils in modernen Verbrennungsanlagen ohne Dioxinemissionen) und 40 000 t »verschwanden« einfach spurlos; vermutlich gelangte der größte Teil ins Grundwasser. Die Grundwassersanierung nach CKW-Unfällen ist eine überaus mühsame und teure Angelegenheit.

Diese Umweltprobleme haben den deutschen Gesetzgeber veranlaßt, die Verdunstung der CKWs auf dem Verordnungsweg stark einzuschränken und das CKW-Recycling für die Hersteller obligatorisch zu machen.

Ein umweltverträglicher Ausweg liegt in einer für Chemikalien ganz ungewohnten Marktstrategie, »rent-a-chemical«, das »Vermieten« von Chemikalien. Die Idee wurde von Dow Deutschland in einem Joint Venture, SafeChem, mit einem örtlichem Recycling-Unternehmen, RCN, entwickelt. Sie besteht im wesentlichen darin, daß der Hersteller Dow während der gesamten Lebensdauer der Chemikalien für diese verantwortlich bleibt – ein Beispiel für das Prinzip der uneingeschränkten Produktverantwortung.

SafeChem besorgt die Lagerung und den Transport der Lösemittel und hat speziell für diesen Zweck luftdichte Container entworfen. Auf diese Weise können die Lösemittel sicher transportiert, ohne Funktionseinbuße eingesetzt und anschließend wieder von anderen Kunden verwendet werden. Über hundertmal kommen so die gleichen Moleküle zum Einsatz.

Die Gesamt-Stoffeffizienz ist nicht hundertmal besser als früher, da in die Bilanz auch die Herstellung der Container mit einem unvermeidlich hohen Materialaufwand eingeht. Ein Faktor 10 ist aber zweifellos erreicht worden. Im übrigen war das ökologische Motiv ja nicht in erster Linie die Materialeffizienz, sondern die Vermeidung von Umweltverschmutzung.

Als SafeChem das System auf den Markt brachte, waren Kunden und Konkurrenten zunächst skeptisch. Aber es funktionierte so gut, daß schon jetzt, 1995, die Konkurrenz eiligst nachzieht. Und Dow untersucht schon weitere Chemikalien daraufhin, ob sie sich für das Vermieten eignen.

Das Institut für Produktdauerforschung schlägt vor, noch einen Schritt weiterzugehen und die Dienstleistung anstelle des Lösemittels anzubieten. Diese Dienstleistung könnte beispielsweise in der »Säuberung von

Fettrückständen pro Quadratzentimeter« bestehen. Damit ginge das kommerzielle Interesse an der Herstellung von Lösemitteln weiter zurück, während das Interesse der entsprechenden Dienstleistungsunternehmen an zufriedenen Kunden und das Interesse an einer sauberen Umwelt weiter stiegen.

16. Gebäudeunterfangung: Die Wahl der Methode ist entscheidend

Es ist keinem Laien übelzunehmen, daß er nicht weiß, was eine Gebäudeunterfangung ist. Erst wenn ein Haus einstürzt, erfährt man als Geschädigter, daß beim Unterbau vielleicht etwas falsch gemacht wurde. Auch geringfügige Verschiebungen, Hebungen und Senkungen, die das Haus noch lange nicht zum Einsturz bringen, können viel Ärger und hohe Kosten verursachen. Um dies zu vermeiden, wird jedes Gebäude neben einer neuen Baugrube gut »unterfangen«. Die Fachleute auf diesem Gebiet gehören zum Berufsstand der Bauingenieure.

Eine gute und praxisnahe Bauingenieursausbildung gibt es auch an der Bergischen Universität-Gesamthochschule in Wuppertal. Hier lehrt Professor C.J. Diederichs, der sich auch für umweltfreundliche Varianten des Bauens interessiert. Von Friedrich Schmidt-Bleek lernte er die Stoffintensitätsanalyse als eine Form der Ökobilanzierung kennen und versuchte seitdem, Beispiele für eine drastische Verbesserung bei Stoffeinsätzen zu finden. Er wurde fündig. Er vergab eine Diplomarbeit an F.J. Follmann und Th. Schröder, die die Materialintensität von fünf verschiedenen »Unterfangungsvarianten« untersuchten.

Es gibt im wesentlichen zwei Klassen von Unterfangungen, solche *unter** der Wand und solche *vor** der Wand. *Unter* der Wand braucht man große Massen, die entweder (1) durch Hochdruckinjektion* oder (2) durch ein patentiertes Pfahlsystem* eingebracht werden.

Vor der Wand heißen die Alternativen (3) Bodenvernagelung*, (4) Schlitzwand* oder (5) Bohrpfahlwand*.

---

* Diese Fachausdrücke sind nur für Fachleute verständlich. Für Laien ist eine Erläuterung im Kontext dieses Buches nicht erforderlich. Wir verwenden die Ausdrücke dennoch, damit der fachkundige Leser die Angaben leichter überprüfen kann.

Diederichs und Follmann (1995) haben für alle fünf Varianten eine (MIPS-)Materialintensitätsanalyse durchgeführt und dabei für die in allen Fällen benutzten Komponenten – Stahl, Zement, Zuschlagstoffe*, Dieselkraftstoff (als Energiequelle) und andere – die gängigen Material- und Energieintensitäten eingesetzt und auf dieser Basis die gesamten Umsätze an Masse des Unterfangungskörpers, an eingesetztem Material, an umgesetztem Wasser und an umgesetzter Prozeßluft in Tonnen ausgedrückt. Im Ergebnis sind, nicht überraschend für den Bauingenieur, die beiden Varianten unter der Wand wesentlich MIPS-intensiver als die drei Varianten vor der Wand, wie die nachstehende Tabelle zeigt. Die Angaben beziehen sich auf einen laufenden Meter Länge der Unterfangung (alle Angaben in Tonnen):

Unterfangungs-variante	Masse umsatz	Material-	Prozeß-wasser	Prozeßluft
Hochdruck-injektion	35	44,5	80,4	77,8
Patent. Pfahl-system	25,2	42,1	63,8	42,9
Bodenver-nagelung	3,2	7,7	11,9	8,7
Schlitzwand	5,5	10,7	16,8	12
Bohrpfahlwand	4,4	7,4	11,6	9

Es ist offensichtlich, daß beim Übergang von Unterfangung *unter* der Wand auf Unterfangung *vor* der Wand mehr als ein Faktor 4 der Materialeffizienz in praktisch allen materiell relevanten Hinsichten erreicht wird. Auch die Energieeinsparung liegt in einer ähnlichen Größenordnung, sie ist aber in der Publikation nicht in Zahlen angegeben.

Umweltpolitische Einwände gegen die Überbewertung der Tabelle formulieren die Autoren selbst völlig korrekt: Mancher stoff- und energieintensive Prozeß wird bei allen Varianten nötig, so etwa das Ausheben der Baugrube (es sei denn, man baut, wie es in Holland die Regel ist, ohne

Unterkellerung). Addiert man die »ökologischen Rucksäcke« (vgl. Kapitel 9) dieser gemeinsamen Prozesse jeder Zeile in der Tabelle hinzu, dann ist bei der Materialeffizienz kein Faktor 4 mehr gegeben. Ferner gibt es funktionale Unterschiede zwischen den Systemen, so daß sie nicht beliebig ausgetauscht werden können. Und die Autoren weisen zu Recht darauf hin, daß die Materialintensität natürlich nur eine Komponente einer Ökobilanz darstellt.

17. Belland-Material: Neue Verpackungen aus Kunststoffmüll

Kunststoffe verrotten normalerweise nicht und sehen auf Mülldeponien so scheußlich aus, daß sie unvermeidlich immer wieder Gegenstand anklagender Aufnahmen von Umweltschützern geworden sind. Auch die Verbrennung von Kunststoffen ist problematisch, weil sich dabei Chlor und andere Halogene leicht in Dioxine und weitere hochgiftige Substanzen verwandeln können. In Hochtemperaturöfen verbrennen zwar die Dioxine, und moderne Filter reinigen den Rauch, aber diese Entsorgungsmethode ist nicht unfehlbar, ist außerdem teuer und vom Standpunkt der Ressourceneffizienz her sehr unbefriedigend. Also rückt das Kunststoff-Recycling in den Vordergrund. Mischkunststoffe führten allerdings zu einer qualitativen Verschlechterung des Endproduktes (»downcycling«), und sortenreine Kunststoffe sind nur sehr schwierig aus dem Hausmüll zu gewinnen. Auch die oft propagierte Zerkleinerung mit anschließender mechanisch-chemischer Trennung ist nicht hundertprozentig möglich und zudem sehr teuer. Einige US-Bundesstaaten, etwa Vermont, lassen ihre Bürger Kunststoffmüll in bis zu sieben verschiedenen Mülleimern sammeln. Ähnliche Bestrebungen gibt es in Europa. Aber kann das weltweit die Lösung sein? Welcher Prozentsatz von Haushalten hätte allein den Platz, sieben Mülleimer für Plastik und weitere drei für Kompost, Papier, Metall oder Glas unterzubringen?

Die deutsche Verpackungsordnung von 1990 und das System des Grünen Punkts machen es für Haushalte leichter, den Müll zu trennen, indem alle Materialien mit dem grünen Punkt in gelbe Tonnen oder Säcke wandern, Papier in die blaue und alle restlichen Abfälle in eine kleinere schwarze. Glas soll in Altglas-Iglus gesammelt werden.

Wie jeder weiß, hat aber gerade die Kunststoffsammelaktion Probleme geschaffen. Anfangs wurden viele gelbe Säcke ordnungswidrig ins Ausland bis nach Indonesien gebracht. Schließlich wurden teure Installationen zur chemischen Zersetzung (Hydrierung) eingerichtet, mittels derer man Plastik zu »rezykliertem Rohöl« abbaut, dessen Verbrennung dann wiederum erlaubt ist. Die Bevölkerung lacht bitter über das System des Grünen Punkts.

Was kann man also tun? Die direkte Verbrennung forcieren? Das könnte den Kunststoffherstellern so passen. Ganz ohne Plastik auskommen, wie einige grüne Fundamentalisten vorschlagen? Auf keinen Fall! Moderne Supermärkte kommen nicht ohne hygienische und durchsichtige Verpackungen aus. Es gibt keine realistische Alternative zu Kunststoffen und Blisterverpackungen (einseitig durchsichtige Kleinverpackungen).

Aber es gibt eine Alternative zu traditionellem PVC, PE oder anderen Verpackungskunststoffen, und zwar Belland-Material, enwickelt von dem deutschen Ingenieur Roland Belz, der in der Schweiz lebt und arbeitet. Belland-Material ist äußerst praktisch: Bei pH-Werten, die nur wenig über 7 (neutral) liegen, wird es wasserlöslich. Ansonsten kann es mit praktisch allen gewünschten Eigenschaften von Kunststoffen wie Transparenz, Elastizität und verschiedenen Graden von Steifigkeit für Verwendungen von weichen Verpackungen bis hin zu mechanisch robusten Teilen hergestellt werden.

Wäre Belland-Material auf dem Markt eingeführt und würde es für verschiedene Zwecke, also auch für Verpackungen verwendet werden, fänden sich kleinere oder größere Mengen davon in jedem Mülleimer. Aus diesem Mischmüll kann das Belland-Material mit Hilfe von leicht basischem Wasser herausgelöst und -geschwemmt werden. Anschließend kann es durch Zugabe einiger Tropfen Zitronensäure oder ähnlich harmloser Säuren bequem ausgefällt, abgeschöpft und zu reinem Granulat für die Weiterverarbeitung umgewandelt werden.

In Gemeinden, wo Papier gesondert gesammelt wird, kann Belland-Material in die gleichen (blauen) Behälter wandern, da einer der ersten Schritte in der Altpapierverarbeitung das Waschen ist, wobei Belland-Material zu minimalen Zusatzkosten wiedergewonnen werden könnte. Der Marktdurchbruch für das Belland-Material könnte beim Messecatering erfolgen. Der erfolgreiche Testlauf erfolgte bei der weltgrößten Kunststoffmesse, der »K« in Düsseldorf im November 1995. Stabiles Belland-Geschirr und -Besteck wurden nach Einmalgebrauch in Kübeln eingesammelt und der Neuproduktion des Materials zugeführt, bei welcher sämtliche organischen Reste abgeschieden werden.

Wie im Fall von Aluminium hat das wiedergewonnene Material dieselben Eigenschaften wie der ursprüngliche Stoff, aber seine Gewinnung ist viel weniger energieintensiv als die Erstproduktion. Auf den Lebenszyklus von Verpackungsmaterialien bezogen, ist so ein Faktor 4 bis 10 in der Stoffeffizienz leicht erreichbar, wenn statt PVC Belland-Material verwendet würde.

18. Flaschen, Büchsen und Kisten: Wiederverwendbare Transportbehälter

Noch besser als rezyklierbarer Kunststoff schneidet in der Regel bei der MIPS-Analyse der wiederverwendbare Verpackungsbehälter ab. Pfandflaschen mit zwanzig- bis fünfzigfachem Umlauf sind in der Tat der Wegwerfflasche vorzuziehen, auch wenn deren Glas rezyklikert wird. Die Verpackungsverordnung berücksichtigt diesen Umstand durch eine Mindestquote für wiederabfüllbare Flaschen.

Das hat die öffentliche Kritik am Grünen Punkt, dessen Grundlage die Verpackungsverordnung ist, kaum besänftigt. Nach wie vor wird der Grüne Punkt als »Einladung zum Wegwerfen« verstanden. Zu den schärfsten Kritikern gehört die Bürgerinitiative »Das bessere Müllkonzept«. Für diese Gruppe wurde die Müllvermeidung durch wiederabfüllbare Behälter zum zentralen Programmpunkt. Die Gruppe möchte nicht nur Flaschen, sondern auch Büchsen für eine regionalwirtschaftliche Wiederabfüllung standardisieren. Die Ressourcen werden damit doppelt geschont: Einerseits werden Behälter bis zu hundertfach wiederverwendet, andererseits werden überlange Transportwege vermieden. Aus Vertrauens- und Kostengründen wird die Wiederabfüllung möglichst in einer überschaubaren Region vorgenommen.

Die Ökobilanzierung von Behälter-Mehrfachnutzung anstelle von Wegwerfbehältern ist alles andere als einfach. Umweltschützer nehmen gerne an, die Wiederverwendung sei unter allen Umständen vorzuziehen. Wenn aber die Hygiene (bei allen eiweißhaltigen Nahrungsmitteln) eine äußerst gründliche Wäsche mit hohem Energie- und Wasserverbrauch erzwingt und wenn das Leergut weit transportiert werden muß, dann kippt die Bilanz bald zugunsten der Wegwerfpackung. So ist etwa der flexible Plastik-Milchbeutel deutlich umweltfreundlicher als die über 100 km weit transportierte Pfandglasflasche für Milch. Dennoch: Die

Wiederverwendung von Behältern für Lebensmittel und Güter des tägli-chen Gebrauchs läßt sich in vielen Fällen um einen MIPS-Faktor 4 ver-mindern. Eine quantitative Feststellung, bei welchen Produkten unter welchen Annahmen über Entfernung, Material- und Energieaufwand und Konsumentenverhalten der Faktor 4 wirklich zu erreichen ist, steht noch aus.

Die Idee der wiederverwendbaren Behälter ist nicht auf Produkte des täglichen Lebens beschränkt. Im Güterverkehr zwischen Firmen und innerhalb von Firmen ist die Vielfachnutzung langlebiger Container ver-schiedener Größe längst Routine. Hier hat sich der Werkstoff Stahl einen neuen Markt erobert. Mit Stahlkisten anstelle der vormaligen Wegwerf-kisten unterschiedlichster Machart werden Mitsubishi-Autoersatzteile seit 1994 von Japan nach Deutschland verfrachtet. Die leeren Behälter werden anschließend gefaltet und nach Japan zurückgeschickt. Theore-tisch ist auch eine Verwendung auf beiden Wegen möglich, wie das bei den normierten Eisenbahn- und Schiffscontainern üblich ist.

19. Bauen mit Holz: Ungeahnte Möglichkeiten für Großprojekte

Holz ist ein erstaunliches Baumaterial: leicht, attraktiv und gesund. Wenn es sorgfältig ausgesucht, behandelt und gepflegt wird, ist es zudem sehr haltbar und erfüllt seine Funktion im Bau meist zuverlässiger als Beton. Die Produktion des im wahrsten Sinne des Wortes erneuerbaren Baustof-fes Holz verlangt weniger als ein Viertel (Faktor 4) der für Beton benötig-ten Energie.

Es wird behauptet, Holz eigne sich nicht für große Spannkonstruk-tionen, es sei altmodisch und ohnehin sei es heutzutage unverantwortlich, Holz abzuschlagen.

Ganz falsch, sagt Julius Natterer, der an der Eidgenössischen Techni-schen Hochschule in Lausanne Holzbautechnik lehrt. Er konstruiert, wie die Abbildung 18 zeigt, mit Holz auch phantastische, weitgespannte Hallendecken.

Vergleicht man Holz, Ziegel und Beton unter dem Gesichtspunkt der Ressourceneffizienz, so schneidet der erneuerbare Baustoff Holz gegen-über den beiden nicht erneuerbaren mineralischen Stoffen sogar um den Faktor 10 besser ab.

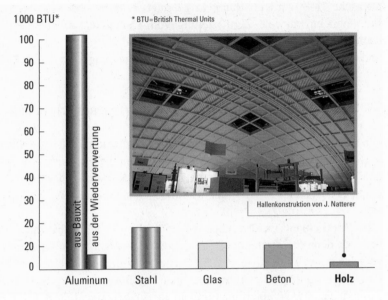

| 1 000 BTU* | * BTU = British Thermal Units |

Hallenkonstruktion von J. Natterer

Aluminum   Stahl   Glas   Beton   **Holz**

18. Holz ist nicht nur ein haltbares und zweckmäßiges Baumaterial, sondern auch sehr energieeffizient in der Herstellung. Die Grafik zeigt den Energieverbrauch pro Tonne Baumaterial in British Thermal Units (nach Browning und Barnett, 1995). Wie die Abbildung zeigt, kann Holz auch für weitgespannte Hallendächer verwendet werden: Messehalle in Ecublens am Genfer See, erbaut von Dan Badic, Morges, Dachkonstruktion von Julius Natterer, Lausanne.

Was aber geschieht mit den Waldbeständen, wenn die Holzbauweise sich in Europa verbreitet? Natterer hat dies bedacht und weist auf die für ihre Strenge in Umweltfragen bekannten schweizerischen Politiker hin. Laut Pierre Aguet, Nationalrat für den Kanton Waadt, könnten jährlich 7 oder 8 Millionen Kubikmeter Holz aus schweizerischen Wäldern ohne Schaden geerntet werden, und das käme den Wäldern sogar zugute, denn mit den Erlösen könnten die notwendigen Schutzmaßnahmen finanziert werden. Mit diesem Holz könnten jährlich um die 250 000 Wohnungen gebaut werden, mehr als die Schweiz je brauchen wird. 50 weitere Abgeordnete unterstützen Aguets Vorschlag einer bewußten Holznutzung. Hierin könnte die Schweiz anderen europäischen Ländern ein Vorbild sein.

Wichtig ist in dem Zusammenhang auch der Hinweis, daß die Verwendung tropischer Hölzer nicht per se unverantwortlich ist, denn nicht alles

141

tropische Holz wird im Raubbau geerntet. Es gibt auch verschiedene Bemühungen um eine Zertifizierung von Tropenholz, das ökologisch nachhaltig angebaut und schonend geerntet wird, doch über die Kriterien und notwendigen Kontrollen ist man sich noch uneinig.

20. Einfamilienhäuser aus Holz: Preiswert, praktisch, schön

Die meisten amerikanischen Häuser werden nach traditioneller, arbeitsintensiver und oft recht primitiver Methode gebaut. Die Außenwände werden mit senkrechten Balken verstärkt. Zur Sicherung der Stabilität reicht es aus, wenn 10–15% der Wandflächen auf diese Weise verkleidet sind.

In Wirklichkeit werden aber 30–35% der Wandflächen mit Holz bedeckt, denn die Zimmerleute werden nach Stunden bezahlt und haben kein Interesse, Holz zu sparen. Sie bringen an allen möglichen und unmöglichen Stellen Verzierungen an und verschwenden viel Holz beim Zuschneiden der vorgefertigten Balken auf die benötigte Länge.

Andererseits nimmt die Qualität der Balken ab, weil der alte Waldbestand schwindet und daher zunehmend schnell wachsendes, weicheres Holz verwendet wird. Oft müssen die Balken kurz nach dem Bau ersetzt werden, weil sie sich verbogen haben. Das Zuviel an Holz beeinträchtigt auch die Energiebilanz; es nimmt den Isolierstoffen Platz weg.

Beim Effizienz-Haus in Davis (s. Kap. 1, Beispiel 4) wurde das Prinzip »Mehr aus weniger« beim Holz angewandt: Ein neuer Holzbaustoff, der mit Hitze und Druck aus minderwertigem Weichholz, normalerweise Pappel oder Espe, hergestellt wird, wird in eine gut 20 cm dicke und mehrere Meter breite Form gepreßt. Aus diesem synthetischen Hartholz, mit einer völlig neuartigen Festigkeit und gleichmäßigen Materialqualität werden sehr dünne Balken (3 mal 9 cm) geschnitten, die im Abstand von 60 cm angebracht werden, und das ergibt dennoch eine viel stabilere Wand. Diese Wand besteht nur zu 9% aus Holz, und man erzielt Holzeinsparungen von 70–74%, womit die höheren Kosten des Preßholzes leicht ausgeglichen werden. Das infolge des geringeren Zeitaufwands für die Montage eingesparte Geld kann für eine doppelte Isolierung ausgegeben werden. Sie bildet zugleich eine Dunstbarriere, hervorragende Lärmschutzeigenschaften und verbessert die Steifigkeit der Wand. Der k-Wert (vgl. Kap. 1, Beispiel 3) geht auf 0,21 hinunter. Und zu allem sind die neuen Wände für ein normales Wohnhaus um insgesamt 2000 Dollar billiger als herkömmliche Holzwände.

Zusammengefaßt heißt das, daß Holz nahezu im Verhältnis eins zu vier eingespart wird und daß zudem wertvolles Hartholz durch überschüssiges Weichholz ersetzt wird. Das eingesparte Geld wird in überlegene Energieeffizienz investiert.

3. Kapitel:

Zehn Fälle vervierfachter Transportproduktivität

Wir haben uns entschlossen, dem Thema Transportproduktivität ein eigenes Kapitel zu widmen. Erstens ist der Konflikt zwischen Umwelt und Verkehr einer der schwerwiegendsten ökologischen Konflikte überhaupt, und zweitens sind die Umweltprobleme, die der Verkehr verursacht, nicht auf Energie- oder Stoffverbräuche reduzierbar. Zudem kann man bei der Beschreibung der Transportproduktivität und ihrer mindestens vierfachen Verbesserung sehr gut demonstrieren, daß es bei der Effizienzrevolution letzten Endes auch um Fragen des Lebensstils geht. So spielt der Verkehr in einigen Kapiteln des vierten Buchteils, wo es uns um zivilisatorische, also um mehr als technologische Fortschritte geht, eine zentrale Rolle. Wir erliegen nicht der Illusion, daß man im Verkehrssektor bald einen Faktor 4 einsparen kann.

1. Videokonferenzen: Reisen sparen

Datenautobahnen sind zu einem Symbol für den technischen Fortschritt geworden. Die breite Öffentlichkeit erfuhr von ihrer Bedeutung aus Al Gores Bestseller (1992) *Wege zum Gleichgewicht.* Gore hat klar erkannt, daß Datenautobahnen auch eine wichtige Rolle bei der Harmonisierung ökologischer und ökonomischer Ziele spielen können. In diesem Abschnitt versuchen wir abzuschätzen, in welchem Umfang elektronische Telekonferenzen Geschäftsreisen ersetzen können und welchen Beitrag sie damit zur Erhöhung der Ressourcenproduktivität leisten. Es wird niemanden überraschen, daß wir in diesem und dem nachstehenden Unterkapitel, in dem es um die elektronische Post geht, auf ein Potential der Ressourcenproduktivität kommen, das weit größer als ein Faktor 4 ist.

145

Das Rocky Mountain Institute (RMI) gehört zu den Pionieren bei der Nutzung der Telekommunikation als Reiseersatz. E-mail, moderne Text- und Grafikübertragung, digital komprimierbare Video- und Audioaufzeichnungen, die über Hochleistungskabel versendet werden, sowie das gute alte Telefon und das Fax machen viele Reisen überflüssig. Schon wenige Wochen nach ihrer Installation (1993) am RMI wurde die Videokonferenz-Einrichtung genutzt. Sie machte eine viertägige Reise nach Fremantle, Westaustralien, überflüssig, und das zu einem Bruchteil der Flugkosten, ohne Jet-lag und andere Unannehmlichkeiten des Reisens. Statt dessen saß der Redner, der die Konferenz eröffnete, in einem bequemen Stuhl im RMI vor der Videokamera und konnte von dort aus auch Fragen aus dem Publikum beantworten.

Technisch funktionierte das Ganze so: Nach der ersten Einstellung wurden – dank einer israelischen Datenkompressionstechnik – nur noch die Teile des Gesamtbildes auf Reisen geschickt, die sich während der Aufnahme verändern (in dem Falle waren es die Bilder der beim Reden bewegten Gesichtspartien), während die ruhenden Teile des Bildes von der ersten Momentaufnahme verwendet wurden. Das komprimierte Signal lief per Kupferkabel vom RMI nach Basalt, Colorado, dann per Glasfaserkabel nach Denver, über eine Reihe von Satelliten nach Perth, per Glasfaser nach Fremantle zum Dach des Konferenzhotels und schließlich per Kabel in den dortigen Ballsaal. Dort lief es durch Chips, welche die bewegten und die ruhenden Signalteile nahtlos zu einem hochwertigen, vollbeweglichen, farbigen Videobild zusammenfügten. Weniger als eine Viertelsekunde, nachdem ein Wort in Colorado gesprochen wurde, kam es perfekt synchronisiert und mit digital echo-gemindertem Klang beim Publikum in Fremantle an.

Gebrauchtwagen-Auktionen

Der Einsatz von Telekommunikation zur Vermeidung lästiger Fahrten hat auch in ganz anderen Bereichen schon begonnen. Autohändler in den USA kaufen Gebrauchtwagen oft auf Auktionen, die meist monatlich stattfinden. Für Mitsubishi-Händler gibt es solche drei- bis vierstündigen Auktionen derzeit genau an sechs Orten der USA. So müssen die Händler pro Auktion bis zu drei Tage Reise in Kauf nehmen (Hin- und Rückfahrt eingerechnet).

Jetzt aber verspricht ein seit zehn Jahren in Japan funktionierendes interaktives Fernsehnetz, diese Reisebelastung abzuschaffen. Ein *on-line-*

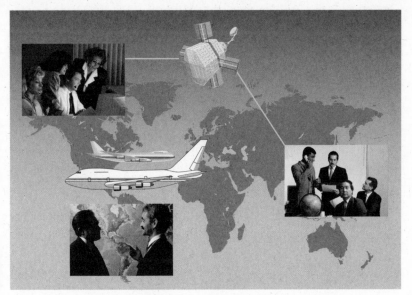

19. Eine transatlantische Geschäftsreise verbraucht rund hundertmal
mehr natürliche Ressourcen als eine sechsstündige Videokonferenz.

Auktionssystem mit dem Namen Aucu-Net mit Sitz in Atlanta, Georgia, hat inzwischen über hundert Händler (70–80% derer, die gefragt wurden) für das System gewonnen, das die Auktionen völlig reisefrei macht, die Verteilungskosten senkt und die Lagerverwaltung verbessert. Die teilnehmenden Händler bekommen von Aucu-Net einen Computer mit digitalem Empfänger, einen Farbmonitor, ein Fax (eigens für die Auktionen) und eine Satellitenschüssel installiert. Jeden Dienstag kann der Händler anderthalb Stunden lang neue Angebote prüfen, sich die Fahrzeuge bis ins Detail ansehen und für sie bieten.

Zu Beginn waren einige Kunden skeptisch. Sie meinten, man könne ein Auto nur kaufen, wenn man es anfassen und probefahren kann. Da aber die erheblichen Benzin-, Zeit- und Kosteneinsparungen an die Kunden weitergegeben wurden, fand das System bald breite Akzeptanz.

Ein Faktor 100, vielleicht auch nur 4
Kommen wir nun zu der Standardfrage dieses Buches zurück: Was für ein Faktor an Ressourcenverbrauch wird eingespart, wenn man Elektronen und elektromagnetische Wellen auf die Reise schickt anstatt sich selbst?

Für Telekonferenzen erhielten Hartmut Stiller vom Wuppertal Institut und Thomas Egner vom Ulmer Forschungsinstitut für anwendungsorientierte Wissensverarbeitung (FAW) mit der MIPS-Methode von Friedrich Schmidt-Bleek (1994; vgl. Einl. zu Kap. 2 u. Kap. 9) folgende vorläufige Resultate:

Eine Geschäftsreise nach Übersee hat einen »ökologischen Rucksack« von rund 1 t pro Person. Eine sechsstündige Videokonferenz dagegen bedarf einer Materialinvestition von grob geschätzt etwa 10 kg pro Teilnehmer. Eine halbtägige Videokonferenz hat also einen MIPS-Reduktionsfaktor von etwa 100 im Vergleich zur Geschäftsreise einer gleichen Anzahl von Personen – allerdings mit großem Spielraum nach unten oder oben.

Für eine volkswirtschaftlich-ökologische Analyse ist das allerdings ein stark irreführendes Ergebnis. Nur wenige Geschäftsreisen werden heute tatsächlich durch Videokonferenzen ersetzt, und zwar nicht nur wegen eines mangelnden Umweltbewußtseins der Geschäftsreisenden, sondern weil für den Erfolg einer Geschäftsreise oder einer wissenschaftlichen Konferenz der soziale Aspekt heute oft wichtiger ist als die elektronisch übermittelbare Information. In Kaffeepausen oder bei informellen Mahlzeiten wird oft Wichtiges ausgetauscht und ausgemacht, werden Kontakte hergestellt und Freundschaften gepflegt. Obwohl die Reisetätigkeit also kaum eingeschränkt wird, wird es bald mehr Videokonferenzen pro Jahr geben, als es in einem Jahr internationale Geschäftsbesprechungen und Konferenzen überhaupt geben kann. Was für die ökologische Bilanz noch schlimmer ist, die interkontinentale Telekommunikation ist ihrerseits eine Triebfeder für zusätzliche Reisen, etwa weil man dem Geschäftspartner endlich auch einmal persönlich begegnen möchte.

Das Potential einer Reduktion des Ressourcenverbrauchs durch Telekonferenzen ist real betrachtet also möglicherweise äußerst gering. Das theoretisch riesige Reduktionspotential könnte allerdings zur Geltung kommen, wenn unsere Gesellschaft sich endlich dazu entschließen würde, die Preise für Überseereisen (und den Verkehr insgesamt) der »ökologischen Wahrheit« anzunähern. Zuerst müßte die längst überfällige international zu vereinbarende Erhebung einer Kerosin-Steuer erhoben werden (vgl. Kap. 6 u. 7). Wenn das Reisen realistisch hohe Preise hat, wird die Telekommunikation als Ersatz für Reisen in Anspruch genommen, und nicht zusätzlich. Dann dürfte zumindest ein Faktor 4 eine realistische, ja eher bescheidene Effizienzerwartung sein.

148

Vielleicht wird die Telekommunikation auf Dauer im Bereich der *Telearbeit* die größten realen Verkehrseinsparungen erzielen. Viele Büroarbeiten können zu Hause am Bildschirm erledigt werden. Es ist nicht mehr nötig, daß sich der oder die Arbeitnehmer/in täglich auf verstopften Straßen zur Arbeit begibt. Doch auch hier darf der soziale Aspekt nicht vernachlässigt werden. Im Betrieb mit Kolleginnen und Kollegen zusammenzukommen ist für viele den täglichen Weg wert.

2. Elektronische Post: Briefe und Texte über den Äther schicken

Die englische Rohfassung dieses Buches hätten wir ohne E-mail und Fax nicht in so kurzer Zeit herstellen können, denn wir haben ständig kleine und größere Teile des Manuskripts untereinander sowie mit befreundeten Fachleuten ausgetauscht. Zahllose Auto-, Bahn- und Luftpostsendungen sowie Flüge bis nach Singapur und Brasilien wären andernfalls nötig gewesen. All das hätte gut und gerne zwei Jahre statt zwei Monate gedauert. Vermutlich hätte das Buch dann viel »reifer« ausgesehen, aber es wäre in vielen Hinsichten schon bei Erscheinen veraltet gewesen.

Auch für Fax und E-mail kann man den Umfang der möglichen Ressourceneinsparung annähernd abschätzen.

Haruki Tsuchiya (1994) hat errechnet, daß Faxgeräte, die selten benutzt werden, um einen Faktor 2 energieeffizienter sind als Inlandsbriefe (die in Japan nicht per Luftpost versandt werden). Wird das Fax häufig benutzt (fünfzigmal täglich), verbessert sich die Relation auf einen Faktor 10. Wenn man die Rechnung um den lebenszyklusweiten Stoffeinsatz ergänzt (nach dem MIPS-Konzept von Schmidt-Bleek) und wenn man Übersee-Luftpostbriefe einbezieht, dann wird die Relation noch günstiger für das Fax; ein Faktor 20 kommt leicht zustande.

Beim E-mail beziehen wir uns wieder auf Schätzungen von Thomas Egner und Hartmut Stiller (vgl. S. 148). Sie schätzen den durchschnittlichen Stoff-Input für einen 10 g schweren Brief von Wuppertal nach Snowmass, Colorado, auf etwa ein Pfund (für die Papierherstellung sowie anteilig für das Postflugzeug und die Bahn- und Postautobeförderung).

Der elektronische Brief verursacht demgegenüber keinen direkten Materialverbrauch; er nutzt Einrichtungen, in die einmalig Material investiert wurde: Telefonleitungen, Computer und Satelliten. Dividiert man diese früheren Materialinvestitionen durch die durchschnittliche Lebensdauer der Hardware, so kann man die MIPS für einen beispielsweise zehn Kilobyte großen Brief abschätzen. Es sind etwa 5 g. Der Faktor der MIPS-Reduktion ist somit etwa 100. Je nach den Annahmen über die Art der Sendung kann der Faktor auch 1000 oder nur 20 betragen.

Die Anwendungsmöglichkeiten gehen über das Hin- und Herschicken von Briefen und Buchteilen weit hinaus. Eine bekannte Copy-Shop-Kette in den USA installiert zur Zeit bei ihren Kunden die für die Videokonferenzen nötigen technischen Einrichtungen. Damit können die Kunden zum Beispiel fachmännische Anleitungen für Reparaturen am Computer, an der Waschmaschine oder am Fernsehapparat abfragen, was Besuche von Wartungstechnikern einspart oder das postalische Einschicken von defekten Geräten.

Auch hier ist natürlich die reale Ressourceneinsparung viel bescheidener anzusetzen, als es dem rein technischen Vergleich entspricht. Wie im vorherigen Unterkapitel gilt, daß billiger Transport der Tod der Effizienzrevolution ist. Wenn Milliarden Faxe und E-mails zusätzlichen Versand von Postbergen, möglichst noch mit superschnellen, privaten Beförderungsdiensten, auslösen, dann bleibt für die Umwelt kein Gewinn übrig. Aber wenn der Rahmen stimmt, kann der Informationsaustausch im Fernverkehr (ohne Wohlstandseinbußen für uns) weit mehr als um einen Faktor 4 effizienter werden.

3. Erdbeerjoghurt: Weite Reisen müssen nicht sein

Die Deutschen lieben Erdbeerjoghurt. Rund drei Milliarden Becher davon werden hierzulande jährlich verzehrt. Seit Winter 1992/93 mögen viele Menschen beim Verzehr eines Erdbeerjoghurts an einen Zeitungsartikel denken, in dem sie wenig Erfreuliches lasen: Stefanie Böge (1993) hatte errechnet, wie viele Transportkilometer zurückgelegt werden, bevor ein Erdbeerjoghurt auf dem Tisch des Kunden steht: Die Zutaten, die Materialien für Glas und Deckel und der fertige Joghurt machen insgesamt Reisen von über 3500 km, und da die Zulieferer der Materialien auch selbst Zulieferer haben, von denen sie ihre Grundstoffe beziehen (z. B. Mais oder Weizenpulver), kommen noch einmal 4500 km hinzu. Abbildung 20 zeigt Stefanie Böges Resultate auf einer Karte:

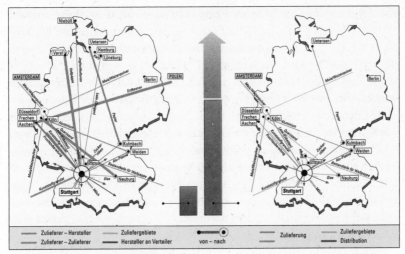

20. Die Transportwege eines Erdbeerjoghurts. Links: Ein durchschnittlicher, in Stuttgart hergestellter Erdbeerjoghurt und seine Bestandteile und Behältermaterialien reisen insgesamt 3500 km weit. 4500 km werden zuvor von den Grundstoffen zurückgelegt, die an die Zulieferer der Meierei gehen.
Rechts: Ein Joghurt derselben Qualität kann mit einem Viertel der Transportintensität hergestellt werden.

Die Grafik ging durch die deutsche Presse und machte Stefanie Böge über Nacht bundesweit bekannt. Die plötzliche Publizität überraschte Insider der modernen Industrie. Schließlich wissen wir doch alle, daß Erze, Metalle, Plastik, Regenmäntel oder Früchte rund um den Globus transportiert werden und nicht nur innerhalb Europas. Wahrscheinlich nahmen die deutschen Verbraucher an, daß ein ihnen so vertrautes Produkt in der unmittelbaren Umgebung hergestellt wird, denn immerhin sind die Zutaten dafür alle in Deutschland zu haben.

Transportverminderung als ausdrückliches Ziel

Nachdem sich Stefanie Böges Ergebnis herumgesprochen hatte, verstärkte sich der Druck, Transportintensitäten von Waren in die »Produktlinienanalyse« (Rubik, 1994) zu integrieren und die Verminderung der Transportintensität aktiv zu betreiben. Zunächst betraf diese Frage die Herstellung von Erdbeerjoghurt.

Ist der hohe Transportaufwand vermeidbar? Aber gewiß! Erdbeeren, Milch und andere Zutaten können lokal bezogen und verarbeitet werden.

Joghurtgläser können auf örtlichen oder regionalen Märkten vielfach wiederverwendet werden. Für die leichten Aluminiumdeckel lohnt es sich nicht, die Distanz zu reduzieren, da ihre Produktion vor Ort große Investitionen erfordern, aber nur wenige LKW-Fahrten sparen würde.

Größere Einsparungen sind möglich, wenn Meiereien dezentralisiert werden. Die Nachfrage von umwelt- und verkehrsbewußten Kunden nach regionalen landwirtschaftlichen Erzeugnissen hat vielerorts schon eigene Märkte für solche Produkte geschaffen. Mancherorts müßten hierfür aber lokale Milchabfüllanlagen wieder reaktiviert werden, und die so produzierten Produkte wären teurer als die heutige zentralisierte Massenware. Viele Kunden bezahlen diesen höheren Preis jedoch gerne für ein hochwertiges Produkt. Und wenn die LKW-Kilometerkosten steigen, dann kann der Tag kommen, an dem der lokal hergestellte Joghurt preiswerter ist als die Massenware.

Viel geringere Investitionen erfordert die Herstellung hausgemachten Joghurts, der im übrigen sehr schmackhaft ist. Die Heimproduktion könnte trotz ihrer »Ineffizienz« sogar im Sinne der Optimierung der Lebensqualität sehr sinnvoll sein, wenn Familien sie als vergnügliche, wenn auch nicht technologisch optimierte Freizeitabwechslung auffassen; und niemand sollte ihnen verwehren, die überschüssigen Joghurts in der Nachbarschaft zu verkaufen.

Das Beispiel zeigt, daß der Faktor 4 nicht allein ein technisches Problem ist. Die Empfehlung für die Reduktion der Transportintensität bedeutet hier geradezu eine Verminderung des Bedarfs an Technologie und Maschinenkraft und eine Vermehrung des menschlichen Arbeitseinsatzes, welcher aber nicht vollständig in der gemessenen Ökonomie (vgl. Kap. 12 u. 14) auftaucht.

Beides, die Verminderung des Transport- und Technikeinsatzes und die Tätigkeit außerhalb der gemessenen Ökonomie, wird allerdings von der offiziellen Ökonomie als Rückschritt, nicht als Fortschritt, angesehen. Und unter den in der OECD herrschenden Marktbedingungen kommt die Dezentralisierung ohnehin nicht zustande, denn hier ist die menschliche Arbeitskraft teuer und der Transport billig. Es lohnt sich also noch nicht, Tonnenkilometer zu sparen.

Bald nach der Berichterstattung über die Erdbeerjoghurtstudie wandten sich die deutschen Champignonzüchter an Stefanie Böge und beauftragten sie, die Transportintensität von Champignons zu analysieren. Sie hatten dabei im Sinne, mit den geringen Wegstrecken, die ihr Produkt im

Vergleich zu importierten Pilzen zurücklegt, zu werben. Entsprechende Anzeigen wurden denn auch kurze Zeit später geschaltet.

4. Vitaminreicher Saft: Von fern oder nah

Umweltbewußte Verbraucherinnen und Verbraucher ziehen beim Einkauf zunehmend Waren mit kürzeren Transportwegen vor. Ärgerlich ist, daß sie oft nicht wissen können, was von fern oder nah kommt und wie viele Kilometer die Grundstoffe auf dem Weg zu den Zulieferern zurückgelegt haben. Bei einigen Produkten ist der lange Weg aber schwer zu verheimlichen. Zu ihnen gehört der Orangensaft.

Die Deutschen sind weltweit führend im Konsum von Orangensaft. Rund 20 l pro Person (1,5 Milliarden l insgesamt) werden hier jährlich davon getrunken. Im Vergleich zum Jahr 1950 bedeutet das einen mehr als hundertfachen Anstieg des Konsums.

Die für diese Saftmenge notwendigen Früchte wachsen auf Flächen, die zusammengenommen fast die Größe des Saarlandes haben. Orangensaft trägt also erheblich zur Größe der deutschen »ökologischen Fußspuren« bei (s. W. Rees, Kap. 8, S. 245). Um das aus diesen Orangen gewonnene Konzentrat zu transportieren, werden rund 40 Millionen l Kraftstoff verbraucht, die mehr als 100 000 t CO_2-Emissionen verursachen.

Lokal hergestellte Getränke wie Schwarzer Johannisbeersaft, der sogar einen höheren Vitamingehalt hat als Orangensaft, haben seit 1950 erhebliche Marktanteile verloren. Dreimal mehr wurde damals von dem heimischen Getränk getrunken als heute, wobei die beträchtlichen Mengen von Saft aus der Heimproduktion, die gar nicht auf den Markt kommen, noch nicht mitgerechnet sind. Eine »Renaissance« des Schwarzen Johannisbeersafts könnte die »Transporteffizienz pro Liter Vitamin-Obstsaft« gut und gerne um einen Faktor 10 verbessern. Nebenbei würde überraschenderweise auch die Flächenproduktivität (das heißt die Getränkemenge pro Hektar; vgl. dazu Kranendonk u. Bringezu, 1993) erhöht, vielleicht um einen Faktor 2.

Natürlich ist das für deutsche Verbraucherinnen und Verbraucher in hohem Maße eine Preisfrage. Bei den deutschen Arbeitskosten ist der heimische Saft einfach mehr als doppelt so teuer wie der importierte, und es ist fraglich, ob man überhaupt genug Fläche für den heutigen (gegenüber 1950 gewaltig gestiegenen) Saftdurst in Mitteleuropa hätte. Aber es lohnt sich, über Mittel und Wege nachzudenken, wie man durch Warenauswahl zur Transportvermeidung beitragen kann. Ein ähnliches Beispiel haben wir in Kapitel 1 behandelt: Rindfleisch (S. 81). In beiden Fällen ist – wie bei Erdbeerjoghurt und Pilzen – eine stärker regionalisierte, darum aber keineswegs unmoderne Wirtschaft anzustreben. Im Zusammenhang mit dem neuen Stadt- und Dorfgefühl (Kap. 3, Beispiel 10), mit der Dienstleistungsgesellschaft (Kap. 12) und mit der Kritik am unbegrenzten Freihandel (Kap. 13) wird uns die Regionalwirtschaft wieder begegnen.

5. Schienenverkehr: Intelligente Technik steigert die Kapazitäten

Über die künftige Zunahme des Verkehrs auf europäischen Fernstraßen gibt es die reinsten Horrorszenarien. Der 1995 auf fünfzehn Mitgliedsstaaten angewachsene europäische Binnenmarkt führt nach einem Gutachten der Baseler Prognos AG zu einem Anstieg des grenzüberschreitenden Güterverkehrs von über 100% zwischen 1990 und 2010. Für Fernfahrer ist bereits heute manche Autobahn und vor allem der Ost-West-Verkehr zum Alptraum geworden. Sie verbringen regelmäßig viele Stunden oder gar Tage damit, am deutsch-polnischen Zoll auf ihre Abfertigung zu warten. Der Bau neuer Straßen ist teuer, zeitaufwendig und stößt auf verständlichen Widerstand, vor allem im dichtbesiedelten Westen.

Kann der Schienenverkehr Abhilfe schaffen? Neue Eisenbahnstrecken gehen mit fast fünfzehn Jahren Planungs- und Bauzeit einher und sind – inklusive Umweltschadenskosten – sehr teuer. Zudem gilt ihre Transportkapazität als 50% geringer als die einer vierspurigen Autobahn.

Stimmt diese weitverbreitete Annahme eigentlich? Könnte man nicht die Tonnenkapazität der Schiene revolutionieren?

An diese Möglichkeit glaubt jedenfalls Professor Rolf Kracke von der Universität Hannover. Er ist der Kopf hinter dem Konzept »intelligente Schiene«, und sein Team macht die entsprechenden Vorschläge für die Praxis.

Krackes Kerngedanke ist es, die Zugfrequenz und die Ladekapazität der einzelnen Züge wesentlich zu erhöhen. Heute ist die Zugfrequenz stark durch den Sicherheitsabstand begrenzt, der gut drei Kilometer beträgt, denn die ungünstigsten Modellannahmen gehen davon aus, daß ein Zug je nach Geschwindigkeit und Signalanlagen drei bis fünf Kilometer Bremsweg braucht, um auf ein vom vorhergehenden Zug gesendetes Signal hin zum Stillstand zu kommen. Kracke und sein Team arbeiten an einer neuen elektronischen Steuerungstechnik, die es erlaubt, den Sicherheitsabstand gefahrlos zu minimieren.

Abbildung 21 zeigt als Modellskizze, um wie viele Züge man die Transportkapazität des bestehenden Schienennetzes theoretisch steigern könnte.

Die Kapazität des Schienennetzes hängt nicht nur von den Schienen in der freien Landschaft ab. Verladeanlagen müssen verbessert, aber nicht vergrößert werden; die für die und mit der Technologie des 19. Jahrhunderts gebauten Rangierbahnhöfe sind viel zu groß und verunzieren die Landschaft. Moderne Systeme erlauben das horizontale Verladen von Containern statt von ganzen Waggons. Zwanzig oder mehr Container können gleichzeitig von einem zum nächsten Zug transportiert werden. Die gesamte Verladeaktion dauert nur 15 Minuten.

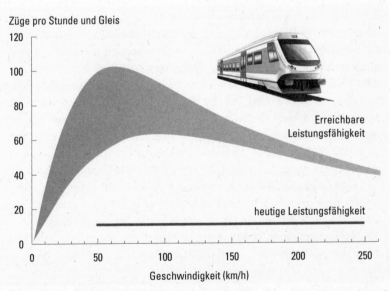

21. Wie viele Züge kann man ohne Sicherheitsrisiko auf einer Strecke einsetzen? Die horizontale Linie weist die heutige Kapazität aus, während das gerundete Band die erhöhte Streckenkapazität zeigt, die gegenüber der heutigen um rund einen Faktor 4 höher ist.

6. Pendolino und CyberTran®: Alternativen zu ICE und Transrapid

Der Vorteil der Bahn im Vergleich zum Auto und zum Flugzeug ist die Umweltfreundlichkeit. Viele Fahrgäste schätzen auch noch andere Vorteile. In der Bahn kann man gut arbeiten, man kommt ins Herz der Städte, hat keine Parkplatzsorgen. Nur auf kurzen Strecken ist die Bahn dem Auto unterlegen und auf langen Strecken dem Flugzeug. Um der Umwelt willen und im Sinne der Effizienzrevolution sollte etwas dafür getan werden, daß die Bahn für möglichst lange Strecken benutzt wird. Der ICE wurde eingesetzt, um eine konkurrenzfähige Alternative zum Flugzeug zu bieten. Und künftig, so stellen es sich manche vor, soll der Transrapid mit an die 500 km/h durch die Landschaft »fliegen«.

Frederic Vester (1995) reiht den Transrapid mit Recht in die Reihe der für den Steuerzahler unerhört teuren Prestigeobjekte ein, die weitgehend am Bedarf vorbeigehen und keine realen Chancen haben, das investierte Geld wieder einzuspielen. Der ICE kommt nicht viel besser weg. Seine Streckenführung ist wegen der notwendigen Geradlinigkeit äußerst kostspielig und landschaftszerstörend, und er ist pro Passagierkilometer beim Energie- und Stoffverbrauch kaum besser als das Auto. Er hat allerdings auch Vorteile: Es gibt ihn schon, er wird angenommen, und er hat der Bahn einen bedeutenden Imagezuwachs verschafft.

Das hätte man seit einem Jahrzehnt auch billiger haben können. Skandinavien und Italien sind bei der Entwicklung der Hochgeschwindigkeitszüge einen ganz anderen Weg gegangen. Sie haben versucht, die hohen Geschwindigkeiten auf dem bestehenden Streckennetz (also billig und rasch) zu erreichen und haben sich weniger um die Höchstgeschwindigkeiten gekümmert als darum, für möglichst viele Fahrgäste Zeitgewinne zu erreichen. Sie haben den »Pendolino« gebaut, einen Zug, der so »aufgehängt« gelagert ist, daß er sich automatisch in die Kurve legt, ohne daß die Räder deswegen schräg stehen müssen. Mit dieser Neigetechnik, auch NeiTech genannt, könnte man die kurvenreichen Strecken der deutschen Mittelgebirge mit Tempo 150 befahren – doppelt so schnell wie heute mit einem normalen Zug.

Glücklicherweise hat die Bahn AG die NeiTech nunmehr auch für sich entdeckt; die ersten Züge werden ab 1996 rollen. Dennoch soll das ICE-Netz erweitert und mit gigantischem Finanzaufwand verwirklicht werden. Vester hat kalkuliert, daß die Bahn fürs gleiche Geld mit NeiTech

22. *Der CyberTran®, ein ultraleichter und energieeffizienter Hochgeschwindig-keitszug, läuft auf einem Hochgleis über der Straße.*

wesentlich mehr Menschen von der Straße und vom Flugzeug abziehen könnte und die Ressourcenproduktivität um etwa einen Faktor 4 verbessern könnte.

CyberTran®

Wenn es schon ein ganz neues System sein soll, so sollte man aus Kosten- und Umweltgründen nicht an den Transrapid oder ICE denken, sondern an CyberTran®. Den hat sich die Gruppe Advanced Transportation Systems (ATS) am Idaho National Engineering Laboratory in Idaho Falls in den USA ausgedacht – ausgerechnet in dem Land, welches die Schiene in den letzten achtzig Jahren am sträflichsten vernachlässigt hatte. Cyber-Tran braucht nur ein Zehntel der Energie, die man pro Personenkilometer für das Auto oder Flugzeug benötigt; er ist mehr als doppelt so energieeffizient wie die europäische Eisenbahn (alle Daten aus Dearien u. Plum, 1993).

157

CyberTran ist ein ultraleichtes, ferngesteuertes Schienenfahrzeug ohne Zugführer. Jeder Wagen hat zwölf großzügig bemessene Sitzplätze; für Kurzstrecken kann man die Zahl der Plätze auf zweiunddreißig erhöhen. Jeder Wagen ist Lokomotive und Waggon in einem und wiegt mit rund 5000 kg ein Zehntel dessen, was eine europäische Lokomotive und 12 Wagen zusammengenommen durchschnittlich wiegen. Das Langstreckenmodell hat einen der Business class von Flugzeugen vergleichbaren Komfort. Dennoch ist jeder Wagen, aus Glasfaserverbundstoffen auf Stahlrahmen gebaut, nur 11,5 m lang, weniger als 2 m breit und kann kostengünstig in Massenfertigung hergestellt werden. Das äußere Erscheinungsbild kann je nach Bedarf abgeändert werden; das technische Design ist umwerfend einfach.

CyberTran wird von zwei 75-kW-Elektromotoren angetrieben und kann bis zu einer Geschwindigkeit von 240 km/h auf einem aufgestelzten Schienenweg fahren. Seine Stahlräder laufen auf zwei einfachen Stahlgleisen, die an eine horizontale Stahlplatte geschweißt sind. Die Reibung auf der kleinen Kontaktfläche reicht aus, um CyberTran Steigungen von 10–20% bewältigen zu lassen. Das Hochgleis ist so schmal (weniger als 4,3 m für den Zweiwegeverkehr), daß die meisten Straßen problemlos damit überbaut werden könnten. Die Stützpfeiler sind 12–15 m voneinander entfernt und belegen nur etwa 3% der Planfläche des Systems. Die Lärmbelästigung liegt weit unter der, die ein normaler Zug oder ein Dieselbus verursacht.

Die Effizienz des CyberTran-Systems ist darin begründet, daß es so extrem leicht ist. Die bescheidene Größe und das Leichtgewicht eines einzelnen Wagens erklären die im Vergleich zu herkömmlichen Gleisen und Zügen erheblich niedrigeren Baukosten und den geringen Energieverbrauch pro Personenkilometer. Die CyberTran-Gleiskonstruktion ist pro Kilometer gut siebenmal billiger als die einer normalen Bahnstrecke und fünfmal billiger als ein Kilometer (amerikanische) Autobahn. Die Hersteller rechnen deswegen mit kostendeckenden Fahrpreisen zwischen 10 und 20 Pfennig pro Kilometer.

Der CyberTran ist auch deshalb effizient, weil er nur nach Bedarf fährt, also von einzelnen Fahrgästen gerufen und genutzt werden kann und so direkt wie möglich das gewünschte Ziel ansteuert. Außerhalb der Stoßzeiten werden CyberTrans über das ganze Netz geparkt, um schnell überall verfügbar zu sein (etwa alle paar Kilometer). Da CyberTran ohne Fahrer auskommt, kann das System solche Ruhezeiten ohne Kostenbelastung aushalten. Die Passagiere können jederzeit mit dem Steuerterminal kommunizieren.

Entfernungen bis 500 km legt der CyberTran ebenso schnell wie das Flugzeug zurück, wenn man die Zeit einberechnet, die man für die Fahrt zum Flughafen, für das Einchecken usw. braucht. Und im Vergleich zu Autos ist der CyberTran bei Entfernungen von einigen hundert Kilometern etwa dreimal schneller. Im Gegensatz zum Flugzeug kann CyberTran auch bei schlechtem Wetter fahren.

Die Marktchancen sollten wie bei der Bahn im Bereich der Mittelstrecken liegen. Der Platzbedarf ist durch die Stelzen, die man vernünftigerweise über Straßen oder Flüsse baut, wesentlich geringer als der jedes konkurrierenden Systems. Für Ballungsräume in Entwicklungsländern, die sich teure Bahnen schlecht leisten können, kann CyberTran auch im Bereich von 100 und weniger Kilometern eine Nische füllen.

Es bleibt abzuwarten, wer sich diese höchst wirtschaftliche und effiziente Erfindung zuerst zunutze machen wird. Die Stadt Boise in Idaho möchte eine Teststrecke bauen, die vielleicht zu dem Lockheed-Gelände in Idaho Falls führt, zu welchem derzeit für fünftausend Mitarbeiter hundertdreißig Pendelbusse verkehren.

Und noch ein Nachwort zum Transrapid: Würde dieser für Geschwindigkeiten um 250 bis 300 statt 450 bis 500 Stundenkilometer ausgelegt, dann hätte er – ähnlich wie der CyberTran – erhebliche Vorteile: hohe Energieeffizienz, Kurvengängigkeit, minimale Lärmbelastung, geringer Flächenbedarf, hoher Fahrkomfort. Er bräuchte dann auf Hauptstrecken auch nicht wesentlich teurer zu sein als CyberTran. Wenn sein Magnetschienenstrang auch noch durch die Hauptbahnhöfe geführt würde, könnte er sogar eine ganz vernünftige – und exportfähige – Ergänzung zur klassischen Eisenbahn werden.

7. Curitiba: Eine Stadt im Aufwind mit kluger Verkehrspolitik

Curitiba ist die Hauptstadt des Staates Paraná im Süden Brasiliens, etwa 400 km südlich von São Paulo. Die Zahl ihrer Einwohner ist in den vergangenen fünfundzwanzig Jahren um das Dreifache auf 1,6 Millionen angewachsen, um mehr als das Zehnfache seit 1950. Doch trotz dieser phänomenalen Wachstumsrate ist Curitiba eine der angenehmsten Städte Brasiliens, wenn nicht sogar der Welt.

Curitibas Erfolg liegt an der selbstauferlegten Verpflichtung, einen 1964 für die Stadt entworfenen Entwicklungsplan unter sorgfältiger Integration von Landnutzung und Transport zu erfüllen und zu verbessern. Dieser Entwicklungsplan unterscheidet zwei Verkehrsachsen, die von drei Parallelstraßen bestimmt sind. Die mittlere ist für den Massentransfer, die beiden äußeren sind als Einbahnstraßen für den Restverkehr bestimmt. Bevor der Plan angenommen wurde, kaufte die Stadt entlang dieser Achsen Land und baute dort preisgünstige Wohnungen, um auch Ärmeren den Zugang zum Zentrum zu ermöglichen. Seit 1964 wurden den ursprünglich zwei Hauptachsen drei weitere Achsen hinzugefügt.

Eine der Hauptursachen für Curitibas Erfolg ist das vom dreimaligen Bürgermeister Jaime Lerner erdachte Transitsystem. Als Lerner 1971 zum ersten Mal Bürgermeister wurde, war das Auto trotz des Entwicklungsplans massiv auf dem Vormarsch. Lerner erkannte, daß der Autoverkehr zu einem Verkehrschaos in der Stadt führen würde. Da sich Curitiba den Bau einer U-Bahn nicht leisten konnte, ließ Lerner ein anderes Verkehrssystem entwickeln, in der Hoffnung, daß dies ähnlich gut sei – aber in der Anschaffung fünfhundertmal billiger.

Jaime Lerner schuf ein Netz von Bussen, die auf den Transitwegen entlang der Achsen fahren und Menschen aus verschiedenen Regionen zu den Achsen bringen. Diese Lösung wurde sofort von der Bevölkerung angenommen, und das Netz mußte immer wieder radikal ausgebaut werden, um der von 50 000 Fahrgästen pro Tag (1974) auf 800 000 pro Tag (1994) anschwellenden Nachfrage gerecht zu werden. Heute bewältigt das Bussystem ein gut viermal so hohes Fahrgastaufkommen wie herkömmliche Systeme. Eine Übersicht über die gesamte Entwicklung geben Rabinovich und Leitman (1996).

Dieser bemerkenswerte Faktor 4 erklärt sich wie folgt: Eine erste Verdoppelung der Leistungsfähigkeit rührt von den eigenen Busspuren her. Die Suche nach weiteren Verbesserungen, die wegen der steigenden Nachfrage notwendig wurden, führte zum Einsatz längerer Gelenkbusse. Diese ergaben eine weitere Kapazitätserhöhung um gut 25%.

Ein weiterer Schritt betraf das zeitraubende Einsteigen mit Fahrscheinkontrolle. Statt dessen wurden an den Haltestellen röhrenförmige Gehäuse aus Stahl und Glas gebaut, bei deren Betreten die Fahrgäste den Fahrpreis bezahlen. Beim Halten öffnet der Bus alle Türen, und die Passagiere steigen wie in U-Bahnhöfen ungehindert ein und aus. Da die Haltestellen auf gleicher Ebene liegen wie der Innenraum des Busses, wird

23. *Eine der Hauptverkehrsadern in der brasilianischen Großstadt Curitiba.*
Das vorbildliche Stadtbus-Verkehrssystem wird von der Bevölkerung stark
genutzt und muß daher nicht subventioniert werden, sensationell für eine Stadt
in der dritten Welt (Foto: J. Rocha/Stadtverwaltung Curitiba).

das Einsteigen (auch für Rollstuhlfahrer) erleichtert. So wird die Haltezeit
dermaßen verkürzt, daß in Stoßzeiten jede Minute ein Bus anhalten kann.
Das ergab erneut einen Gewinn von etwa 25%.

Die neueste Vergrößerung des Transportsystems besteht in zweifach
unterteilten Bussen, die im Extremfall bis zu dreihundert Passagiere
transportieren können. Dieser neue, in Curitiba entwickelte Bustyp erhöht
den Durchfluß im Transitsystem noch einmal um über 25%. Insgesamt
erreichen die verschiedenen Stufen eine – oben bereits genannte –
Erhöhung der Kapazität um satte 300% beziehungsweise um einen Faktor 4.

Für die Stadt ist diese gewaltige Effizienzverbesserung zugleich eine
Investitionsersparnis, weil die Busse mehr fahren als stehen, also weniger
Busse angeschafft werden müssen. Und durch das Vermeiden von im Stau
stehenden oder an Haltestellen aufgehaltenen Bussen nimmt die relative
Luftverschmutzung ab und die Rentabilität zu.

Die jüngste Verbesserung betrifft die bessere Erschließung der inzwischen weit vorgelagerten Vororte. Dies wurde durch die Einführung von

Expreßbussen und den Bau von zwanzig Umsteigebahnhöfen erreicht, welche die Achsenstrecken mit den Umgehungsstrecken und Vororten verbinden. Den relativ günstigen Einheitsfahrpreis von umgerechnet 50 Pfennig für alle Strecken können sich auch die ärmeren, meist in den Vororten lebenden Einwohner leisten. Und in der Tat benutzen fast 75% der Pendler täglich den Bus.

Curitibas Bussystem kommt ohne Subventionen aus, was bemerkenswert ist in einer Stadt der dritten Welt. Die Fahrpreise decken die Kosten der privaten Betreiber, die mit der Stadt zusammenarbeiten. Die Stadt baut und unterhält die Infrastruktur wie Straßen, Umsteigebahnhöfe und Haltestellen, während lizensierte Unternehmer die Busse besitzen und betreiben. Die Privatunternehmen werden von der Stadt pro Streckenkilometer bezahlt, nicht pro Passagier, so daß sie einen Anreiz haben, das gesamte Stadtgebiet abzudecken. Das Streckennetz in und um Curitiba beträgt rund 500 km.

Der Benzinverbrauch in Curitiba liegt im Vergleich zu ähnlich großen brasilianischen Städten um 30% niedriger, und Curitiba hat die beste Luft aller brasilianischen Städte. Zwar gibt es in Curitiba pro Kopf mehr Autobesitzer als in manch anderen brasilianischen Städten, aber sie lassen das Auto meistens zu Hause stehen.

Als Teil des integrierten urbanen Entwicklungsplans, mit dem die Stadt den Wachstumsprozeß lenkt und kontrolliert, hat das Bussystem auch dazu beigetragen, daß die Stadt es sich leisten kann, wesentlich mehr Grünflächen freizuhalten. Mit über 50 qm Freifläche pro Einwohner hält Curitiba einen Rekord.

Zur ökologisch integrierten Planung gehört auch die Müllbeseitigung mit systematischem Recycling, welchem zwei Drittel aller Abfälle zugeführt werden, ferner die sozialen Dienste (u. a. Essensversorgung) sowie ein für die dritte Welt vorbildliches Schulsystem. Auch der Katastrophenschutz, den die Stadt, weil sie wegen regelmäßig von Überschwemmungen bedroht wird, benötigt, funktioniert ausgezeichnet.

Und was passiert wohl mit den Bussen, wenn sie einmal außer Dienst genommen werden? Sie werden in der Regel nicht verschrottet, sondern zu schmucken Schulräumen, Kindergärten oder mobilen Kliniken umgebaut. Das ist allerdings nicht in jeder Klimazone der Welt nachahmenswert.

In Europa gibt es wenigstens ansatzweise ähnliche Entwicklungen wie in Curitiba. In Zürich, Karlsruhe, Bologna und einigen anderen Städten

haben die Stadtväter und -mütter dem öffentlichen Verkehr Priorität ein-
geräumt, die Autozufahrt zur Innenstadt erschwert und die Bus- und
Bahnsysteme soweit wie möglich benutzerfreundlich gestaltet. Der
Lebensqualität in diesen Städten (und den Immobilienpreisen) hat das
entgegen vorherigen Unkenrufen nur gutgetan. Dabei ist aber bisher kein
Faktor 4 erreicht worden. Daher führen wir diese Beispiele hier nicht aus,
sondern empfehlen interessierten Lesern die neueste Literatur: Vester
(1995) und Petersen u. Schallaböck (1995).

8. Stattautos: Teilen statt besitzen

In Deutschland oder erst recht in den USA wäre es illusorisch, den Stadtverkehr in absehbarer Zeit weitgehend auf Busse (und Bahnen) zu verlagern. Der Siegeszug des Autos hat die Straßen, die Siedlungen und die
Mobilitätsbedürfnisse derart geprägt, daß die meisten Menschen glauben,
sie seien auf ein Auto angewiesen. Dabei können sich viele in unseren
Städten finanziell gar kein Auto leisten. Andere wüßten gar nicht, wo sie
es parken sollten. Und wieder andere denken praktisch und finden es
lästig, ein Auto zu besitzen, wenn es die Möglichkeit gibt, gelegentlich
auf eines zurückzugreifen, und wenn im übrigen ein brauchbares öffentliches Nahverkehrssystem existiert. Ihnen kann seit einiger Zeit geholfen
werden: mit dem »Stattauto«. In vielen europäischen Städten haben
jeweils mehrere hundert Personen Autopools eingerichtet. Familien und
Einzelpersonen tun sich zusammen und kaufen ein paar Dutzend Autos,
die allen gehören und allen zur Verfügung stehen.

Die Aufnahme in eine *Stattauto*-Gemeinschaft kostet einmalig etwa
1000 Mark. Zusätzlich investiert jedes Mitglied in einen Besitzanteil an
der Autoflotte weitere 1000 Mark und zahlt eine jährliche Mitgliedsge-
bühr von 120 Mark. Die Benutzung eines Autos kostet für Mitglieder
3,90 Mark pro Stunde und zusätzlich 52 Pfennig pro Kilometer. Mit diesen nicht ganz geringen Gebühren wird kein Profit erwirtschaftet, sondern nur die Flotte instand gehalten und gegebenenfalls erneuert.

Markus Petersen (1993) untersuchte das Berliner *Stattauto*-Modell, das
eine breite Popularität genießt. Zunächst wollte Petersen wissen, wie
viele Mitglieder ein Auto besaßen, bevor sie *Stattauto* beitraten: nur 21%.
Die anderen hatten entweder nie ein Auto besessen (7%), teilten sich
schon auf privater Basis mit Familienangehörigen oder Freunden ein

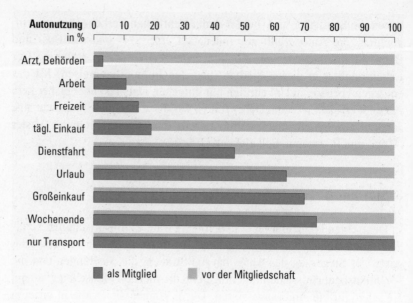

Autonutzung in %

| | als Mitglied | vor der Mitgliedschaft |

- Arzt, Behörden
- Arbeit
- Freizeit
- tägl. Einkauf
- Dienstfahrt
- Urlaub
- Großeinkauf
- Wochenende
- nur Transport

24. Stattauto-Teilnehmer benutzen Autos seltener. Die Abnahme der Nutzung hängt allerdings vom Einsatzzweck ab. Auffallend ist, daß der Anteil des Berufsverkehrs um fast 90% gefallen ist (Petersen, 1993, S. 192).

Auto (25%) oder hatten längere Zeit kein Auto besessen (43%). Nach ihrem Beitritt hatte die Hälfte der Mitglieder des Pools keine anderen Autos als die von *Stattauto* zur Verfügung.

Die *Stattauto*-Mitglieder sind mit der Serviceleistung sehr zufrieden. Die monatlichen Ausgaben fürs Auto sind für die ehemaligen Autobesitzer deutlich niedriger als vorher. Viele sind auch erleichtert, daß sie sich nicht ständig um Diebstahl oder Blechschäden Sorgen machen müssen. Die Autobenutzung für die Fahrt von und zur Arbeit ist bei den Teilnehmern zugunsten einer steigenden Nutzung von Fahrrad und öffentlichen Verkehrsmitteln gesunken, wie Abbildung 24 zeigt.

Stattauto hat auch seinen Faktor 4. Laut Petersen verminderte *Stattauto* den privaten Autobesitz um 105 Fahrzeuge (51 Mitglieder verkauften ihr Auto, 54 waren eingetreten, anstatt sich ein neues Autos zu kaufen). Andererseits wurden 27 Stattautos gekauft. Der tatsächliche oder hypothetische Wagenpark ist also von 105 auf 27 Autos gefallen, was einem Faktor 4 sehr nahekommt.

Außerdem reduzierte sich die Gesamtzahl der pro Person und Tag gefahrenen Kilometer, allerdings nur um einen Faktor 2. Stattautos sind also etwa doppelt so häufig gebraucht wie Privatwagen.

Wahre Kilometerpreise

Man kann davon ausgehen, daß die Reduktion der Autokilometer pro Person und Tag mit dem deutlichen Preissignal für jeden zusätzlichen Kilometer zusammenhängt. Normalerweise erfahren die Autobesitzer die wahren Kosten ihres Autos nur beim Kauf und beim Ärger über die Kosten von Reparaturen, Wartungsdiensten und Versicherungsprämien. Bei den jeweils gefahrenen Kilometern denken sie dagegen nur an die Benzinkosten. Dabei machen diese (in Europa) nur rund ein Fünftel der durchschnittlichen Gesamtkosten pro Kilometer aus, der Rest geht auf Wertverlust, Versicherung, Kfz-Steuern, Pflege, Reparatur und Parken; in einigen Ländern kommen noch Straßen-Maut oder Vignettengebühren dazu. Sämtliche Kosten werden beim Stattauto auf den gefahrenen Kilometer (und zu einem geringeren Teil auf die Nutzungsstunde) umgelegt.

Würden alle Autobesitzer die wahren Kilometerpreise sofort bezahlen, würden sie zweifellos ein besseres Bewußtsein für die wahren Kostenrelationen zwischen Personenkraftwagen und anderen Verkehrsmitteln entwicklen. Das könnte man auch herbeiführen. Ein erster Schritt wäre die Umlagerung der gesamten Kfz-Steuer auf die Fahrleistung, sei es mittels elektronisch gesteuertem *road-pricing*, sei es mittels Treibstoffsteuern; das ist eine Forderung der SPD – zumindest gewesen. Ein zweiter Schritt wäre, wie in Kalifornien, die Versicherungsprämien über einen Preiszuschlag des Benzins an der Zapfsäule einzuziehen (vgl. Kap. 6, S. 213).

Als dritten und größten Schritt würden die Autohersteller ihre Wagen verleasen statt verkaufen und ein Großteil der Leasing-Gebühr pro Kilometer berechnen. Dann lägen die Kilometerpreise wie beim Stattauto über 50 Pfennig; bei größeren Karossen eher bei einer Mark. Autobesitzer hätten dann einen Anreiz, das Auto nur noch zu benutzen, wenn es wirklich nötig ist, und sie würden die S-Bahn, U-Bahn, Straßenbahn, den Bus (und das Fahrrad) als sehr kostensparende Alternative wieder schätzenlernen. In einer Stadt wie Berlin könnten die öffentlichen Verkehrsmittel vielleicht mit etwa einer Million neuer Kunden rechnen. Und der Finanzsenator wäre wie der Stadtkämmerer von Curitiba mit seinem Nahverkehr äußerst zufrieden. (Man wird doch auch einmal ein bißchen träumen dürfen!)

9. Ohne Auto mobil: Ein Modell könnte Schule machen

Noch einen Schritt weiter als *Stattauto* geht die Idee des völligen Verzichts aufs Auto. Das war die Idee, die sich die Stadt Bremen zur Zeit ihrer rot-grünen Koalition zusammen mit der Wohnungsbaugesellschaft Gewoba ausdachte (Burwitz u. a., 1992): Ein Haus (für ca. 400000 DM) dürfte sich im Neubauviertel Hollerland nur kaufen, wer vertraglich zum Verzicht auf ein eigenes Auto bereit wäre. 290 Familien erklärten ihr Interesse. Als es allerdings 1995 ernst wurde, blieben nur vier übrig. Ob der Versuch fortgesetzt wird, ist noch offen (vgl. TAZ, 11. Dez. 1995, S. 7: »Die Autofront bröckelt nicht«).

Die Idee autofreier Mobilität ist nicht unbedingt von ökologischen Überlegungen motiviert, vielmehr spielt auch die Erfahrung einer höheren Lebensqualität eine wichtige Rolle. Unter bestimmten Bedingungen empfinden viele Menschen ein Leben ohne Auto als sehr angenehm, selbst wenn sie sich nicht bewußt gegen ein Auto entschieden haben, sondern weil sie sich finanziell einfach keines leisten können. Mit »bestimmten Bedingungen« sind hier vor allem nahe gelegene Kindergärten, Schulen und Geschäfte sowie die Qualität der Nahverkehrsanbindung und der Freizeitmöglichkeiten in der näheren Umgebung gemeint.

Aber Mitbürgerinnen und Mitbürger ohne Auto haben selten die Gelegenheit, über ihre Erfahrungen zu reden und die Bedingungen für ein angenehmes autofreies Leben zu definieren. Vielleicht gehen Stadtplaner deshalb wie selbstverständlich davon aus, daß das Auto planerisch die Hauptrolle spielen muß, weil üblicherweise niemand ein gegenteiliges Interesse äußert. Die heutigen Planungs- und Bauvorschriften lesen sich wie Fürsorgeblätter für das Auto. Sie lassen es gar nicht zu, Stadtviertel ohne Parkplätze, Zufahrten und autogerechte Straßen zu bauen.

In Bremen wollte man hören, was die Menschen, die ohne Auto lebten, von ihren Erfahrungen zu berichten hatten. Man wollte ihnen das Leben in der Stadt angenehmer machen. Und so wurden die an Hollerland Interessierten eingeladen, sich an der Planung des Viertels zu beteiligen. Nun gehört die Stadtplanung nicht gerade zu den täglichen Aufgaben normaler Bürger. Vielleicht trug dies zum anfänglichen Mißerfolg bei.

Die Bewohner von Hollerland sollten natürlich Taxis benutzen oder für die Ferien Autos oder Wohnwagen mieten können. Lieferfahrzeuge, Feuerwehrautos und Krankenwagen sollten weiterhin Zufahrt haben, und Besucher, die mit dem Auto ankommen, würden nicht zurückgewiesen.

Man wird, um das Modell trotz des geringen Interesses noch zum Erfolg zu machen und den prospektiven Eigentümern die Angst um den Wiederverkaufswert der Häuser zu nehmen, Kompromisse eingehen. So muß die Zugehörigkeit zu einem Stattautoring (Beispiel 8) als hinreichend »autofrei« anerkannt werden.

Trotz des enttäuschenden Verlaufs in Bremen scheint das Modell Schule zu machen. In Nürnberg entwirft man ähnliche Pläne für Straßenzüge im Innenstadtbereich. Auch im Ausland, so in Amsterdam und Edinburgh, wird das Modell nachgeahmt, und einige um ihre ebenso malerischen wie engen Innenstadtbezirke besorgte italienische Städte haben den Verkehr ohnehin längst eingeschränkt.

In Bielefeld hat man ein ähnliches Projekt wie in Bremen in Angriff genommen. Doch die Bewohner der hundertdreißig neuen Wohnungen in Bielefeld-Waldquelle werden nicht nur mit wenigen Autos auskommen, sondern auch 70% weniger Wasser verbrauchen, alle organischen Abfälle inklusive der Fäkalien kompostieren, in Häusern wohnen, die mit regionalen Materialien (hauptsächlich Holz und Ziegelsteine sowie Dachziegel auf Tonbasis) gebaut wurden, und sie werden den Großteil ihrer Lebensmittel von nahe gelegenen Biobauern beziehen. Hans-Friedrich Bültmann, der Initiator des Projekts, sorgte dafür, daß innerhalb des neuen Dorfes »Waldquelle« auch ein Gewerbezentrum mit zwei- bis dreihundert Arbeitsplätzen gebaut wird, so daß viele Anwohner zu Fuß zur Arbeit gehen können. Weiterhin wird es reizvolle Freizeitmöglichkeiten und ein Naherholungsgebiet geben, darunter auch ein kleiner, neu angelegter See in oder am Rande der Siedlung.

Die »Transportintensität« der Bewohner von »autofreien« Stadtvierteln wird sich im Mittel um deutlich mehr als einen Faktor 4 reduzieren. Die zurückgelegten Straßenbahn- oder Buskilometer werden dabei wegen des wesentlich geringeren Ressourcenverbrauchs geringer gewichtet als Autokilometer.

10. Verdichtung statt Zersiedelung: Das neue Stadt- und Dorfgefühl*

Ein hohes Verkehrsaufkommen resultiert häufig aus schlechten Siedlungsstrukturen. Wir brauchen vielleicht einfach neue Visionen vom Zusammenleben und von der verkehrsvermeidenden Zuordnung verschiedener Lebensfunktionen.

Der britische Thronfolger Prinz Charles schrieb auf dem Höhepunkt seiner Popularität ein Buch, eine Vision für Großbritannien, welche sich in erster Linie mit der Sanierung der heruntergekommenen britischen Städte befaßte (Wales, 1989). Er spricht darin die Hoffnung aus, daß es »städtische Dörfer« geben wird, in denen das menschliche Maß, die Vertrautheit, das lebendige Straßenleben den Menschen Zugehörigkeitssinn und Heimatstolz wiedergeben. Ganz im Sinne dieser Hoffnung arbeitet eine Gruppe von Architekten an der Aufgabe, vor allem den gemeinschaftsgefährdenden Autoverkehr zu vermindern.

Nachdem ein halbes Jahrhundert daran gearbeitet wurde, die Stadt »autogerecht« zu machen, kommen jetzt wieder neue Ideen in die Stadtplanung. Architekten und Planer erkennen, daß eine dichtere Bebauung, engere Straßen, verkehrsberuhigende Einrichtungen, begehbare (und bespielbare) Freiräume und naturbelassene Flecken nicht nur ästhetisch erfreulich, sondern auch wirtschaftlich wertvoll sein können. Das Schlagwort heißt »neo-traditionsreich«; man spricht auch von der fußgängerorientierten Planung. Sie führt auch zur energieeffizientesten und zugleich sozialsten Form des Zusammenlebens. Ökologisch orientierte Planer wollen nicht nur das Wohnen umweltverträglich machen, sondern auch die räumliche Beziehung zwischen Wohnen und Arbeiten und der Produktion des Lebensnotwendigsten wiederherstellen.

Zu solchen eher kulturellen oder ökologischen Motiven kommt eine starke wirtschaftliche Triebfeder: die explodierenden Kosten der Distanz,

---

* Wir verdanken den Entwurf für diesen Abschnitt Bill Browning. Von Bremen-Hollerland usw. hatte er beim Schreiben noch nichts gehört, und wir haben dieses Unterkapitel absichtlich nicht in das vorhergehende integriert. Wir haben auch darauf verzichtet, den Text in ein explizites Faktor-4-Beispiel zu zwängen; es ist aber sehr wahrscheinlich, daß die Bewohner der hier beschriebenen Neubauquartiere im Vergleich zu Durchschnittsamerikanern weit mehr als einen Faktor 4 an Ressourcen einsparen.

der Zersiedlung (»The Costs of Sprawl«: RERC, 1974; Frank, 1989). In dieser klassisch gewordenen amerikanischen Studie werden die Kosten hoher Verdichtung mit denen der Zersiedlung verglichen – mit vernichtenden Ergebnissen für die letzteren. Für die verdichtende Bebauung wurde eine Kosteneinsparung von 35% errechnet. Dabei ist immer noch die Hälfte der Fläche als Freiraum vorgesehen.

Die neuen Gedanken kamen etwa um 1980 in dem als umweltbewußt bekannten Davis, Kalifornien, zum Tragen, wo insbesondere der Planer Michael Corbett (1981) sein Village-Homes-Projekt mit zweihundert Gebäuden auf 28 ha Land verwirklichte: eine ausgesprochene Mischbebauung mit recht engen Straßen, Grünflächen mit Obstbäumen, eingestreuten bäuerlichen Betrieben. Selbstverständlich nutzt das »Dorf« mitten in der Stadt Sonnenenergie und verfügt über eine eigene biologische Abwasserkläranlage. Zwei verschiedene Zugänge zu jedem Haus, vorne für Fußgänger, hinten für Autos, verbannten letztere weitgehend aus dem Erscheinungsbild. Ein höchst erfreuliches Nebenergebnis der neuen Dörflichkeit stellte man viel später fest: Die Kriminalität ging auf ein Zehntel der »ortsüblichen« zurück.

In dem neuen Dorf erledigt man die meisten Wege zu Fuß oder mit dem Fahrrad. Gewerbliche Tätigkeiten im Wohngebiet, ja sogar im Wohnhaus sind nicht nur erlaubt, sondern ausdrücklich erwünscht. Aber für eine regelrechte Arbeitsplatzansiedlung hat es bei dem Projekt nicht gereicht. Lediglich »städtische Landwirtschaft« unter Einschluß von (organischem) Obst-, Nuß- und Mandelbaumanbau wurde aktiv angesiedelt. Die Mandelverkäufe erbringen genug Geld, um fast die gesamten Pflegekosten für die öffentlichen Grünanlagen bezahlen zu können.

Die engeren Straßen wirken verkehrsberuhigend, sind kostengünstiger, raumsparender und sorgen im Sommer für ein gutes Mikroklima, da die Bäume die ganze Straße beschatten, was 6–8 °C Abkühlung bringt. Dies wiederum senkt die Stromkosten für Luftkühlung. Durch die Oberflächenentwässerung anstelle der üblichen Kanalisation sparen die Anwohner pro Haus gut 2000 Mark, genug, um die zusätzlichen Kosten der Landschaftsarchitektur abzudecken.

Der größte wirtschaftliche Gewinn ergab sich daraus, daß die Wohnungen im Preis stiegen und bald die höchsten Steigerungsraten in der Stadt aufwiesen. Natürlich ist nicht leicht auseinanderzuhalten, ob der heutige Mehr-Wert von etwa 300 DM/qm gegenüber Vergleichswohnungen auf die grüne Lage oder die Verkehrsberuhigung zurückzuführen ist.

Ähnliche Erfahrungen hat man mit der 1991 eröffneten Wohnanlage Laguna West bei Sacramento mit dreitausend Wohneinheiten gemacht. Auch hier regieren die Fußgänger, und auch hier haben sich gewerbliche Betriebe angesiedelt.

Nachdem die Behörden sich anfangs gegen die engen Straßen ausgesprochen hatten, weil Müll-, Feuerwehr- und andere Funktionsautos angeblich normierte Straßenbreiten brauchten, konnten sie von den Anwohnern mit viel Mühe überzeugt werden, daß die engen Straßen keine Gefahr für Leib und Leben der Bewohner sein würden; die Ausnahme wurde gestattet. Bang fragt man sich als deutscher Leser, ob hiesige Behörden es jemals gestatten würden, sich gegen eine bestehende Vorschrift überzeugen zu lassen.

Aber seien wir nicht ungerecht gegen Europa. Die Amerikaner in Laguna West feierten die Wiederentdeckung der Dörflichkeit als Wiederentdeckung europäischer Tugenden. Die Planer schenkten ihnen einen wunderschönen 30 ha großen See, um den herum sich die meisten der fast zweitausend Einfamilienhäuser gruppieren. Kein Wunder, daß sich auch diese neue Dorfidylle für die Immobilienmakler, die das Projekt initiiert hatten, äußerst reichlich bezahlt machte.

Eine dritte derartige Mustersiedlung ist nahe Washington im Bundesstaat Virginia zu finden. Auch hier ist die Begeisterung der Anwohner groß. Aber es ist noch zu früh, eine Trendwende in der von den Straßenbauern versklavten US-amerikanischen Kultur feiern zu können. Für die am Gewinn orientierte Kultur ist es zumindest ein aufregendes Signal, daß man in diesem Land mit »Negaautos« und »Negareisen« gutes Geld verdienen kann (vgl. die Diskussion über Negawatts in Kap. 5).

Meßergebnisse über die Höhe der Einsparungen, die sich mit der »neuen Möglichkeit« erzielen lassen, liegen noch nicht vor. Ein Faktor 4 ist jedoch unbestritten erreichbar.

TEIL II:

Die Umsetzung:
Effizienz muß sich lohnen

Im ersten Teil des Buches berichteten wir von fünfzig verschiedenen Möglichkeiten, den Faktor 4 zu erreichen. Der wirtschaftliche Umsatz, der mit einer Verwirklichung dieser fünfzig Beispiele einherginge, wäre gigantisch. In der Einleitung haben wir darüber gesprochen: vielleicht das Hundertfache des gesamten Umsatzes der Gentechnik. Und dennoch finden sich so gut wie keine Börsenanalysten, die sich mit der Effizienzrevolution beschäftigen. Da kann doch etwas nicht stimmen.

Was ist da los? Sind unsere Beispiele technologisch nicht korrekt? Kaum. Sie scheinen uns im Gegenteil technisch näher an der Praxis als viele der biotechnologischen Verheißungen, die soviel Aufmerksamkeit und Anlagekapital auf sich ziehen.

Oder läuft die Effizienzrevolution dem Wirtschaftswachstum zuwider und hat deshalb bei unserer auf Dauerwachstum angelegten Wirtschaft keine Chancen? Umsatzfanatiker sind über extrem haltbare Möbel, autofreie Stadtteile oder die transportarme Joghurtherstellung sicher unglücklich. In dieser Erklärung steckt ein Körnchen Wahrheit. In unserer Wirtschaft gibt es allerlei Mechanismen, die tatsächlich den Umsatz fördern und nicht das Wohlergehen. So ist etwa die gesamte Investitionspolitik umsatzfördernd organisiert. Einige der von uns vorgedachten Effizienzverbesserungen müßten sich tatsächlich gegen solche Mechanismen durchsetzen, um in der Praxis zum Zuge zu kommen. In Kapitel 12 gehen wir auf die Grundsatzfrage ein, ob unsere Wirtschaftsform überhaupt mit schlankmachenden Effizienzfortschritten gut leben kann. Unsere Antwort fällt positiv aus. Das ist nicht so überraschend. Schließlich war es ja die Privatwirtschaft selbst, die sich von der Umsatzorientierung der sechziger und siebziger Jahre zur Ergebnisorientierung fortentwickelt hat.

Eine ganz andere Erklärung für die fehlende Beschäftigung mit der Effizienzrevolution könnte sein, daß es an kaufkräftiger Nachfrage nach Effizienz fehlt. Man könnte die Effizienz dann mit einem Heilmittel für eine seltene tropische Krankheit vergleichen, dessen Nutzen niemand leugnet, das sich aber die Kranken finanziell gar nicht leisten können, so daß sich die Herstellung für einen Pharmakonzern nicht lohnt (und dann oft die Weltgesundheitsorganisation, eine staatliche Stelle oder eine wohltätige Stiftung aushilft). Befriedigend ist dieser Erklärungsversuch aber auch nicht. Denn wir reden doch hier nicht von einem kleinen, isolierten Problem, mit dem sich allenfalls irgendwelche Wohltätigkeitsorganisationen abgeben. Vielmehr steht die Faktor-4-Revolution im Zentrum der Weltproblematik, wie es der Club of Rome ausdrückt. So sieht es auch der Präsident des Club of Rome in seinem Geleitwort zu diesem Buch. Wenn die hier geschilderte technologische Revolution im Zentrum der beim Erdgipfel von Rio de Janeiro diskutierten Jahrhundert-Herausforderungen steht, dann kann sie doch nicht an mangelnder Kaufkraft scheitern.

Die Faktor-4-Revolution wird dringend gebraucht, und sie ist technologisch realistisch. Was fehlt also? Nun, in der Marktwirtschaft kann es sich eigentlich nur um die Rentabilität handeln, die nicht eindeutig gegeben ist. Aber nicht mangels Kaufkraft, sondern weil es allenthalben noch Informationsdefizite, Hemmnisse und falsche Anreizstrukturen gibt.

Gewiß sind viele der genannten Beispiele bereits rentabel – insofern, als sich die Investitionen nach einer gewissen Zeitspanne bezahlt machen. Aber sie stehen im Wettbewerb um knappes Kapital mit anderen Investitionsmöglichkeiten, die einfach noch profitabler sind. In vielen Fällen, vor allem bei Investitionen von Privathaushalten muß die Ressourceneffizienz zudem mit dem angenehmen Nichtstun konkurrieren, das zwar vielleicht weniger profitabel ist, aber auch weniger Mühe und Ärger verursacht. Und vielfach hat derjenige, der das Geld aufbringen müßte, etwa der Eigentümer eines Mehrfamilien-Mietshauses, gar nicht den Vorteil von den anschließend gesparten Heizkosten, also wartet er eben ab.

Mit anderen Worten, die Anreizstrukturen in unserer Gesellschaft sind der Effizienzrevolution nicht förderlich. Das darf uns nicht verwundern. Historisch wurden die meisten Anreize entwickelt, um Wohlstandsentwicklung, technischen Fortschritt oder militärische Stärke zu fördern. In allen drei Fällen erschien es nützlich, die Entdeckung und effektive Ausbeutung natürlicher Ressourcen zu forcieren. Den Fortschritt förderten großenteils neue Maschinen, die Muskelkraft durch Energie ersetzten, aber auch das Transportwesen, der Bau von immer schnelleren Fahrzeugen, von Straßen, Bahnstrecken und Flughäfen. In den hundertfünfzig Jahren der Industrialisierung gab es außer in Kriegs- und Embargozeiten einfach keinen Grund, Ressourceneffizienz bewußt zu fördern.

Kein Wunder also, daß in dieser noch weltweit vorherrschenden Anreizsituation das Kapital üblicherweise Bedingungen vorfindet, die es rentabler machen, immer wieder in eine Ausweitung des Ressourcenverbrauchs sowie in die Erhöhung der Arbeitsproduktivität unter Inkaufnahme höherer Ressourcenverbräuche zu investieren. Das Kapital erwartet typischerweise Renditen von mindestens 15% pro Jahr. Diese Rate ist, wenn man sich die Ressourceneffizienz zum Ziel gesetzt hat, nicht leicht erreichbar. Aber immerhin konnten wir ja einige eindrucksvolle Beispiele viel höherer Gewinnraten aufzeigen.

Gewiß gab es auch in der Vergangenheit schon Fortschritte in Richtung Ressourceneffizienz. Typischerweise nahm die relative Ressourcenintensität (also das Gegenteil der Effizienz) in der Frühphase der Indu-

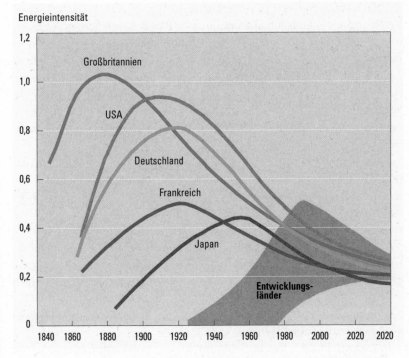

25. *Energieintensität und Entwicklung. Energieintensität ist der Kehrwert der Energieproduktivität, das heißt das Verhältnis zwischen Gesamtenergieeinsatz und Bruttosozialprodukt (in Äquivalenten einer metrischen Tonne Öl/1000 US-Dollar). In der Frühphase der Industrialisierung nahm die Energie- oder Ressourcenintensität zu, erreichte einen Gipfel und nahm dann wieder ab (Scientific American, 1989).*

strialisierung ständig zu, erreichte einen Gipfel und nahm dann wieder ab. Abbildung 25 zeigt dies für eine Reihe von Ländern und Weltregionen. Dieses Bild ist aber in bezug auf die tatsächliche Ressourcennutzung irreführend: Auch in der Spätphase nahm der *absolute* Ressourcenverbrauch meist noch deutlich zu. Wir gehen in Kapitel 9 wieder darauf ein. Im übrigen kam der in dem Bild gezeigte Effizienzfortschritt ohne besondere Absicht zustande. Er war eher ein Nebenprodukt des allgemeinen technischen Fortschritts.

In den alten Industrieländern, die sich im Stadium der industriellen Reife befinden, kann ein Wachstum der makroökonomischen Energieproduktivität von etwa 1% jährlich beobachtet werden. Ein Teil dieser Zunahme erklärt sich allerdings aus der Verlagerung der Schwerindustrie und anderer energieintensiver Sektoren in weniger entwickelte Länder. Selbst wenn wir gänzlich überoptimistisch davon ausgingen, daß der normale Prozeß von Industrialisierung, Reifung und Abnahme der Energieintensität heute schon global zu einer Verbesserung der Energieeffizienz um 1% pro Jahr führen würde, so hätten wir aus ökologischer Sicht das Rennen dennoch bereits verloren. Das liegt daran, daß wir für das Wirtschaftswachstum Raten von deutlich über 1% beobachten und auch begrüßen, so daß der Energieverbrauch immer noch exponentiell wachsen würde.

Bei einem jährlichen globalen Wirtschaftswachstum von durchschnittlich 3% müßte die Ressourcenproduktivität um deutlich mehr als 3% jährlich zunehmen, wenn wir das Rennen gewinnen wollen. Angesichts des im ersten Teil belegten Potentials einer Steigerung um über 300% (das ist der Faktor 4 in Prozenten ausgedrückt: 100% + 300% = 400% = Vervierfachung), scheinen jährliche Zuwächse von 4 bis 5% keine übertriebene Hoffnung zu sein. Damit sich diese Hoffnung materialisiert, wird es aber nötig sein, die Rahmenbedingungen so zu verändern, daß Investitionen in Ressourcenproduktivität auf den nationalen und internationalen Kapitalmärkten extrem reizvoll werden, das heißt, Gewinne von über 15% jährlich erwarten lassen.

In diesem Teil des Buches erörtern wir die politischen Optionen, um diesen Zweck zu erreichen. Zunächst kommen wir dabei nicht umhin, den über weite Strecken ideologischen Charakter der vorfindlichen »Märkte« zu brandmarken, und dies in dem Bemühen, endlich faire Marktbedingungen für das zu etablieren, was wir für so dringend wünschenswert halten, die Effizienzrevolution.

4. Kapitel:

Was heißt hier eigentlich Markt?

Kann ein Markt-Jiu-Jitsu die Zerstörungskräfte aushebeln?

Von Winston Churchill stammt der Ausspruch, die Demokratie sei die schlechteste Staatsform – bis auf alle anderen. Ähnliches gilt für Märkte: sie bieten die schlechtesten Möglichkeiten dafür, etwas Rentables durchzusetzen – bis auf alle anderen. Märkte verlangen ebenso wie Demokratien die ständige Wachsamkeit ihrer Teilnehmer, damit sie ordentlich funktionieren und nicht unterminiert, verzerrt oder von denen gekapert werden, die wollen, daß sie nicht ordnungsgemäß funktionieren. Aber wenn sie einmal richtig funktionieren, sind sie gleich phänomenal erfolgreich.

Es war der phänomenale Erfolg des Marktes, der heute als wesentliche Ursache des explosiven Wachstums gelten kann, dem wir ebenso den vielerorts etablierten Wohlstand wie auch die riesigen ökologischen Zerstörungen verdanken.

Das Profitmotiv, das der Marktwirtschaft zugrunde liegt, ist so wirksam, daß es unserer Meinung nach auch für die Überwindung der ökologischen Krise eingespannt werden muß. Wie bei dem japanischen Jiu-Jitsu-Sportkampf müßte es gelingen, durch geschicktes Steuern der Kraft des Gegners diesen auszuheben.

Leider treten wir damit allen auf die Füße: den Marktfundamentalisten, die nicht sehen wollen, daß Märkte so enorm zerstörerisch wirken können und daß der heutige Weltmarkt (in Verbindung mit der Bevölkerungszunahme und der von uns im Norden vorgeführten Lebensweise) tatsächlich verheerend wirkt; und manchen Ökofundamentalisten, die Märkte und Profite für die unausweichliche Ursache allen ökologischen Übels halten.

177

Es gibt durchaus Mittel und Wege, Märkte für den Umwelterhalt einzusetzen und jedem Marktteilnehmer die Chance zu eröffnen, eben daran zu verdienen. Auch idealistische Präferenzen lassen sich über den Markt artikulieren und auf dem Markt womöglich effizienter durchsetzen als mit bürokratischen Mitteln. Man kann sogar Geschäfte im Namen zukünftiger Generationen tätigen.

Wir haben aber den Eindruck, daß die heute vorfindlichen Märkte größtenteils spezifisch gegen die Interessen der Umwelt und der Nachwelt verzerrt sind und entsprechend korrigiert werden müßten. Erst dann kommt ein Ökokapitalismus zustande, der die Märkte für das beim Erdgipfel von Rio ausgerufene Prinzip der ökologischen Nachhaltigkeit einspannt.

Ökokapitalismus

Die Gebote des Ökokapitalismus sind gedanklich einfach, aber in der Praxis alles andere als trivial. Es gehören dazu:

- Sorge dafür, daß die Preise die ökologische Wahrheit sagen.
- Mach das Kostengünstigste zuerst.
- Investiere in Effizienz, wann immer das billiger ist als Raubbau.
- Schaffe Märkte für gesparte Ressourcen.
- Sorge für fairen Wettbewerb.
- Belohne das wünschenswerte Verhalten, nicht sein Gegenteil.
- Besteuere das weniger Wünschenswerte, nicht das Erwünschte.
- Beschleunige die Außerdienstnahme ineffizienter Geräte.

Vorschläge und Beispiele in den Kapiteln 5 bis 7 zeigen ein reiches Reservoir an bewährten und neuen, aber testreifen Methoden, diese Prinzipien des Ökokapitalismus durchzusetzen.

Die Etablierung fairer Marktbedingungen für das Energiesparen und die Sonnen- und Windenergie in den USA ist ein ermutigendes Beispiel dafür, wie neue Märkte zu großen Effizienzgewinnen führen können. In fünfzehn Jahren haben die USA mit Hilfe von Effizienzerhöhungen viermal soviel neue »Energie« gewonnen wie durch die Erhöhung des Energieangebots, und letzteres bestand zu einem Drittel aus erneuerbaren Energien. Dies ist um so bemerkenswerter, als die Regierung fast über die gesamte Zeitspanne (es war die Reagan-Bush-Periode) ideologisch völlig auf der Seite der Großkraftwerke mit ihrem Angebot an den nicht erneuerbaren Energien Kohle und Kernkraft stand und die Entwicklung der Energieeffizienz und erneuerbaren Energien behinderte. Einigermaßen gut funktionierende Märkte sorgten mit Unterstützung der Einzelstaaten für das genannte Ergebnis.

Materialien zur Wärmeisolierung »stellen« jährlich 40% mehr Energie »her« als die gesamte amerikanische Ölindustrie, deren Aufbau ein ganzes Jahrhundert gedauert hat. Dennoch verschwenden Amerikaner weiterhin Energie im Wert von 300 Milliarden Dollar jährlich, das ist mehr als das Haushaltsdefizit des Staates! Auch Europa ist kaum besser, wenn man von einigen klugen Ansätzen in Skandinavien absieht, denn der Markt ist weiterhin grotesk verzerrt zugunsten des Mehrverbrauchs und zuungunsten der Effizienz.

Marktverzerrungen

Die meisten der fünfzig Beispiele für den Faktor 4 zeigen, daß das Einsparen von Ressourcen eigentlich der kostengünstigste Weg wäre. Gäbe es nur nicht diese massiven Marktverzerrungen. Zum Glück, das haben wir am amerikanischen Beispiel soeben festgestellt, hat sich die ökologische und volkswirtschaftliche Vernunft trotz der Verzerrungen schon in erstaunlicher Breite durchsetzen können. Sonst hätten wir es auch nicht geschafft, von fünfzig weitgehend aus der Praxis gewonnenen Beispielen zu berichten. In den nachfolgenden Kapiteln 5 bis 7 werden wir auch über teilerprobte Wege sprechen, wie man der Vernunft mit Hilfe von gerechteren Märkten noch rascher zum Durchbruch verhelfen kann.

Eine der größten Hürden für die Nutzung dieses Potentials ist der unter Ökonomen weitverbreitete Glaube, die bestehenden Märkte seien schon gut und litten nur noch unter einem Zuviel an staatlichem Handeln.

Traut man dieser Meinung, dann muß man aber annehmen, daß Menschen in zugigen Häusern leben, weil sie sich das gut überlegt haben und sich als perfekte Marktteilnehmer gegen Wärme- und Geräteeffizienz entschieden haben. Sie hätten doch in unserer freien Marktwirtschaft längst jede Chance gehabt, ihre Präferenzen in Kaufentscheidungen auszudrücken. Wenn etwas überhaupt wert ist, getan zu werden, dann sorgt der Markt schon dafür, daß es geschieht, und wenn der Markt es nicht besorgt, dann kann es auch nicht viel wert sein. So die Primitivform der Doktrin.

Dieses fatalistische Dogma hat natürlich wenig mit guter Ökonomie zu tun. Es wird aber immer wieder aus dem Schrank geholt, wenn es darum geht, irgendwelche »Eingriffe« zu verdammen, die den Markt beeinflussen könnten. Es ist ein bequemer Trick, uns scheinbar der Verantwortung zu entheben, dem Markt den nötigen moralischen, rechtlichen oder auch ökonomischen Rahmen zu schaffen. Die Primitivdoktrin übersieht auch meistens, daß es in Wirklichkeit sehr viele Rahmensetzungen gibt, die oft absolut pervertierte Signale aussenden, was uns dann teuer zu stehen kommt. Durch pervertierte, für die Effizienz höchst unfaire Marktbedingungen bewirken wir eine Verschwendung von jährlich Hunderten von Milliarden Dollar.

Wie sag ich's meinem Ökonomen? Vielleicht so: Fragen wir einen Ökonomen, wieviel Strom sein Kühlschrank letztes Jahr verbraucht hat. Dann fragen wir weiter, ob er schon wußte, daß es ein doppelt so effizientes Modell auf dem Markt gibt, mit gleicher Qualität und zum gleichen Preis. Sicher weiß er es nicht. Auf seinen unvollständigen Kenntnisstand angesprochen, wird der Ökonom einwenden, er sei zu beschäftigt, um solche Informationen einzuholen. Ganz genau: Vollständige Informationen liegen der Mehrzahl der Marktteilnehmer – aus den unterschiedlichsten Gründen – nicht vor. Viele Entscheidungen führen daher zur Ineffizienz.

Ein weiterer Grund für die Ineffizienz sind die »Transaktionskosten«. Hersteller, Händler, Wartungsdienste, Kunden – alle haben ihre eingefahrenen Bahnen, die zu verlassen mühsam und im Effekt sehr kostenträchtig ist. Mit diesem Phänomen haben Ökonomen meist keine so großen Schwierigkeiten. Aber sie haben die Tendenz, auch die Transaktionskosten als Schicksal anzusehen, gegen welches insbesondere der Staat nicht aufbegehren darf.

Ein anderes weitverbreitetes Phänomen wird von guten Ökonomen selbstverständlich anerkannt: das Investor-Nutzer-Dilemma. Wenn der Hausbesitzer die Einsparinvestitionen zu bezahlen, der Mieter aber bei den monatlichen Energiekosten den Nutzen hat, tut sich zunächst einmal nichts. Gegen dieses Dilemma wurde das »Contracting« erfunden, das heißt, ein Dritter spielt mit, der die Investition treuhänderisch für den Hausbesitzer tätigt und sich das Geld später vom Mieter abstottern läßt. Seit es das Contracting gibt, gehen auch einzelne Hausbesitzer dazu über, ihren eigenen »Contractor« zu spielen.

Schwerer tun sich Ökonomen wiederum mit der Tatsache, daß Privathaushalte normalerweise Investitionen nicht tätigen, wenn der Zeitpunkt, bis zu dem sie finanziell alles wieder zurückbekommen haben, mehr als zwei Jahre voraus liegt. So müßte sich die Einsparinvestition in zwei Jahren amortisieren, während der Stromversorger auch mit fünfzehn Jahren zufrieden ist. Diese Asymmetrie führt dazu, daß wir systematisch zu viel Energie und zu wenig Effizienz kaufen.

Karikaturistisch verkürzt packen wir die Kritik an einer naiven Ökonomie in eine einfache Geschichte: »Es ging einmal ein älterer Ökonom mit seiner Enkelin spazieren, als diese einen Zwanzigmarkschein auf der Straße liegen sah. Als das artige Kind um Erlaubnis bat, den Schein aufzuheben, sagte er: ›Mein Liebes, da würdest du dich umsonst bücken. Wenn der echt wäre, hätte ihn schon längst jemand aufgehoben!‹«

Daß die Geschichte nicht so ganz aus der Luft gegriffen ist, zeigt die wunderbare Erfahrung, die die Chemiefirma Dow in ihrer Fabrik in Baton Rouge, Louisiana, gemacht hat, wo es nicht Zwanzigmarkscheine, sondern Tausender und Hunderttausender waren, die man eigentlich bloß aufzuheben brauchte (vgl. Kap. 1, Beispiel 20).

Das Vertrauen der Ökonomie darauf, daß alles, was sich lohnt, schon gemacht wurde, hat leider oft zur Folge, daß viele Menschen kaum mehr darüber nachdenken, was man alles machen könnte.

Was kostet der Klimaschutz?

Ein politisch wenig erfreuliches Beispiel dafür, wie wirksam die gedankliche Engführung mancher Ökonomen sein kann, stammt aus der Zeit der Präsidentschaft von George Bush. Damals legte der hochangesehene Ökonom William Nordhaus (1990, 1993) von der Yale University eine Rechnung vor, nach welcher eine Stabilisierung der CO_2-Emissionen im Sinne der Zielsetzung von Toronto (1989) das Bruttosozialprodukt der USA um rund 200 Milliarden Dollar pro Jahr belasten würde. Diese astronomischen »Kosten« einer Strategie zur Stabilisierung der Emissionen (nicht etwa des Klimas) setzten sich in den Köpfen der Politiker im Weißen Haus fest, und fortan war es in Washington während der Amtszeiten von Reagan und Bush (und wieder seit dem Erdrutschsieg der Republikaner bei den Kongreßwahlen im November 1994) so gut wie unmöglich, noch irgend etwas Konstruktives zum Klimaschutz zu sagen.

Die Rechnung des berühmten Ökonomen hatte etwa folgende Logik:

• Zunächst nahm er an, eine effizientere Verwendung von Energie sei heute nicht rentabel, weil sie den Markt sonst schon erobert hätte. Das

Marktversagen sah er als vernachlässigbar an. Die gewaltige Menge an Literatur über vorhandene Effizienztechnologien ignorierte er großzügig.

- Weiterhin nahm Professor Nordhaus an, die einzige Art, Menschen dazu zu bringen, effizient erzeugte Energie zu kaufen, sei das Anheben der Energiepreise über Steuern.
- Dann nahm er an, daß das Energiesteueraufkommen über einen Ökobonus, also mit der Gießkanne, zurückverteilt würde, statt investiert zu werden; der Ökobonus senkt das Bruttosozialprodukt, Investitionen heben es an.
- Dann stellte er die Preiselastizität der Nachfrage in Rechnung, das heißt die historisch erhobenen Nachfrageveränderungen aufgrund von Preisveränderungen.
- Schließlich steckte er alles in ein großes Computermodell, um zu berechnen, wie hoch man die Steuern schrauben müßte, um ein CO_2-Ziel entsprechend der Empfehlung von Toronto zu erreichen. Sein Ergebnis: eine gigantische Steuerlast, die die amerikanische Wirtschaft um jährlich rund 200 Milliarden Dollar ärmer machen würde.

Leider beendete Nordhaus' Rechnung nicht nur jede vernünftige Klimapolitik der USA, sondern zugleich eine rationale Diskussion um eine ökologische Steuerreform in den USA und in manchen anderen Kreisen, in denen Professor Nordhaus eine internationale Autorität war. Auch Umweltschützer in den USA trauen sich seither mit Ökosteuervorschlägen kaum an die Öffentlichkeit. Die Lektüre unseres Kapitels 7 gibt ihnen vielleicht die nötigen Argumente an die Hand, um sich wieder vorzuwagen.

Theorie und Praxis

Chaosforscher lieben den Spruch: »In der Theorie sind Theorie und Praxis dasselbe. In der Praxis sind sie es nicht.« Das klingt für uns wie eine Aussage über die Ökonomie. Theoretisch, so nehmen wir an, kostet ein Gerät, das Energie sparsam verwendet, mehr als ein anderes Gerät, das keine Energie spart. Ist es wirklich so? Die Kapitel 1 bis 3 enthielten zahlreiche Beispiele, wie geschickt kombinierte Technologien oder richtig bewerteter Mehrfachnutzen große Einsparungen pro Einheit der Einsparung billiger machen als kleine. Selbst ein einfaches, einzelnes Gerät, so

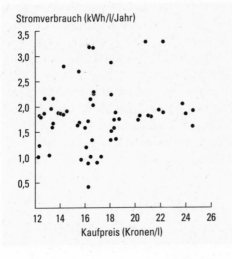

Stromverbrauch (kWh/l/Jahr)

Kaufpreis (Kronen/l)

26. Energieeffizienz und Kaufpreise von Kühlschränken, Schweden 1987. Teure Kühlschränke sind nicht energieeffizienter als billige, hat eine Untersuchung der Universität Lund ergeben.

zeigen die empirischen Befunde, muß nicht, weil es energieeffizienter ist, mehr kosten:

- Für Schweden wurde der Marktpreis sämtlicher in Schweden erhältlicher Kühlschränke erhoben und mit der Energieeffizienz in Beziehung gesetzt: Abbildung 26. Auf der Grafik findet man eine Punktewolke, die nicht die mindeste Korrelation im Sinne der ökonomischen Grundannahme erkennen läßt; zu allem ist auch noch das effizienteste Modell (der dänische Gram LER-200) billiger pro Liter Nutzraum als andere Modelle, die bis zu sechsmal soviel Strom verbrauchen. Ähnliche Ergebnisse gibt es für andere Haushaltsgeräte, von Waschmaschinen zu Herden, von Kühltruhen zu Fernsehern.

- Genau das gleiche gilt für Industriemotoren in drei verschiedenen Größen. Zwischen Preis und Energieeffizienz ist keine Korrelation festzustellen.

All diese Befunde, die natürlich nicht repräsentativ für die ganze Wirtschaft zu sein brauchen, legen nahe, daß Ressourceneffizienz keineswegs immer mehr kostet.

Wie steht es mit einer anderen Grundannahme der theoretischen Öko-

183

nomie, daß je mehr Menschen für eine Sache bezahlen müssen, sie desto weniger davon verwenden und umgekehrt? Wie W. Kempton u. a. (1992) – allerdings unter den Bedingungen extrem niedriger US-Strompreise – gezeigt haben, hängt das An- und Ausschalten von Luftkühlern nur wenig von der Außentemperatur oder vom Strompreis ab. Angegebene Gründe für das Verhalten hängen eher mit dem summenden Dauergeräusch zusammen, das den unangenehmeren Straßenlärm überlagert, oder mit falschen Theorien über die Funktion des Thermostaten.

In anderen Worten, das menschliche Verhalten ist komplex und nicht rein ökonomisch determiniert. Die Annahmen von Geräteherstellern, Ingenieuren, Ökonomen und Anthropologen über das Verhalten von Menschen in bezug auf ihre Haushaltsgeräte sind ebenso unterschiedlich wie das tatsächliche Verhalten von vier beliebig ausgewählten Menschen. Jede Annahme enthält ein Stück Wahrheit, aber die vom Homo oeconomicus ist weder die richtigste noch notwendigerweise die rationalste. Aber es ist diejenige Annahme, die der Staatsreligion am nächsten kommt.

Wir weisen die Annahme ja auch nicht etwa von uns. Wir stützen uns sogar über weite Strecken auf sie, wenn wir nach einem auch ökonomisch fairen Markt rufen. Aber wir hoffen, daß wir Leserinnen und Lesern deutlich gemacht haben, daß man die ökonomischen Grundannahmen stets mit viel Vorsicht genießen und anwenden muß.

Der politische Praxistest

Bei allen Schwächen bleibt die Ökonomie ein zentrales intellektuelles Konstrukt mit fundamentalen praktischen Auswirkungen. Der Unterschied zwischen einer wie auch immer unvollkommenen Marktwirtschaft und einer Planwirtschaft – wie die ehemalige Sowjetunion, die eine gigantische ressourcenfressende Maschine war – bleibt real und wichtig. Aber es folgt keineswegs, daß jemand, der auf Fehler von Märkten hinweist, für die Planwirtschaft ist. Im Gegenteil, in den Kapiteln 5 bis 7 fordern wir dazu auf, die Fehler der heutigen Märkte mit Schritten zu überwinden, die uns im Sinne des oben genannten Ökokapitalismus einer richtigen Marktwirtschaft näherbringen.

Was den sozialistischen Machtkartellen im Osten geschah, kann theoretisch auch den unter dem Deckmantel der marktwirtschaftlichen Grundordnung entstandenen Bürokratien des Westens passieren. Im Gegensatz zum landläufigen Vorurteil sind es aber keineswegs nur staatliche Bürokratien und Kartelle, die sich ausgebreitet haben.

Der Westen hat einen faszinierenden Test von politischem Glasnost vor sich. Wird man tatsächlich die verkrusteten Strukturen überwinden, in denen sich Staat und Wirtschaft wie in einer Symbiose gemütlich eingerichtet haben, und der ständig auf den Lippen geführten Marktlehre folgen? Werden die USA die jährlichen Milliarden-Dollar-Subventionen für die Energieversorgung stoppen, die hauptsächlich an die unwirtschaftlichsten und auf den heutigen Märkten am wenigsten erfolgreichen Energieformen gehen? Werden Deutschlands drei größte Stromerzeuger, die an eine bequeme, kartellähnliche Situation gewöhnt sind, endlich beginnen, Daten darüber zu veröffentlichen, wer wieviel Strom erzeugt und an wen zu welchem Preis verkauft? Werden sie ihr Gebiet für unabhängige Erzeuger öffnen? Wird Electricité de France endlich auf seine direkten und indirekten, immer noch geheimgehaltenen Subventionen verzichten? Am wichtigsten für uns ist die Frage, ob die Stromunternehmen weltweit endlich den fairen Wettbewerb bei der Erzeugung und Einsparung von Energie zulassen.

5. Kapitel:

Effizienz ist käuflich und verkäuflich*

Wie packen wir's nun praktisch an? Wie sorgen wir dafür, daß die Effizienzrevolution marktgängig wird? Wie machen wir sie käuflich, und wie machen wir sie verkäuflich? In der heutigen Wirtschaft leben doch die meisten Betriebe davon, ihren Kundinnen und Kunden immer mehr aufzuschwatzen. Wer hat schon mal einen Konzern gesehen, der am Wenigerverkaufen hätte mehr verdienen können?

Wir kennen solche Konzerne. Es sind nicht die kleinsten. Es sind die größten US-amerikanischen Stromversorger. Diese mit Vermögenswerten von über 500 Milliarden Dollar und einem Jahresumsatz von etwa 180 Milliarden Dollar größte Einzelbranche der amerikanischen Wirtschaft hat sich unter dem Druck der Öffentlichkeit und der staatlichen Aufsicht darangemacht, die größte Verwandlung in ihrer Geschichte vorzunehmen. Die Verwandlung führt übrigens von einer Art monopolistischer Planwirtschaft zum ungehinderten Spiel der Marktkräfte und von den schlechtesten Praktiken hin zu den besten.

Wie in Europa sind die US-amerikanischen Energieversorgungsunternehmen mit einer monopolartigen Versorgung bestimmter Gebiete eingerichtet worden. Staatliche Aufsichtsbehörden überwachten lediglich die Preisgestaltung und die Gewinne und gaben bei größeren Investitionsentscheidungen ihre Zustimmung. Dieser Ansatz des regulierten Monopols geht von der Vorstellung aus, die Stromversorgung sei ein »natürliches Monopol«, daß es also unwirtschaftlich wäre, mehrere Versorgungsleitungen in den Straßen liegen zu haben.

* Dieses Kapitel stammt (wie die Kapitel 4 und 6) fast ausschließlich aus der Feder von Amory Lovins. Es beschreibt hauptsächlich die US-amerikanische Situation. Da diese aber Lehrstückcharakter hat, wurde bewußt darauf verzichtet, das Kapitel auf europäische Verhältnisse umzuschreiben.

Das System des regulierten Monopols sieht die Stromversorgung auch als öffentliches Interesse an, woraus sich die politische Aufsicht rechtfertigt. In den Einzelstaaten der USA wurden mit dieser Aufsicht Kommissionen betraut, die meist Public Utility Commissions (PUC) genannt werden. Sie haben eine weitreichendere Regulierungskompetenz als die deutsche Preis- und Investitionsaufsicht, die hier in den für Energie zuständigen Landesministerien, zumeist den Wirtschaftsministerien, angesiedelt ist. Die PUC sind gesetzlich zur Vertretung des öffentlichen Interesses verpflichtet, sollen aber auch die Rentabilität der Energieversorgungsunternehmen im Auge behalten. Bis Mitte der siebziger Jahre war die Arbeit der PUC wunderbar einfach: Das Energieversorgungsunternehmen sagte, wann und wo man ein neues Kraftwerk benötigte, und nach kurzer Diskussion segneten die PUC das Projekt ab. Immer größere Blöcke, die pro Kilowatt billiger, effizienter und zuverlässiger wurden, führten zu einem stetigen Preisverfall bis 1970. Die PUC hatten lediglich die angenehme Aufgabe, die damit verbundenen Gewinne in Gestalt laufend sinkender Tarife auch den Stromkunden zugute kommen zu lassen.

In den siebziger Jahren brach diese heile Welt zusammen. Die weitere Vergrößerung der Blöcke brachte keinen Zusatznutzen mehr, sondern wirkte sich eher gegenteilig aus. Besonders bei der Nutzung der anfänglich begeistert begrüßten, aber noch wenig erprobten Kernenergie gab es Probleme mit der Sicherheit. Zudem banden die Kernkraftwerke große Mengen Kapital und stellten sich bald als sehr viel weniger rentabel heraus als ursprünglich kalkuliert. Die Ölpreisschocks von 1973 und 1979 führten zu gewaltigen Preissteigerungen des auch im Kraftwerksbereich vielgenutzten Öls. Kurz darauf kam es zu drastisch erhöhten Zinsen. Einige Energieversorgungsunternehmen, die auf Kredit hohe Investitionen getätigt hatten, schlitterten in den Bankrott. Hinzu kam die rasch aufholende Konkurrenz alternativer Energiequellen und die Entdeckung der Effizienzpotentiale, ausgelöst durch die unvermittelt gestiegenen Energiepreise. So hatten die Energieversorgungsunternehmen am Markt bald keine Möglichkeit mehr, ihre Bilanzprobleme durch Preiserhöhungen zu lösen.

In der Krise öffnete sich aber zugleich eine Lösungsperspektive. 1978 verabschiedete der amerikanische Kongreß ein Gesetz, das die Stromerzeugung für den allgemeinen Wettbewerb aller Anbieter öffnete. Gleichzeitig wurden die Stromversorger verpflichtet, privat erzeugten Strom in ihr Netz einzuspeisen, und zwar zu einem fairen Preis. In Europa ist ein ähnlicher Prozeß seit der Verwirklichung des Binnenmarktes im Gang.

Kostenminimierende Planung *(least cost planning)*

Amerika entdeckte mitten in der Energiekrise, daß manche Grundannahmen der klassischen, angebotsorientierten Energiepolitik einfach verkehrt waren und in Wirklichkeit mitschuldig an milliardenschweren Fehlinvestitionen. Man besann sich auf das, was die Kunden wirklich wollten, und begann, die energiewirtschaftlichen Fragestellungen und die zugehörigen Antworten neu zu formulieren:

- Kunden wollen nicht Kilowattstunden an sich, sondern heiße Duschen, angenehme Wärme, Beleuchtung, Kraft für Maschinen oder Elektrolyse – mit anderen Worten, sie wollen die Dienstleistungen der Energie, nicht die Energie selbst.
- Diese Dienstleistungen möchten sie schnell, zuverlässig und so billig wie möglich. Die PUC entschieden sich in vielen US-Bundesstaaten, durchweg die kostengünstigste Form des Energiedienstleistungsangebots zu verlangen. Das ist der Kern des »least cost planning«, der kostengünstigsten Energieplanung.
- Die Kraftwerksplanung wurde durch die kostenminimierende Planung gründlich durcheinandergewirbelt. Auf einmal mußten Kilowattstunden mit erhöhter Energieproduktivität konkurrieren. Wo immer die Kunden feststellen, daß die Effizienzerhöhung, auch »Negawatt« genannt, billiger ist als das erhöhte Angebot (Megawatt), wollen sie natürlich auf die billigere Art zu ihrem Ziel kommen. Die energieplanerischen Konsequenzen diskutieren wir im nächsten Abschnitt.
- Die Frage war alsbald, *wer* den Kunden die kostensparende Effizienz verkauft. Theoretisch konnten das innovative Kleinunternehmer sein. Die hätten aber von der Stromkundschaft anfangs nicht viel verstanden. Die Stromversorger umgekehrt verstanden zwar ihre Kunden, aber sie hatten zunächst kein Interesse an der Effizienzverbesserung. Sie standen aber vor der Wahl, entweder das Verkaufen von »Negawatt« selber aktiv zu betreiben oder aber diesen Markt irgendwelchen Neulingen zu überlassen, die ja nach Gesetz berechtigt waren, mit »Negawatt« ihr Geschäft zu machen.

Dieser Ansatz der kostenminimierenden Planung liegt übrigens ganz auf der Linie der Kostenreduktion moderner Unternehmensführung. Die Energieversorgungsunternehmen entdeckten und entwickelten die kostengünstigsten Arten, die jeweiligen Energiedienstleistungen herzustellen und selber zu verkaufen.

Der offizielle Name der kostenminimierenden Planung ist seit einigen Jahren »integrierte Ressourcenplanung« (IRP). In den USA gibt es seit 1992 ein Bundesgesetz, welches von allen Bundesstaaten die Anwendung der integrierten Ressourcenplanung verlangt. Nur selten schaffen es altmodisch gestrickte Energieversorgungsunternehmen noch, bei ihrer PUC durchzusetzen, daß der Kostenvergleich auf den Vergleich verschiedener Kraftwerkstypen beschränkt bleibt und damit die Effizienzoption ausschließt.

Die Europäische Kommission hat im September 1995 den Entwurf einer IRP-Richtlinie vorgelegt. Bei den ersten Diskussionen im entsprechenden Ministerrat hat allerdings die Bundesrepublik Widerstand angekündigt. Man befürchte noch mehr Bürokratie, heißt es intern. Es besteht auch die Sorge, die IRP schränke das Wirken des Marktes ein. Dies wäre ein tragisches Mißverständnis, denn in Wirklichkeit sorgt sie doch gerade dafür, daß ein bislang vom Markt weitgehend ausgeschlossener Wettbewerber, eben die Ressourceneffizienz, endlich zu fairen Bedingungen zugelassen wird. Billiganbieter von Strom werden damit allerdings davon abgehalten, mit wettbewerbsverzerrenden Niedrigpreisen aufzutreten.

Die IRP hat in den USA außer in der Stromwirtschaft auch bei Gas- und Wasserwerken Fuß gefaßt, in deren Unternehmenspolitik ähnliche Aufsichtskommissionen ein Mitspracherecht haben. Neuerdings hält dieses Gedankengut auch Einzug in die Verkehrspolitik. 1991 wurde ein neues Gesetz zur Transporteffizienz verabschiedet (Intermodal Surface Transportation Efficiency Act; ISTEA), welches bei der Planung neuer Straßen vorschreibt, daß alle Alternativen, inklusive Maßnahmen zur Nachfragereduktion, erwogen werden müssen.

Das bloße Anbieten der Effizienzalternative ist nicht immer ausreichend, um der Effizienz zum Durchbruch zu verhelfen. Es gibt verschiedene Möglichkeiten, die Sache zu beschleunigen:

- die Energie- und Ressourcenpreise aktiv beeinflussen (diese Option diskutieren wir in Kapitel 7);
- die Energieversorgung noch schärfer zu reformieren (dies behandeln wir weiter unten);
- weitreichende Marktinstrumente entwickeln, etwa Termingeschäfte oder andere Derivate für Ressourceneffizienz einführen.

Die letzte Möglichkeit ist auf den ersten Blick fremdartig und abstrakt. Wir widmen ihr das Unterkapitel »Die Vermarktung der Negawatts« (S. 194).

Aufsichtsreform bei der Energieversorgung

Gewinne und Umsatz voneinander abkoppeln
Das übliche Verfahren der Preisaufsicht enthält fast unvermeidlich einen Anreiz zur laufenden Produktionssteigerung. Die mit der Aufsicht ausgehandelten Preise und pro-kWh-Gewinne basieren nämlich auf einer bestimmten Absatzprognose. Gelingt es dem Energieversorgungsunternehmen, seinen tatsächlichen Absatz über die prognostizierte Menge hinaus auszudehnen, erwirtschaftet er einen Mehrgewinn. Umgekehrt wird es für Einsparprogramme durch Gewinneinbußen bestraft. Einige amerikanische Preisaufsichtskommissionen durchbrachen – nach dem Vorbild der kalifornischen – diesen Mechanismus Anfang der achtziger Jahre. Sie ließen die Energieversorgungsunternehmen keine Gewinne mehr für den Stromabsatz oberhalb der Vorausschätzung machen und keine Verluste für den Minderabsatz. Ferner gaben sie den Energieversorgungsunternehmen noch einen Extragewinn für Einsparerfolge. 15% des für die Kunden erreichten finanziellen Einsparerfolges durften die Energieversorgungsunternehmen als Zusatzgewinn einstreichen. Und zu allem machte sich nach einiger Zeit bemerkbar, daß die sonst aufs Ergebnis drückenden Kapitalkosten zu sinken begannen, als der Zubau von neuen Kraftwerken auslief. Auf Dauer ist dies unstreitig der finanziell bedeutendste Anreiz für Einsparstrategien seitens der Energieversorgungsunternehmen.

Am berühmtesten wurde der geschäftliche Höhenflug von Pacific Gas and Electric, PG&E, dem größten privaten US-amerikanischen Energieversorgungskonzern. Noch 1980 hatte PG&E den Bau von zehn bis zwanzig neuen Atomkraftwerken entlang der gesamten Küste Kaliforniens geplant. Zwölf Jahre später war PG&E soweit, nicht ein einziges neues Kraftwerk mehr zu planen, und löste 1993 seine Bauabteilung, die einstmals den Konzern dominiert hatte, kurzerhand auf. Im Jahresbericht 1992 hieß es, drei Viertel des (in dem dynamisch wachsenden Kalifornien) sonst hinzukommenden Strombedarfs werde durch Effizienzmaßnahmen auf der Kundenseite eingespart und das restliche Viertel durch die zweitbeste Lösung, den Ankauf von Elektrizität aus erneuerbaren

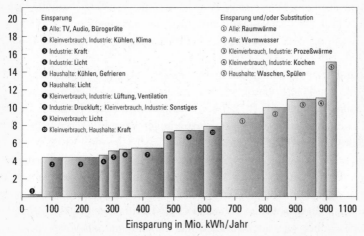

Einsparkosten in Pf/kWh

Einsparung
① Alle: TV, Audio, Bürogeräte
② Kleinverbrauch, Industrie: Kühlen, Klima
③ Industrie: Kraft
④ Industrie: Licht
⑤ Haushalte: Kühlen, Gefrieren
⑥ Haushalte: Licht
⑦ Kleinverbrauch, Industrie: Lüftung, Ventilation
⑧ Industrie: Druckluft; Kleinverbrauch, Industrie: Sonstiges
⑨ Kleinverbrauch: Licht
⑩ Kleinverbrauch, Haushalte: Kraft

Einsparung und/oder Substitution
① Alle: Raumwärme
② Alle: Warmwasser
③ Kleinverbrauch, Industrie: Prozeßwärme
④ Kleinverbrauch, Industrie: Kochen
⑤ Haushalte: Waschen, Spülen

Einsparung in Mio. kWh/Jahr

27. Das vorgeschlagene »Einsparkraftwerk« von Hannover »liefert« den Strom zu einem Preis von durchschnittlich 7 Pfennig/kWh. Die Breite der Säulen deutet den einsparbaren jährlichen Stromverbrauch in den verschiedenen genannten Bereichen an, die Höhe den Einsparpreis pro kWh (aus Ökoinstitut u. Wuppertal Institut, 1995).

Quellen von kleinen unabhängigen Anbietern befriedigt. Notfalls würde ein Mehrbedarf, mit dem aber nicht gerechnet werde, durch den Bau einzelner Gaskraftwerke der neuesten Generation gedeckt. Kohle- und Kernkraftwerke werden von PG&E als so teure Alternativen angesehen, daß sie im Jahresbericht nicht einmal mehr erwähnt werden.

Dem deutschen Beobachter fällt da sofort die gespenstische deutsche »Energiekonsens«-Diskussion ein, die sich doch immer noch um fast nichts anderes als um die Alternativen Kohle oder Kernkraft dreht. Und beide Seiten beteuern, daß die Option der Gegenseite unverantwortlich teuer oder aber gefährlich sei. Das Verrückte ist, daß beide Seiten recht haben, aber keine Seite die einzig richtige Konsequenz daraus zieht. Daß auch in Deutschland die Effizienz rentabel gemacht werden kann, zeigt ein neues Gutachten des Wuppertal Instituts und des Freiburger Ökoinstituts für die Stadt Hannover. Darin wird der »Bau eines Einsparkraftwerks« für über 1 Milliarde kWh pro Jahr vorgeschlagen, wobei die gesparte Kilowattstunde im Durchschnitt etwa 7 Pfennig kosten würde.

191

Abbildung 27 zeigt die Treppenkurve der Einsparkosten für die verschiedenen Stromnutzungsarten aus diesem Gutachten. Eine aktuelle Darstellung der deutschen Situation einschließlich der Handlungsmöglichkeiten in Richtung Negawatts und IRP findet sich bei Müller und Hennicke (1994, 1995).

Zurück zur amerikanischen Diskussion. Die energiepolitische Kehrtwende von PG&E wurde mit einem beträchtlichen Anstieg der Konzerngewinne belohnt. Als PG&E 1992 mit 170 Millionen Dollar das bislang weltweit größte Programm zu Einsparungen beim Endverbraucher durchgeführt hatte, wurde hieraus ein zusätzlicher Gewinn von über 300 Millionen Dollar erzielt. Hiervon bekamen die Kunden 85% in Form niedrigerer Tarife. Die restlichen 15% blieben beim Konzern beziehungsweise bei seinen Aktionären, zumeist kleinen Anlegern, deren Altersversorgung zu einem nennenswerten Teil aus PG&E-Dividenden besteht. Oft sind sie natürlich ihrerseits auch Kunden und haben dann den Vorteil der Effizienzsteigerung gleich zweimal.

Die Entdeckung der rentabelsten Ressource Negawatt wirkt sich natürlich auf die Unternehmenskultur aus. Man kann sich leicht vorstellen, wie begeistert der Vorstand von weitestgehend risikofreien Gewinnmöglichkeiten ist, die erheblich über der sonst üblichen Mindestrendite liegen. Trifft man sich im Flur, dann fragt der Vorstand die »Einsparleute« leutselig, ob sie nicht noch irgendwelche Wünsche hätten. Motivation, Karriere, Fortbildungsinteresse, Freizeitgeplauder – alles dreht sich auf einmal um die neue Goldgrube der Effizienzerhöhung.

1993 bestätigte die kalifornische PUC in Zahlen, daß sich die Umstellung auch für das Land enorm gelohnt hat. Die Energiekosten in Kalifornien verringerten sich um insgesamt fast 2 Milliarden Dollar.

Die Verlierer melden sich zu Wort

Natürlich gibt es auch Verlierer. Wer bisher davon gelebt hat, immer neue Kraftwerke zu bauen, oder wer weit weniger Effizienz zustande bringen konnte als die Konkurrenz, war nicht sonderlich glücklich mit den neuen Entwicklungen. Ferner gab es 1994 eine starke Gruppe von großen Energieverbrauchern, die aufgrund älterer Verträge an relativ teuren Strom aus alten Großkraftwerken gebunden waren. Sie witterten die Chance, einen Teil ihres Wettbewerbsnachteils an die neuen Nutznießer umzuverteilen. Am 20. April 1994 traten sie ans Licht der Öffentlichkeit mit einem verblüffenden und dem Zeitgeistjargon entsprechenden Vorschlag des *retail wheeling*, des freien Aushandelns der Endverbraucherpreise mit allen möglichen Anbietern. (Eine ähnliche Zielperspektive lag dem Entwurf der Europäischen Durchleitungsrichtlinie zugrunde, oft als Third Party Access, TPA, zitiert, die aber nicht verabschiedet wurde.) Der Trick beim »freien« Aushandeln ist, daß neue Anbieter natürlich keine eigenen Überlandleitungen bauen und dadurch den bisherigen Gebietsmonopolisten unterbieten können.

Die Idee klingt erst einmal attraktiv – bis man ihre Folgen bedenkt. Sie führt nicht etwa zu mehr Effizienz, vielmehr ruiniert sie durch einen unfairen Kostenvorteil die Rentabilität der Effizienzprogramme der bisherigen Anbieter. Den Vorteil haben die Großverbraucher, denen es ohne Rücksicht auf die Volkswirtschaft ausschließlich um das Kleinhalten der betrieblichen Stromrechnung geht und die nicht von ihren energiefressenden Praktiken Abschied nehmen können oder wollen. Den Nachteil hat die Umwelt; für alle Anbieter wird es sehr schwierig, die Umweltkosten zu übernehmen, wie das britische Beispiel zeigt, wo das Prinzip teilweise umgesetzt worden ist.

Entgegen weitverbreiteter Meinung hat sich die »Konterrevolution« des *retail wheeling* bisher keineswegs durchgesetzt, und schon gar nicht USA-weit. Tatsächlich sind diese Vorhaben, von einem Experiment in Michigan abgesehen, bis auf weiteres durch laufende Gerichtsverfahren auf Eis gelegt worden. Zudem verlangt das *retail wheeling* weitreichende Gesetzesänderungen auf allen politischen Ebenen, nicht unähnlich der europäischen Situation, wo man anfänglich in die totale Marktöffnung der leitungsgebundenen Energie verliebt war und dann erst ihre negativen Auswirkungen erkannte.

In Kalifornien und anderswo ist durch die Verwirrung um das *retail wheeling* schon riesiger (ökonomischer) Schaden angerichtet worden. Der Elan der Effizienzrevolution ist vorerst gebrochen. Die Aktienmärkte haben signalisiert, daß sie hierin eine Gefahr für die Vermögenswerte privater Investoren sehen. Der Börsenwert der amerikanischen Stromversorgungsunternehmen ist infolge dieser Verwirrung katastrophal um über 50 Milliarden Dollar gefallen. Das war vor allem für die Familien entsetzlich, deren Vermögen oder Altersversorgung in den gemeinhin als sicher geltenden Energieaktien angelegt war. Und es hat keineswegs eine entsprechende Aufwärtsbewegung bei Aktien der energieverbrauchenden Unternehmen gegeben. Das Ganze war mithin, nach Einschätzung der Börsianer, eine schlichte Wertvernichtung.

Man muß hoffen, daß sich die Lage wieder beruhigt und die für die Wertvernichtung nötigen Gesetze nicht verabschiedet werden. Die Verwirrung bleibt hoffentlich eine Episode, aus der das Land lernt. Immerhin ziehen hier die Aktionäre und die allermeisten Stromabnehmer an einem Strang. Das läßt hoffen.

Die Vermarktung der Negawatts

Damit sich die positiven kalifornischen Erfahrungen mit der Effizienz durchsetzen, sollte man die schon am Anfang nützlich gewesenen Marktkräfte noch systematischer für einen funktionsfähigen Wettbewerb zwischen Energieangebot und intelligenter Nutzung vorspannen. Mit bloßen Informations- und Werbemaßnahmen, das hat die Erfahrung gezeigt, ist nicht viel zu gewinnen.

Das liegt zum Teil daran, daß Energieeffizienzinvestitionen normalerweise von Akteuren getätigt werden müssen, die längst nicht den finanziellen Atem der Energiekonzerne haben. Hausbesitzer wollen, daß sich ihre finanziellen Opfer schon nach wenigen Jahren auszahlen, sonst unterlassen sie sie. Die Energiekonzerne können dagegen mit einem Amortisierungs-Zeitraum von zwanzig bis dreißig Jahren leben. Das hat in der Vergangenheit stets dazu geführt, daß die Effizienz auf dem Markt auch dann unterlegen blieb, wenn sie eigentlich wesentlich rentabler gewesen wäre als der Zubau neuer Kapazität. Die kalifornische Regelung hat nun die kapitalstarken Konzerne zum Effizienzinvestor gemacht. Diese fingen an, ihren Kunden die Umrüstung und Isolierung ihrer Häuser zu günstigen Kreditkonditionen oder gar zinsfrei zu finanzieren. Sie gingen nach einiger Zeit sogar dazu über, einige dieser Investitionen einfach zu verschenken. Damit sparte man sich den Aufwand, den es für die Stromkonzerne bedeutete, all die relativ bescheidenen Kredite abzuwickeln.

Diese unübliche Großzügigkeit hatten sie von den für Wasserversorgung und Kläranlagen zuständigen Betrieben gelernt, die an ihre Kunden wassersparende Duschköpfe und andere Dinge verschenkten, damit diese flächendeckend verwendet wurden und die gewünschten Einsparungen brachten. Zur gleichen Zeit erfanden die Stromunternehmen Einsparprämien, welche die Wettbewerbsbedingungen für Effizienzinvestitionen verbesserten, die sonst wegen der kurzfristigen Renditeerwartungen der Kunden unterblieben wären.

Einsparprämien

Es fing an mit Prämien für die Anschaffung von energieeffizienten Haushaltsgeräten. Die Höhe der Prämien richtete sich nach der jährlichen Energieeinsparung: Für Kühlschränke mit 200 kWh/Jahr Ersparnis gab es zehnmal mehr als für Sparbirnen mit 20 kWh/Jahr. Dann kamen die Energieversorgungsunternehmen darauf, daß die Einsparungen nicht notwendig an bestimmte Anschaffungen gebunden sein müssen, sondern austauschbar sein sollen: Die Verbraucher konnten sich ja selbst Energiesparmaßnahmen ausdenken, auf die die Unternehmen noch gar nicht gekommen waren. Nun machte man die Rabatte direkt von den eingesparten Kilowattstunden abhängig und überließ es den Kunden, in welche Maßnahmen sie investieren wollten.

Später ging man dazu über, allen am Gerätehandel Beteiligten, Groß- und Einzelhändlern, Einkäufern und Installateuren, als Anreiz einen Anteil an den Prämien anzubieten. Gelegentlich belohnte man Erfolge auch mit kostenlosen Fortbildungsprogrammen. PG&E rechnete sich nämlich aus, daß es mit einer Belohnung von 50 Dollar für den Einzelhändler mehr ausrichtete, als es beim Endverbraucher erreichen konnte. Die kalkulierten Kosten pro eingesparter Kilowattstunde lagen beim Händler bei etwa 1 Pfennig, beim Endverbraucher bei etwa 3 Pfennig. Nun hatte der Händler einen spürbaren Anreiz, die Energiefresser nach und nach aus dem Sortiment zu nehmen. Und nach ein paar Jahren wurde es für den Kunden auch mit Ersatzteilen schwierig. Es entstand ein weiterer Anreiz, die alte Gerätegeneration möglichst schnell auszumustern.

Bald stellte die Southern California Edison Company (SCE) fest, daß sie noch kostengünstiger einsparen konnte, wenn sie das Prämiensystem noch weiter nach oben, nämlich auf die Ebene der Hersteller, verlagerte. So zahlte SCE ursprünglich eine Prämie von 5 Dollar für den Kauf einer Energiesparbirne und reduzierte damit den Preis für den Käufer von 19 auf 14 Dollar (Abb. 28, links). Das war aber immer noch zu teuer, um den Markt der Privathaushalte zu erobern. Ging nun die gleiche Prämie für eine in SCE-Gebiet verkaufte Lampe statt dessen an den Hersteller, dann sank dessen Produktionspreis von 9 auf 4 Dollar (Abb., Mitte). Als alle Zwischenhändler der Handelskette ihre Gewinnmargen prozentual draufgeschlagen hatten, kam ein Ladenpreis von 9 Dollar zustande (Abb., Mitte rechts).

Dieser Preisverfall führte zusammen mit Werbemaßnahmen von SCE zu einer verstärkten Nachfrage, die eine Massenfertigung der Geräte

Sparlampenverkauf mit Rabatt – richtige Subventionspolitik

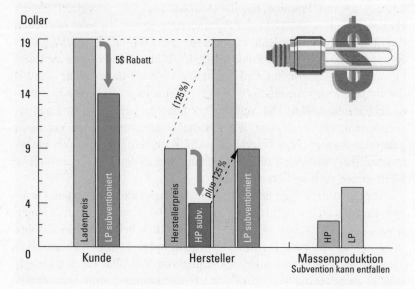

28. *Sparlampenverkauf mit Rabatt. Der Stromversorger ist dazu bereit, 5 Dollar Rabatt auf jede Sparlampe zu gewähren. Ist es klüger, dem Kunden oder lieber dem Hersteller einen Preisnachlaß zu geben? Links: Subventionierung beim Kunden: Der Preis fällt von 19 auf 14 Dollar. Mitte: Subventionierung des Herstellers: Der Produktionspreis fällt von 9 auf 4 Dollar; der Zwischenhandel schlägt prozentual auf; der Ladenpreis beträgt 9 Dollar. Rechts: Eine Kauflawine setzt ein. Durch Massenfertigung sinkt der Produktionspreis auf 2,50 Dollar, der Ladenpreis auf etwa 5,50 Dollar.*

ermöglichte und damit die Herstellung billiger werden ließ. SCE sagte dem Hersteller, er solle einen Teil seines Zusatzgewinns an SCE zurückgeben, was er auch tat. Trotz dieser Rückerstattung sank der Preis ab Hersteller auf bloße 2,50 Dollar, was zu einem Ladenpreis von 5,50 Dollar führte. Alle Beteiligten fühlten sich als Gewinner. Nur die Kraftwerksbauer nicht.

Um einen Markt zugunsten effizienter Produkte wirklich zum Kippen zu bringen, muß man unter Umständen anfangs mit recht hohen Prämien arbeiten. Das tat der kanadische Stromversorger British Columbia Hydro (BC Hydro) seit 1988 auf dem Markt von Industriemotoren. Diese meist im Bergbau und der Papierindustrie benutzten Großmotoren verbrauchten einen Großteil von BC Hydros Strom, hatten aber durchgängig niedrige

196

Wirkungsgrade. Motoren mit höherer Effizienz waren schlicht nicht vorrätig oder nur nach langen Lieferzeiten zu haben, insofern unbrauchbar für Industriekunden, die darauf angewiesen sind, daß ein ausgefallener Motor über Nacht ersetzt wird. In nur drei Jahren hat BC Hydro das Kunststück vollbracht, den Marktanteil hocheffizienter Motoren von 3% auf 60% zu erhöhen. Dies gelang mittels so verlockender Prämien, daß es sich keine Firma leisten konnte, sie zu übersehen. Nun ist die Marktsituation umgekehrt: um die »normalen« Motoren zu bekommen, muß man lange warten ... Und um sicherzustellen, daß die Händler und Endverbraucher nicht in ihre alten Gewohnheiten zurückfallen, betreibt BC Hydro nun Lobbying für gesetzliche Effizienzstandards, die das Prämiensystem bald überflüssig machen sollen.

Variationen der Prämienidee
Neue Ideen dieser Art tauchten in den achtziger Jahren auf. Einige Energieversorgungsunternehmen boten nicht nur Prämien für den Kauf effizienterer Geräte an, sondern auch für das Verschrotten der alten. Die besten unter den ausgemusterten Geräten wurden an Niedrigverdiener-Haushalte verschenkt, wo sie noch schlechtere ersetzten, der Rest wurde ausgeschlachtet (wobei die FCKWs unschädlich gemacht wurden). Um sicherzustellen, daß ganz schlechte Geräte nicht noch auf Weltreise gehen und in Entwicklungsländern das überlastete Stromnetz noch mehr beanspruchen, muß man die Abwrackprämie an die Vorlage eines fälschungssicheren »Totenscheins« für das Gerät binden.

Die nächste Prämienidee betrifft Designer und Architekten. Einige Stromversorger zahlen dafür, daß vorhandene Gebäude- oder Gerätestandards unterboten werden: je größer der Abstand zur Norm, desto höher die Prämie. Dies fördert Innovationen und technische Neuerungen, so daß die Standards immer höher geschraubt werden können. Wir nehmen das Thema zu Beginn von Kapitel 6 wieder auf.

Weiter geht es, wenn sich mehrere Energieversorgungsunternehmen zusammentun. Das geschah 1993/94 in Nachahmung eines schwedischen Experimentes: Ein großer Geldpreis wurde für denjenigen Hersteller ausgelobt, der einen Kühlschrank einführt, der doppelt so effizient ist wie die existierende Gerätegeneration, höchsten Ansprüchen gerecht wird und FCKW-frei ist. Die Höhe des Preisgeldes wurde von der Stückzahl abhängig gemacht. Damit hatten die Energieversorgungsunternehmen kein Preisrisiko, denn sie zahlten nur für die Menge des eingesparten

Stromes. Das Interesse der Wettbewerber war es, nicht nur die Energieversorgungsunternehmen, sondern vor allem möglichst viele Kunden zu überzeugen, was die Prämie steigen ließ. Die große Hausgerätefirma Whirlpool gewann den Wettbewerb. Aber die Konkurrenz mußte – ohne Prämie – alsbald nachziehen, um nicht abgehängt zu werden.

Noch in den Kinderschuhen steckt die in Kapitel 2 mehrfach erwähnte Idee des Geräte-Leasing. Einige Stromversorger verleasen Energiesparlampen für etwa 30 Pfennig pro Lampe/Monat, und sie ersetzen sie natürlich, wenn sie durchbrennen; so liegt das Interesse an der Langlebigkeit eher beim Hersteller. Das Energieversorgungsunternehmen kann den Hersteller leichter unter Druck setzen als tausend versprengte Einzelkunden. Noch wirksamer ist dieser Anreiz natürlich, wenn der Hersteller selbst als Vermieter auftritt.

Marktwärts

Soweit waren wir noch im vertrauten Gelände von Information, Prämien und Wettbewerben. Der nächste Schritt ist der Wettbewerb im Quadrat, der Wettbewerb darum, wer den Wettbewerb um die Effizienz am effektivsten organisiert. Nun geht es darum, einen regelrechten Handel mit Negawatts zu inszenieren. Negawatts kann man versteigern, ihre Orts-Preis-Differenzen nutzen (Arbitrage), Termingeschäfte mit ihnen abschließen (Derivatenhandel), Sekundärmärkte eröffnen, auf denen abgetretene Negawattanrechte gehandelt werden – das ganze Spektrum der Marktinstrumente, das für Kupfer, Weizen und andere Handelswaren existiert, kann auch für Negawatts aufgebaut werden. Ein wesentliches Merkmal dieser Waren ist es, daß sie im freien Wettbewerb gehandelt werden und daß sich ihr Preis nach Angebot und Nachfrage laufend ändert.

Als die Central Maine Power Company in den achtziger Jahren ihren Industriekunden helfen wollte, Energie billiger zu sparen, als sie es selbst bewerkstelligen konnte, schrieb sie einen Beteiligungswettbewerb aus: Wer am kostengünstigsten spart, bekommt den größten Teil des ausgelobten Geldes. Im ersten Jahr gewann eine einzelne Papierfabrik den ganzen Geldtopf. Im nächsten Jahr bewarben sich fast sämtliche Konkurrenten dieser Firma, und der Wettbewerb war voll im Gang. Das Stromunternehmen wählte die Gebote in zwei Phasen aus: zum einen danach, wer die billigsten Einsparmöglichkeiten nachwies, zum anderen, wer unter diesen bereit war, noch etwas zum Preisgeld dazuzulegen, damit die Geldmenge möglichst weitreichend wirkte.

Die Idee eines solchen Modernisierungswettbewerbs machte Schule. In acht US-Bundesstaaten finden mittlerweile Auktionen nach dem Schema statt: »Wer will zu welchem Preis Energie herstellen, umverteilen *oder* einsparen? Wir nehmen die billigsten Gebote an.« Die billigsten Gebote sind fast immer Einsparungen. Hier treten also verschiedene Einspartechniken sowohl gegeneinander als auch gegen die Energieangebotsseite an.

Wo nun Effizienz, beziehungsweise Negawatts, zur richtig handelbaren Ware geworden ist, müßte sie auch nach Belieben in Geld eingetauscht und über Zeit und Raum handelbar werden. Dieser Handel ist auf viele Arten und zwischen vielen Parteien möglich:

- Stromversorger A kann Stromversorger B für Energie bezahlen, die B gespart hat. Verträge dieser Art gibt es schon in den USA, aber sie sind auch für Europa denkbar. Es ist natürlich viel billiger, in Osteuropa Elektrizität einzusparen, die dank des internationalen Verbundnetzes andernorts gleichviel wert ist. (Ist es nicht eine verlockende und unserem Sicherheitsbedürfnis entgegenkommende Idee, daß westliche Anbieter, anstatt marode Kernkraftanlagen im Osten zu »sanieren«, diese stillegen und statt dessen Effizienz vermarkten?)
- Gesparter Strom kann auch für nicht monetäre Werte gehandelt werden. Beispielsweise verkauft der pazifische Nordwesten der USA eingesparte Wasserkraft als Strom nach Südkalifornien, wenn dieser besonders dringend zur Smog-Vermeidung benötigt wird, und im Gegenzug stellt Südkalifornien überschüssige Kernkraft zur Verfügung, wenn im Nordwesten der USA die Lachsschwärme auf dem Weg zu ihren Laichgründen durch die Kette von Wasserkraftwerken geschleust werden müssen. Die verfügbaren Überschußmengen hängen natürlich entscheidend von den Einsparerfolgen ab.
- Kunde A kann auch direkt in Bs Endnutzungseffizienz investieren und so Energie sparen. Das Energieversorgungsunternehmen wird zum »Negawattmakler« und verkauft A das, was dieser B zu sparen geholfen hat, zu einem reduzierten Tarif. So lohnt sich die Sparmaßnahme für alle, da sie die Betriebskosten verringert.

Die hier beschriebenen Methoden, Negawatt nicht nur direkt zu vermarkten, sondern auch indirekte Handelsmärkte für sie zu schaffen, sind prinzipiell auch auf andere Ressourcen anwendbar. Am sinnfälligsten ist es bei Wassereinsparungen. Morro Bay in Kalifornien litt in den späten achtziger Jahren (wie schon früher) schwer unter Wassermangel. Die Stadtverwaltung gab daher das Motto aus: »Wer ein neues Haus bauen will, muß nachweisen, daß er anderswo in der Stadt doppelt soviel Wasser einzusparen geholfen hat, wie das neue Gebäude verbrauchen wird.« Auf diese Weise wurde innerhalb von zwei Jahren ein Drittel aller privaten Haushalte mit wassersparenden Geräten und Installationen umgerüstet. Man stelle sich das bildlich vor. Da kommt jemand an die Haustür und sagt:»Ich möchte Ihnen dieses Designer-Klo schenken. Es verbraucht nur ein Siebtel der üblichen Wassermenge, ist aber viel leiser, funktioniert besser und ist außerdem so schön, daß es schon im Designmuseum steht.« Nach anfänglicher Verwunderung antworten Sie geschäftstüchtig: »Tja, das machen Sie doch nur, weil Sie eine Baugenehmigung haben möchten. Wieviel ist die Ihnen denn wert? Wieviel bieten Sie mir dafür, daß ich das Klo einbaue?« Und schon hat man einen Markt für Negaliter von Wasser.

Negawatt oder -liter können auch international gehandelt werden. In den achtziger Jahren wollte Hydro-Québec einen riesigen Staudamm bauen, La Grande Baleine. Die einkalkulierten wirtschaftlichen, ökologischen und kulturellen Kosten waren enorm. Von den anvisierten Kapazitäten hätten 450 Megawatt an die Stromversorger vom benachbarten US-Bundesstaat Vermont zu einem Preis von 9 Cent/kWh verkauft werden sollen. Dieser Preisvorschlag, der zudem auf unrealistischen Annahmen weiter steigender Ölpreise beruhte, war viel zu hoch, um für Vermont interessant zu sein. Aber Richard Cowart, der Chef der dortigen Preisaufsichtsbehörde, hatte eine gute Idee: anstatt 450 Megawatt zusätzlichen Stroms für 9 Cent zu kaufen, wolle man Hydro-Québec helfen, 450 Megawatt Dauerleistung in deren existierendem Versorgungsgebiet einzusparen. Anschließend wäre man bereit, 450 MW für 3 Cent/kWh abzukaufen. Die Einsparung in Québec war damals sehr billig, sie kostete nur 1 Cent/kWh. Vermont müßte dann also 3 + 1 Cent/kWh bezahlen, satte 5 Cent weniger als das erste Angebot. Auch Hydro-Québec war aber mit dem Vorschlag gut bedient. Die bestehenden Wasserkraftwerke waren längst abgeschrieben und konnten Energie »am goldenen Ende« des Lebenszyklus verkaufen. 450 MW bei 3 Cent/kWh sind rechnerisch immerhin rund 100 Millionen Dollar pro Jahr. Abbildung 29 zeigt in symbolischer Ausdrucksweise den krassen Preisunterschied zwischen Mega- und Negawatts.

Negawatts sparen Geld !

9 ¢ / kwh
für Wasserkraft

1 ¢ / kwh
für Negawatts

*29. Negawatts sparen Geld! Die Megawatts aus dem geplanten Riesenstausee
La Grande Baleine im Norden Québecs wären neunmal teurer gewesen als die
Negawatts. Am Ende siegte die Vernunft, und der Staudamm wurde nicht gebaut.*

Unsinnigerweise wurde der Vorschlag zunächst abgelehnt, weil Québecs Premierminister Bourassa in Wirklichkeit mehr an dem Staudamm-
projekt als an einem für seine Provinz lukrativen Geschäft interessiert
war; die üblichen, einfach gestrickten Argumente waren im Spiel: Schaf-
fung von Arbeitsplätzen und Prestigegewinn. Die folgende Wahl gewann
Bourassa nicht, und schließlich wurde der Staudamm auch gar nicht
gebaut, da seine Wirtschaftlichkeit gegen die Konkurrenz von Negawatts
nicht gegeben war.

In Europa ließe sich eine Negawatt-Arbitrage besonders leicht vorstellen, sobald man ernsthaft darangeht, das osteuropäische Sparpotential mit
westlicher Technik und osteuropäischen Arbeitslöhnen auszuschöpfen.
Auch in Norwegen müßte man noch rentabel Strom sparen können und

damit die Versorgungslücke durch die geplante Abschaltung schwedischer Kernkraftwerke zumindest teilweise ausgleichen können. Doch die Zeit für solche Überlegungen mag noch nicht reif sein. Die Energiespezialisten tummeln sich noch immer in dem ihnen vertrauten Gebiet der Sanierung osteuropäischer Kernkraftwerke (was nach Auffassung der Weltbank-Experten ein wirtschaftlich und ökologisch fragwürdiges Unterfangen ist).

Für die Nutzung des Sparpotentials braucht man natürlich Kapital. Das anlagesuchende Kapital kann im Prinzip verlangen, beim Investieren in Effizienz nicht schlechter behandelt zu werden als beim Investieren in die Angebotserweiterung. Wir fühlen uns als Advokaten des Kapitals, das langfristig sichere Renditen sucht, wenn wir die Etablierung von Options-, Spot- und Terminmärkten für Negawatts insbesondere in Europa vorschlagen. Der neue Terminmarkt für Strom in Großbritannien könnte als Türöffner dienen, obschon dort noch mit Mega statt mit Nega gehandelt wird.

Als Modell kann der Spot- und Terminhandel mit gegenwärtigen und zukünftigen SO_2-Emissions-Papieren an der Chicagoer Börse dienen. In Analogie zur Vermeidung von SO_2-Emissionen ließen sich »Negawatt-Terminkontrakte« abschließen. Sie bestünden aus einem handelbaren Vertrag, eine bestimmte Menge gesparter Elektrizität zu einem bestimmten Preis an einem bestimmten Ort und Zeitpunkt zu liefern.

Für Energieversorgungsunternehmen könnte außer der stabilisierten Stromnachfrage, welche die Kapitalkosten und die Lieferrisiken senkt, auch die bessere Vorhersagbarkeit der Nachfrage Geld wert sein. Kunden könnten sich demnach – gegen Geld – verpflichten, nicht mehr als eine bestimmte Leistung zu benötigen. Das erleichtert die Planung und Auslegung von Herstellungs- und Leitungskapazität und senkt den Bedarf an teurem Spitzenlaststrom. Diese Kundenbereitschaft zu belohnen und handelbar zu machen entspricht den handelbaren Verschmutzungslizenzen im Rahmen einer fest begrenzten »Glocke«.

Effizienzanbieter als Markt-Quereinsteiger

Die Gebietsmonopole der amerikanischen Energieversorgungsunternehmen sind rechtlich so strukturiert, daß auch ortsfremde Anbieter Negawatts verkaufen dürfen. Das können auch Energieversorgungsunternehmen aus anderen Gebieten sein; zwölf Unternehmen praktizieren dies bereits.

In Ostdeutschland verhindert ein von den drei größten westdeutschen Energieversorgungsunternehmen mitgestricktes Gesetz, daß sich Stadtwerke oder lokale Klein-Energieversorgungsunternehmen uneingeschränkt am Wettbewerb um die Strom*erzeugung* beteiligen. Es sieht aber nicht so aus, als gebe es einen rechtlichen Hinderungsgrund für die »Kleinen«, *Effizienz* als Dienstleistung anzubieten. Dasselbe scheint für Japan und andere Länder zu gelten, wo Gebietsmonopole den Verkauf ortsfremder Elektrizität unmöglich machen.

Nach unserer Vorstellung von Rechtsordnung und Wettbewerb ist diese Asymmetrie zwischen Mega- und Negawatts gut begründet. Während Megawattangebote von außerhalb immer den Verdacht erwecken, sie seien ohne Rücksicht auf den Umweltschutz, auf die Sicherheit oder mit Hilfe versteckter Subventionen erzeugt worden (so lautet ein verbreiteter Vorwurf gegen den französischen Atomstrom), sind Negawattangebote über solchen Verdacht prinzipiell erhaben: Was für Umweltstandards könnte denn eine Effizienzsteigerung von Kühlschränken, Fenstern oder Fabrikationsverfahren verletzen?

Die Beispiele verdeutlichen, daß es einen ganzen Katalog möglicher Maßnahmen gibt, Negawatts zu vermarkten und zu handeln. Sie schaffen lukrative Anreize für smarte Geschäftemacher, Ineffizienzen aufzuspüren und zu nutzen.

Theoretisch brauchen wir auch nicht bei Strom und Wasser stehenzubleiben. All das, was wir in den Kapiteln 2 und 3 über Stoffeffizienz und Transporteffizienz gesagt haben, schreit doch auch nach innovativen neuen Märkten. Das Büromöbel- und Chemikalien-Leasing hatten wir dort schon angesprochen. Aber wie wäre es mit Märkten für den sozialen Nutzen von Negafässern Öl, Negatonnen Kupfer, Negakilometern Autobahn oder Negakubikmetern von Bürogebäuden. Teure Anlagen nicht zu nutzen könnte mit einem Bonus belohnt und die Nutzung im teuersten Zeit- und Ortssegment mit einem Malus belegt werden. Bonus und Malus können dann ihrerseits wieder marktfähig gemacht werden.

Hinter dieser durch und durch liberalen Idee steht der Gedanke: Wenn schon Marktwirtschaft, dann auch gleich richtig und ehrlich. Die aus einer Vergangenheit, in der der Raubbau ungestraft blieb, mitgeschleppten unfairen Marktvorteile der Megaanbieter müssen dringend zugunsten der Negaanbieter korrigiert werden.

6. Kapitel:

Das Richtige, nicht das Falsche belohnen!

Falsche Anreize korrigieren

Von der Verwirklichung der erzliberal-marktwirtschaftlichen Ideen sind wir noch weit entfernt. Vergeudung und pervertierte Anreize regieren noch allenthalben. Regulierung bedeutet immer Regulierung der Anreize. Die Frage ist bloß, welches Verhalten mit Anreizen bestraft oder belohnt wird. Praktisch überall auf der Welt ist der Gewinn aller Unternehmen unmittelbar vom Umsatz abhängig. Die wenigen positiven Gegenbeispiele, die durch Änderungen der Anreizregulierung möglich wurden, haben wir erwähnt. In diesen Fällen ist die Anreizstruktur und die Korrektur der falschen Anreize politisch beeinflußbar. Wie steht es aber um die Mehrheit der Industriesektoren, deren Preisbildung auf dem freien Markt stattfindet? Optimisten nehmen an, daß der Preiswettbewerb um die Kundschaft Güter und Dienstleistungen im Rahmen des technischen Fortschritts laufend effizienter macht. Die Erfahrung bestätigt dies aber nicht.

1 Billion Dollar Vergeudung allein für Luftkühlung in den USA
Eine Studie des Rocky Mountain Institute zur Luftkühlungstechnik in den USA kam zum Ergebnis, daß viel zuviel Energie verschwendet wird. Die Studie zeigt, wie man durch bauliche Optimierung 80 bis 90% der für die Luftkühlung benötigten Energie einsparen kann und zugleich den Komfort erhöht (vgl. auch Kap. 1, Beispiele 4 u. 18). Die Installation von ineffizienten Klimaanlagen macht es erforderlich, daß im ganzen Land 200 000 Megawatt (!) Spitzenstrom bereitgehalten werden – zwei Fünftel des gesamten nationalen Spitzenstrombedarfs. Dies entspricht, an den heutigen Kosten dieser Gesamtinstallation bemessen, einer Vergeudung von einer Billion (eine Million Millionen) Dollar.

Wie kam es bloß in einer Marktwirtschaft wie den USA zu einer derartigen Fehlentwicklung? Es sieht nach einem massiven Marktversagen aus. Die Analyse zeigt, daß die zwei Dutzend am Bauprozeß beteiligten Institutionen und Firmen allesamt pervertierte Anreize hatten: sie alle wurden für Ineffizienz belohnt und für Effizienz bestraft. Wollte man ein System von Anreizen und institutionellen Strukturen schaffen, um den Energieverbrauch von Gebäuden auf das Zehnfache des physikalischen Sollwertes zu erhöhen, um den Aufenthalt in diesen Gebäuden ungesünder und unbequemer zu machen und um alles noch möglichst teuer zu machen, müßte man gar nicht lange suchen: In den USA und in den meisten Ländern der Erde wurde so ein System längst erfunden.

Um das zu verstehen, brauchen wir nur die bisherigen Honorarordnungen für Architekten und Ingenieure anzuschauen. Diese werden zumeist im Verhältnis zu den Kosten des Gebäudes oder des eingesetzten Geräts bezahlt. Man versetze sich in den Ingenieur, der die Klimaanlage eines großen neuen Bürohauses auslegt. Er wird kein Interesse an einem für ihn zeitaufwendigen neuen Design haben, sondern sich an Bewährtes halten. In den USA, dem Land der Rechtsstreitereien, tut er das allein schon deshalb, um später nicht verklagt zu werden. Vor allem wird er alles so großzügig auslegen, daß die Kühlanlage mit allen nur denkbaren Wärmequellen fertig wird, wie Lampen, Bürogeräten, geöffneten Fenstern im Sommer usw. Für solche Wärmequellen sind ja andere Ingenieure zuständig, und unser Kühlungsingenieur muß auf Nummer Sicher gehen. Und schließlich schadet es seinem Honorar nicht, wenn alles ein bißchen teurer ist.

Beim Architekten, bei dem alles zusammenläuft, sieht es mit dem Anreiz nicht anders aus. Auch er muß vor Klagen wegen Funktionsstörungen durch Unterdimensionierung viel mehr auf der Hut sein als vor Kostenüberschreitungen. Und sein Honorar wird bislang nicht nach Optimierungsleistung, sondern nach Prozenten berechnet.

Haben dagegen alle Interesse an einem energieeffizienten und auch sonst ökologisch attraktiven Haus, dann werden ganz andere Häuser gebaut. Das ist theoretisch möglich, wie wir in den Beispielen 2, 3, 6 und 8 des Kapitels 1 gezeigt haben. Doch was ist die Folge der neuen, optimierten Teambauweise? Zwar freuen sich die Bauherren über niedrige Baukosten und die Bewohner über geringe laufende Kosten und erhöhten Komfort, doch die Architekten werden arm, weil all das, wonach ihre

Gebühren berechnet wurden, jetzt viel billiger ist. Selbst wenn ein Fixhonorar vereinbart würde, müßte der Architekt für die optimierten Häuser viel härter arbeiten. Wieso sollte er also?

Die Architekten am Spargewinn beteiligen

Zum Glück gibt es Möglichkeiten, diese pervertierten Anreize im Bauprozeß zu beseitigen. Beispielsweise könnten Architekten nach dem Umfang der von ihnen erzielten Einsparungen bezahlt werden. Sie bekämen wie gehabt Geld für ihre Arbeit am Reißbrett oder Zeichentisch, aber darüber hinaus einen Prozentanteil an den berechneten Einsparungen über den gesamten Lebenszyklus eines Gebäudes, gemessen an einem Normwert. Diesen festzulegen ist in allen Ländern durchaus möglich. Architektenvereinigungen in den USA, in Deutschland und in der Schweiz arbeiten bereits an den notwendigen Regeln, und einige Praktiker haben schon mit der Umsetzung begonnen. Auch die deutsche Novelle (1994) der Honorarordnung für Architekten weist einige gute Korrekturen auf.

Man sollte noch wesentlich weitergehen mit der Anreizverschiebung. Die Energieversorgungsunternehmen könnten den Architekten Prämien etwa in Höhe der Stromeinsparungen der ersten drei Jahre zahlen, vorausgesetzt natürlich, daß die Energieversorgungsunternehmen ihrerseits unter einem Regime arbeiten, das es ihnen erlaubt, die volkswirtschaftlichen Gewinne der von ihnen verursachten Effizienzgewinne als betriebswirtschaftliche Gewinne zumindest prozentual einzustreichen. Ontario Hydro, das größte kanadische Energieversorgungsunternehmen, hat solche Architektenprämien eine Zeitlang gezahlt.

Mit Hilfe solcher Ansätze könnten Architekten ihre Einkünfte wesentlich erhöhen. Auch die beteiligten Baufirmen, welche die hier notwendige integrierte Ressourcenplanung beherrschen, können für die Zusatzarbeit reichlich belohnt werden. Umgekehrt kann man sich auch böse Sanktionen ausdenken, wie sie vor kurzem in Singapur eingeführt wurden: Wenn dort die Einsparungen unter den vernünftig etablierten Erwartungswerten bleiben, müssen die Verantwortlichen zur Strafe zehnmal die jährliche Differenz an das Finanzamt abführen. Das kann man in beide Richtungen praktizieren: der fünffache Sparbetrag als Bonus, der fünffache fehlende Sparbetrag als Malus (Konventionalstrafe).

Den Augiasstall ausmisten

Mit der Korrektur der Anreizstruktur für Architekten und Elektroinstallateure ist aber erst ein kleiner Anfang gemacht. Da gibt es die Bauunternehmer, die sich abgeschlanktes Bauen noch überhaupt nicht vorstellen können, ebensowenig wie die Gewerkschaften der beteiligten Branchen. Dann gibt es die Vorlieferanten, die Baugenehmigungsbehörden und die tausend Vorschriften, denen sie unterliegen. Es gibt weiterhin die am Umsatz, also an der Vergeudung, verdienenden Makler, und es gibt die Mieter mit ihren Vorurteilen davon, was alles sein muß. Noch weiter vorne in der Kette gibt es die Hochschulen, auf denen der ganze Verschwendungsunfug gelehrt wird. Nicht nur in Amerika gibt es ferner zahlreiche Rechtsanwälte, deren Broterwerb darin besteht, immer neue Ansprüche durchzusetzen, die zu erfüllen die Vergeudung weiter vorantreibt.

Und über alldem stehen die Wirtschaftspolitiker, die für weiteres »Wachstum« kämpfen, für ein hohes Bruttosozialprodukt, welches in Wirklichkeit ebenfalls Umsatz bedeutet und Vergeudung impliziert. Dem letzteren Problem wenden wir uns erst im 12. Kapitel zu.

Aber schon ohne die allgemeine Wachstumsdiskussion haben wir es beim Hausbau ebenso wie in vielen anderen Wirtschaftssektoren mit einem regelrechten Augiasstall der falschen Anreize zu tun, den man erst einmal ausmisten müßte, um zur Vernunft im Sinne der Verlustvermeidung zu kommen.

Eines der bekanntesten Probleme beim Ausmisten ist die Tatsache, daß Häuser sehr häufig vermietet werden und daß der Nutzen für energetische Sanierung nicht demjenigen zufließt, der die Sanierung zu bezahlen hat, dem Eigentümer. Hiergegen gibt es das probate, in Kapitel 4 erwähnte Mittel des Contracting.

Das Richtige statt das Falsche zu belohnen kann unerwartet hohe Nebendividenden bringen, wie wir etwa bei der Schilderung der holländischen ING Bank (Kap. 1, Beispiel 8) berichtet haben. Die Logik der Nebendividenden des ökologischen Hausbaus leitet sich daraus ab, daß die Angestellten eines Bürohauses über die Jahre ein Tausendfaches von dem bezahlt bekommen, was der Architekt beim Bau verdient. Wenn er/sie das Gebäude besonders gut gestaltet, so daß nicht nur die Energierechnung niedrig bleibt, sondern auch die Motivation der Mitarbeiter steigt, dann zahlt sich das tausendfach aus.

30. Rückkopplung stärkt die Verantwortung: Die Fabrik muß ihr Frischwasser aus dem Fluß unterhalb ihrer Abwassereinleitung entnehmen.

Verantwortung hat etwas mit Antwort zu tun

Wirksamer als komplizierte Anreizsysteme ist manchmal eine einfache Rückkopplung: Wenn eine Fabrik das Betriebswasser flußabwärts von ihrem eigenen Abwasserrohr entnehmen muß, wird sie schon dafür sorgen, daß die Wasserreinigung ununterbrochen gut funktioniert (Abb. 30).

Das heißt, im strengen Sinne die Verantwortung übernehmen: Man sieht, was das eigene Handeln anrichtet, und betrachtet das Ergebnis als »Antwort«.

Gleiches ist für die Abluft denkbar. Die Luft aus dem Schornstein in die Ventilation zu leiten ist das sicherste Mittel, um rasch Null-Emissionen zu erreichen. Oder: Wenn die Anwohner einer Ölraffinerie an der Harmlosigkeit der Emissionen zweifeln, könnten sie als Beweis für das Verantwortungsbewußtsein des Managements verlangen, daß die Hälfte der leitenden Angestellten mit ihren Familien leeseitig in der Nähe der Raffinerie wohnt.

Ganz realistisch (weil am wenigsten gesundheitsgefährdend) ist dieser Denkansatz bei Abfällen. Wenn man nach der Logik des Kreislaufwirtschaftsgesetzes die Hersteller zwingt, die volle Produktverantwortung zu übernehmen und die Produkte nach Gebrauch zurückzunehmen, haben sie ein großes Interesse daran, daß das Wiederverwenden der Rohstoffe oder auch der tragenden Struktur (etwa des Kühlschrankgehäuses) problem- und verlustfrei vor sich geht.

Eine andere Form der Antwort bietet das Haftungsrecht. Mit dem in der EU und in Deutschland eingeführten Umwelthaftungsrecht ist für die Firmen ein Zwang entstanden (der in den USA und Japan schon vorher wirksam war), für Schäden aus den ökologischen Risiken geradezustehen. Vernünftigerweise suchen sie hierfür einen Versicherungsschutz. Hierdurch wird auf einmal ein privatwirtschaftlich organisierter Konzern, eben der Versicherungskonzern, zum Aufpasser dafür, daß sich die versicherte Firma ökologisch verantwortlich verhält.

Problematisch ist, daß den beiden heute noch wichtigsten Formen der Stromerzeugung, Kohle und Kernkraft, erlaubt wird, ohne einen ausreichenden Versicherungsschutz Strom zu erzeugen. Die Klimarisiken und die Atomrisiken (jenseits eines begrenzten Betrages) werden den Opfern beziehungsweise der Öffentlichkeit, der Umwelt und der Nachwelt aufgebürdet. Sie werden im strengen Sinne nicht verantwortet. Im Zusammenhang des vom Bundeswirtschaftsminister bestellten Gutachtens der Basler Prognos über Externkosten der Energieerzeugung hat der Münsteraner Umweltökonom Hans Jürgen Ewers (Masuhr u. a. 1995) abgeschätzt, daß der Atomstrom mehr als eine Mark pro Kilowattstunde kosten würde, wenn das gesamte Risiko privatwirtschaftlich versichert werden müßte.

Bei Kohlekraftwerken ist eine privatwirtschaftliche Klimaschutzversicherung nicht so recht vorstellbar. Wie will man die Verantwortlichkeit für eine Flut- oder Hurrikankatastrophe einzelnen Kraftwerken der Gegenwart oder der Vergangenheit zuweisen? Das heißt aber nicht, daß sie sich einfach aus der Verantwortung stehlen dürfen. Wir meinen, daß uns erst das Kapitel 7 über die ökologische Steuerreform einer Lösung näherbringt.

Der gesamte Energiemarkt würde sich jedenfalls völlig anders fortentwickeln, wenn es keinem Mitspieler erlaubt würde, sich aus der Verantwortung zu stehlen.

Wahlmöglichkeiten schaffen: Beispiel Verkehr

Ein weiterer Lösungsansatz besteht darin, den Marktteilnehmern neue Wahlmöglichkeiten zu schaffen. Nehmen wir das Beispiel Parkplätze am

Arbeitsplatz. Etwa ein Drittel aller mit dem PKW zurückgelegten Kilometer entfällt auf die Pendler. Die Mehrzahl von ihnen hat einen kostenlosen Firmenparkplatz, der zuweilen mehr Fläche beansprucht als der Arbeitsplatz selbst. Die Kosten für die Reservierung von Parkplätzen im städtischen Bereich sind hoch. Auf »der grünen Wiese« waren sie anfangs relativ niedrig, weshalb viele Betriebe aus den Städten auszogen; sie hätten die Parkplätze nicht mehr bezahlen können. Und bald wurde es für die Mehrzahl der Mitarbeiter fast unmöglich, ohne Auto zur Arbeit zu kommen. Nun fänden sie es unfair, wenn der Firmenparkplatz nicht gratis wäre.

Alles ganz verständlich und menschlich. Aber hier wird gegen die Grundregel der Marktwirtschaft verstoßen, daß etwas, was Kosten verursacht, seinen Preis haben muß. Daß in Lenins Sowjetunion Wasser und Energie nichts kosten durften, war auch menschlich verständlich, aber es war letztlich ein schwerer wirtschaftspolitischer Fehler. Wie kommen wir aus dem Parkplatz-Leninismus wieder heraus?

Die Arbeitgeber könnten freiwillig oder gesetzlich verpflichtet eine marktgemäße Standmiete für den Stellplatz verlangen, aber gleichzeitig jedem Bediensteten einen gleich hohen Nettobetrag als Pendlerzuschuß in die Lohntüte stecken. Dann kann jeder wählen, ob er weiterhin mit dem Auto zur Arbeit fährt und netto unverändert dasteht oder ob er lieber auf billigerem Weg zur Arbeit kommt (Mitfahrgelegenheiten, öffentlicher Verkehr, zu Fuß, mit dem Rad, in die Nähe des Arbeitsplatzes ziehen). Es entsteht ein Wettbewerb zwischen verschiedenen Wahlmöglichkeiten, der bislang durch den Gratisparkraum unterdrückt wurde.

Woher, so wird man gleich fragen, sollen aber die Arbeitgeber das Geld für den Pendlerzuschuß hernehmen? Nun, die Zahl der benötigten Parkplätze wird nach Einführung der Wahlmöglichkeit sinken, und der Überschuß kann theoretisch an Nachbarn vermietet werden. Der Arbeitgeber kommt wohl nur in der Phase auf seine Kosten, in der er eigentlich zusätzliche Parkplätze bauen oder den Betrieb wegen Mangel an Parkplätzen verlagern müßte. Das System ist also nur langfristig lukrativ. Immerhin könnte es wesentlich dazu beitragen, den in vielen deutschen Städten, insbesondere in Ostdeutschland, anhaltenden Trend zur Verlagerung von Betrieben an den Stadtrand mit seinen höchst ungesunden Begleiterscheinungen zu stoppen.

Städte und Gemeinden können aus planerischen und ökologischen Gründen dazu kommen, das System obligatorisch einzuführen (so geschehen durch den South Coast Air Quality Management District in Kalifornien) und/oder es zu subventionieren. Auch die von Präsident Clinton 1994 formulierte Klimaschutz-Strategie enthält diesen Gedanken.

Veränderte Mobilitätsvorstellungen können dazu führen, daß man solche Ideen ohnehin nicht mehr anstößig finden wird. Wenn ein wachsender Teil der arbeitenden Bevölkerung nicht mehr zur Arbeit fahren muß, weil viele Arbeiten über Datenfernübertragung erledigt werden können, nimmt das Interesse an Parkplatzgarantien ab. In dem Zusammenhang denke man daran, daß selbst eine so extreme Maßnahme, wie jeden Haushalt mit einer Glasfaserleitung an alle möglichen Datenautobahnen anzuschließen, weniger Geld kostet, als wir alle paar Jahre für neue Straßen ausgeben.

Die »Geld-statt-Stellplatz«-Idee kann erweitert und übertragen werden. In weiten Teilen der USA und bis vor kurzem in Deutschland war der Stellplatznachweis Bedingung jeder Baugenehmigung, oft die am schwersten erfüllbare. Inzwischen hat sich das vielerorts geändert. Insbesondere in rot-grün regierten Städten werden neue Stellplätze nicht mehr gern gesehen. Manchmal läßt sich eine Stadt zur Aufbesserung ihrer meist verzweifelten finanziellen Situation die noch bestehende Verpflichtung gerne abkaufen, manchmal gibt es, so etwa in Frankfurt, regelrechte Restriktionen gegen kostenlose Firmenparkplätze (mit der doppelten Absicht, das Bauen nicht unnötig teuer zu machen und nicht zusätzlichen Verkehr aus dem Umland anzuziehen). In Tokio, darf man erst gar kein Auto kaufen, wenn man nicht über einen Parkplatz verfügt, und den können sich die meisten auf dem teuren Pflaster gar nicht leisten.

Wie wäre es nun, wenn auf dem Wohnungsmarkt Parkplätze gar nicht mehr als Teil der Wohnung angeboten werden dürften, statt dessen aber ein Dauer-Abo für das städtische Verkehrssystem obligatorischer Teil der Wohnung wäre? Das ist soeben in San José, Kalifornien, vorgeschlagen worden. Bei den heutigen Grundstückspreisen wäre das Abo billiger als die jährlichen Kosten für einen Parkplatz.

Dies ähnelt dem ursprünglich in Stockholm entwickelten, aber schließlich in Freiburg im Breisgau in die Praxis umgesetzten Vorschlag, wonach die Parkplatzerlaubnis im städtischen Bereich zugleich ein Abo für die öffentlichen Verkehrsmittel ist und auch gleichviel kostet. Wer das Abo erst einmal hat, benutzt Busse und Bahnen gerne. Und wenn nicht, trägt man doch wenigstens zu deren Finanzierung bei und stärkt ihre Wettbewerbsposition gegenüber dem Auto.

Die Automobilität hat ihre Wurzeln in der Zeit, als es aus Gesundheitsgründen ratsam war, Wohnquartiere und industrielle (schmutzige) Arbeitsstätten räumlich zu trennen. Das war der Grundinhalt der menschenfreundlich gedachten Charta von Athen. Doch mit dem Massenphänomen Auto handelte man sich mit dieser Siedlungsphilosophie Probleme ein, die man jetzt kaum mehr los wird, wie Frederic Vester (1995) in seinem neuen Buch *Crashtest Mobilität* beredt darstellt.

Auch wenn wir in unserem Buch nicht die ganze Verkehrsproblematik aufrollen können, sollen doch noch einige Ansätze erwähnt werden, die helfen, aus dem Teufelskreis der pervertierten Charta von Athen wieder herauszukommen.

Die Trennung von Wohnen, Arbeiten, Einkaufen und Naherholung sollte nicht mehr belohnt oder gar erzwungen werden. Im Gegenteil sollten integrierte Funktionsräume gefördert und popularisiert werden, wie sie in den Faktor-4-Beispielen 8 bis 10 im dritten Kapitel skizziert werden. Das sind dann fußgängerfreundliche Gemeinden, in denen man das Auto nur benutzt, wenn es wirklich von Vorteil ist. Das sind zugleich die künftig privilegierten Siedlungen: kompakt, sauber, mit modernem Gewerbe durchsetzt, abwechslungsreich auch im Einkauf und im kulturellen Bereich, kinderfreundlich, mit geringer Kriminalität und fast keinen Autounfällen und mit hohen Grundstückswerten.

Toronto hat es sich seit den fünfziger Jahren – gegen den Zeitgeist – zum Prinzip gemacht, Siedlungsdichte, gemischte Wohn- und Arbeitsviertel und die Ansiedlung von Arbeitsplätzen in der Nähe von Haltestellen zu belohnen sowie die Zersiedelung finanziell zu bestrafen. Und so kann man heute, nach dreißig Jahren konsequenter Durchführung dieser Politik mitten in dem von Autolawinen heimgesuchten Nordamerika in einer Weltstadt mit europäischer Urbanität leben. Praktisch alle möglichen Ziele in Toronto sind in weniger als fünf Gehminuten von Stationen der U- oder S-Bahn zu erreichen.

Arlington bei Washington rückt dem Autoverkehr zu Leibe, indem es U-Bahnstationen zu Entwicklungschwerpunkten macht. Das hat sich herumgesprochen, und alsbald stieg die Attraktivität der nahen Umgebung der U-Bahnstrecken und zog Investitionen in Höhe von 650 Millionen Dollar allein in den ersten drei Jahren des Programms an.

Eine neue Dimension des Anreizsystems etablierten die beiden größten amerikanischen Hypothekenbanken Fannie Mae und Freddie Mac. Sie geben seit kurzem Familien mit geringem Einkommen höhere Kredite auf energieeffiziente Häuser. Sie rechnen die niedrigeren monatlichen Energiekosten in die Zahlungsfähigkeit der Familie mit ein. Damit erschließen sie Kleinverdienern bislang unerschwingliche Wohnungen, was in den USA sozialpolitisch hohes Gewicht hat. Nun schlägt David Goldstein vom Natural Resources Defense Council, einer der bedeutendsten Umweltorganisationen der USA, vor, die Formel um die einsparbaren Kosten des Berufsverkehrs zu erweitern. Die Differenz kann mehrere hundert Mark monatlich ausmachen und die finanzielle Möglichkeit, sich ein Haus zu leisten, noch einmal vergrößern. Zugleich wird der Zersiedelung Einhalt geboten.

Ein Anreiz ganz anderer Art wurde in Kalifornien geschaffen: Dort bezahlt man die Autoversicherung an der Zapfsäule. Der durchschnittliche Autofahrer muß in den USA pro Kilometer mehr an Versicherungen der verschiedenen Art bezahlen als fürs Benzin. Nun ist aber das Unfallrisiko kilometerabhängig. Also ist es nicht abwegig, die Versicherungsprämie von der Zahl der gefahrenen Kilometer, also von den Litern getanktem Benzin, abhängig zu machen. Die Erlöse werden an die Versicherungen nach einem Schlüssel verteilt, der ihrem Marktanteil entspricht. Zugegeben, die Idee hatte in den USA mehr damit zu tun, die Nichtversicherten endlich zur Kasse zu bitten, die natürlich auch Unfälle verursachen und dann meist zahlungsunfähig sind. Aber sie wirkt als vernünftiger Anreiz, unnötige Fahrten zu vermeiden. In Deutschland, wo die Autofahrer pflichtversichert sind, haben die Versicherer vorläufig kein Interesse an dem System, weil es fast unmöglich ist, Schadensfreiheitsrabatte zu organisieren und Marktanteile zu verändern. Aber wenn es gesetzlich eingeführt würde (dann am besten im ganzen EU-Raum), werden sie natürlich mitmachen.

Nach der Diskussion in Kapitel 5 über Negawatts ist es jetzt an der Zeit, auch über »Negameilen« und »Negafahrten« zu sprechen. Wer eine Fahrt oder regelmäßiges Fahren vermeidet, kann dafür belohnt werden, nicht nur über höhere Kreditwürdigkeit bei Hypotheken. Eine kilometerunabhängige Pendlerpauschale und eine entsprechende Umlage der Steuerbegünstigung von Pendlern auf alle arbeitenden Personen könnte der Einstieg sein. Sie würde ähnlich, aber finanziell noch stärker wirken als die eingangs vorgetragene »Geld-statt-Stellplatz«-Idee.

Theoretisch könnte man aus jedem Transportmodus ein »Unternehmen« machen, das wie die kalifornischen Stromversorger für die Verminderung des Transportvolumens belohnt wird und die Minimierung der sozialen und externen Kosten zum Betriebsziel hat. (Dank neuester Technologie ist es möglich, jedem Autofahrer elektronisch eine Rechnung über die momentan von ihm verursachten geschätzten Gesamtkosten ins Auto zu funken.)

Damit könnte das Ende der Subventionen im Verkehrswesen eingeläutet werden. Jeder Transportmodus müßte sich selbst finanzieren und sogar noch Gebühren in die öffentliche Kasse entrichten, statt Subventionen in Milliardenhöhe zu kassieren.

Die Preise müssen die Wahrheit sagen

Mangelnder Wettbewerb ist nur ein Grund, warum die Mobilitätsprobleme so schwer lösbar sind. Ein anderer sind Preise, die uns dauernd anlügen. Die sozialen Kosten des Autofahrens, Zeitverluste durch Verkehrsstaus, Unfälle, Umweltverschmutzung, Straßenschäden, Landverbrauch und andere, werden einfach der Gesellschaft aufgebürdet. Diese »externen« Kosten belaufen sich nach verschiedenen Schätzungen (MacKenzie, 1992) auf etwa 5% des Bruttosozialproduktes. Der Autotreibstoff könnte aufgrund solcher Schätzungen leicht um ein bis zwei Mark pro Liter teurer werden, wenn die Externkosten »internalisiert« werden sollten.

Richtige Preise können ihre Wirkung haben. Abbildung 33 (S. 223) zeigt, daß niedrige Benzinpreise mit hohen Pro-Kopf-Verbräuchen einhergehen. Singapur, dessen rasch steigender Wohlstand zu einer katastrophalen Autodichte hätte führen können, hat keine Probleme mit dem Verkehrsfluß. Das liegt an seiner Politik, Autos massiv zu besteuern, das Recht auf den Autobesitz zu rationieren und die Rechte handelbar zu machen. Dazu kommt eine tägliche Benutzungsgebühr für die Innenstadt. Der Erlös aus diesen Maßnahmen wird in ein ausgezeichnetes Nahverkehrswesen investiert. Wer unbedingt Auto fahren muß, bezahlt die gesamten daraus entstehenden Kosten. Alle haben mehr davon, auch die Autofahrer, die normalerweise ständig im Stau steckenblieben, aus dem man auch mit viel Geld nicht hinauskäme.

Was Singapur durch Regeln schafft, kann man auch elektronisch machen: mit den in Deutschland zur Erprobung eingesetzten, in Dallas und Oklahoma City bereits erfolgreich benutzten Geräten, die Autos, welche durch Mautstationen fahren, registrieren und unter Wahrung des Datenschutzes das Konto der Benutzer belasten. In Stoßzeiten ist die Straßenbenutzung vernünftigerweise teurer als sonst. Mit dieser Technologie, die es ermöglicht, Gebühren je nach Entfernung und Tageszeit zu erheben, könnte man auch einige soziale und ökologische Kosten des Autoverkehrs erfassen und anrechnen.

Die große Zahl der Preisverzerrungen ist sattsam bekannt. Da gibt es etwa die amerikanischen Bahnfrachtgebühren, die für eine Tonne rezyklierten Kupfers höher sind als für die gleiche Menge Rohkupfer. Die staatlichen Subventionen für die amerikanische Stromindustrie liegen bei etwa 30 Milliarden Dollar jährlich; die EG-Agrarsubventionen liegen noch höher und wirken sich unter ökologischen Gesichtspunkten betrachtet noch schlimmer aus. Dies sind nur die Spitzen eines ganzen Meeres voller Eisberge, die selbst sehr reiche Länder zum Sinken bringen können. Paul Hawken, der amerikanische Bestsellerautor, mutmaßt, daß sich die volkswirtschaftliche Vergeudung durch Subventionen, Folgekosten, Raubbau, Verschmutzung und Ressourcenverschwendung auf annähernd die Hälfte des Bruttosozialproduktes beläuft.

Die Verzerrung besteht nicht nur bei Einzelpreisen. Vielmehr ist oft die gesamte Preisstruktur verzerrt, wenn etwa Stromunternehmen Mengenrabatt gewähren und den sparsamen Verbraucher durch hohe Grundgebühren bestrafen.

Wenn man sich die Demokratie der Märkte als Mehrheitsentscheid mit unserem Geld vorstellt, dann leben wir noch unter einer Tyrannei mit Demagogie und Wahlbetrug. Selbst die wohlüberlegtesten mit unserem Geld abgegebenen Stimmen werden nicht die gewünschten Resultate bringen, wenn es nicht einen fairen Wahlkampf aller Kandidaten gibt, die sich zudem an ihre Versprechen halten.

Im 7. Kapitel gehen wir der Frage nach, wie man besonders die gefährliche Vernachlässigung der Externkosten bei der Preisbildung korrigieren könnte. Zuvor besprechen wir noch eine Möglichkeit, das Richtige zu belohnen und im gleichen Schritt das Falsche zu bestrafen.

Bonus-Malus-Systeme

Wenn viele Leute etwas Dummes tun, das uns alle Geld kostet, es aber eine alternative Handlungsmöglichkeit gibt, die uns viel Geld sparen hilft, was kann man dann gegen die Geldverschwendung tun?

Statt Hunderte von Vorschriften zu erlassen, die meistens ihrer Zeit hinterher sind und mit einem statischen Technikverständnis einhergehen, kann man Preissignale aussenden, die gleich doppelt wirken und den technischen Fortschritt bewußt beschleunigen. Es handelt sich dabei um eine Kombination aus einer Gebühr *(fee)*, einer Strafe oder einem Malus für Ineffizienz, und einem Rabatt *(rebate)*, einer Prämie, einem Bonus für Effizienz. Aus *fee* und *rebate* prägte der Energieeffizienz-Experte Arthur Rosenfeld das neue Wort *feebate*, also etwa Bonus-Malus-System.

Wenn ein neues Gebäude ineffizient ist, so daß Wasser oder Strom verschwendet und der Allgemeinheit damit Kosten aufgebürdet werden, nämlich mindestens die anteiligen Kosten der Verursachung teurer neuer Stromleitungen, Kraftwerke, Wasserleitungen oder Kläranlagen, dann müßte dem Bauherrn ein Malus auferlegt werden; je ineffizienter das Gebäude, desto höher der Malus. Dieser Betrag müßte in eine Kasse gegeben werden, aus welcher den Bauherren der effizientesten Häuser ein Bonus – proportional zur Effizienz – gezahlt wird. Diese Aufkommensneutralität ist politisch attraktiv. Zudem ist das Bonus-Malus-System fair: Es bewirkt eine Umverteilung von den ineffizienten, sozial unerwünschten Praktiken hin zu denjenigen, die der Gesellschaft nützen.

Im Gegensatz zu technischen Standards sind *feebates* von vornherein dynamisch und fördern die technologische Entwicklung. Dies geschieht automatisch und ohne die bei Grenzwerten nötige regelmäßige Revision durch Experten. Bonus-Malus-Systeme machen die Grenzwerte überflüssig.

Irgend jemand muß natürlich entscheiden, wie effizient ein Neubau ist, um dann die Malus- oder Bonushöhe zu berechnen. In Kalifornien wurde ein Punktesystem entwickelt, nach dem die Energiesparleistungen eines Hauses, die noch über die vorschriftsmäßigen Standards hinausgehen, bewertet werden. Die Gesamtzahl von Punkten, die sich aus Öfen, Maschinen, Fenstern, Lampen usw. errechnen, erlaubt eine gute Voraussage über den Jahresverbrauch. Anschließend wird in der Gemeinde ein Mittelwert gebildet. Wer darüber liegt, muß zahlen, wer darunter liegt, bekommt einen Bonus. Wen wundert es, wenn dann an den Schildern vor einem zum Verkauf stehenden Haus als eine der wichtigsten Informationen diese Punktzahl zu lesen ist.

Das Bonus-Malus-System der *feebates* wird schon in mehreren amerikanischen Kommunen praktiziert. Ungeschickt ging der Bundesstaat Maine vor: Dort führte man den Malus vor dem Bonus ein, und die Leute fühlten sich betrogen.

Etwas Ähnliches wie *feebates* wurde schon erfolgreich zur Förderung effizienterer Wassernutzung versucht. Der Architekt des Novi-Hilton-Hotels in Novi im US-Bundesstaat Michigan verlangte und erhielt auch einen Nachlaß von 70 000 Dollar auf die Anschlußgebühr für das 300-Betten-Hotel, weil er wassersparende Armaturen vorweisen konnte, die 70% weniger Wasser verbrauchten als vorgesehen und damit die kommunale Wasserversorgung weniger belasteten.

Bonus-Malus-Systeme für Fahrzeuge

Die *feebate*-Idee könnte ihre größte Wirksamkeit bei der Erneuerung der Autoflotte entfalten. Dies gilt besonders in den USA, wo die Benzinkosten nur ein Achtel der Gesamtkosten des Autofahrens ausmachen, so daß jedes Preissignal beim Benzin nur im Verhältnis 7 : 1 verdünnt beim Autofahrer ankommt. Bis zur Wirksamkeit eines (im übrigen politisch kaum durchsetzbaren) Benzinpreissignals müßte man also viel zu lange warten.

Die neueste Generation amerikanischer PKWs ist etwa doppelt so effizient wie die vor zwanzig Jahren. Das ist den Effizienzvorschriften der Corporate Average Fuel Economy (CAFE) der späten siebziger Jahre zu verdanken. Inzwischen ist aber die Verbesserung ins Stocken geraten. Neue Bewegung ist eigentlich erst zu erwarten, wenn man mit einem Bonus-Malus-System eingreift, das politisch leichter akzeptiert werden dürfte als Steuern oder verschärfte CAFE-Vorschriften.

1990 wurde in Kalifornien ein Anfang gemacht: Das Parlament hatte mit breiter Mehrheit den *Drive-Plus*-Plan beschlossen, wonach ein effizientes Auto je nach Benzinverbrauch einen Bonus bekommen sollte beziehungsweise einen Malus bei Ineffizienz. Ein gesondertes Bonus-Malus-System war für Smog verursachende Emissionen vorgesehen. Leider legte der scheidende Gouverneur, George Deukmejian, sein Veto ein, vermutlich weil man sich in der Automobilindustrie (unbegründet) Sorgen machte. Dabei müßte man diese Pläne dort eher begrüßen, weil Erneuerungen geschäftlich interessant sind.

Mit einem Bonus-Malus-System gelingt es sicher auch, die alten, ineffizienten Karossen rascher von der Straße zu holen. Man muß dazu den Bonus von der Differenz zwischen der Effizienz des verschrotteten und des neuen Autos abhängig machen. Man erhält also mehr Geld, wenn man das alte Auto verschrotten läßt, als man heute vom Händler für die Inzahlungnahme bekäme. Der Totenschein für das alte Auto berechtigt zum Rabatt für das neue. Man kann das alte Auto auch aus dem Verkehr ziehen, ohne es zu ersetzen. Dann bekommt man einen baren »Negaauto«-Erlös. Wie hoch sollte der Bonus sein? Schätzungen des Rocky Mountain Institute (zum sozialen Nutzen vom Verschrotten eines Autos) legen einen Bonus von einigen tausend Dollar pro Liter pro 100 km nahe. Wenn man also einen 20-l-Straßenkreuzer durch ein Hyperauto ersetzt, müßte man satte 20 000 Dollar bekommen, also mehr als den vollen Kaufpreis des Hyperautos. Da die ineffizienten Autos vornehmlich von Kleinverdienern gefahren werden, wäre diese Sorte *feebate*-System auch noch sozial progressiv: Die ärmeren bekämen die höchste Verschrottungsprämie.

In Europa, wo höhere Benzinsteuern im Rahmen einer ökologischen Steuerreform nicht tabu sind, aber die Kleinverdiener härter treffen, könnte die Verschrottungsprämie für den sozialen Ausgleich sorgen.

Die *feebate*-Idee eignet sich nicht nur für PKWs, sondern ebensogut für Lastwagen, Schiffe, Flugzeuge und Züge. Insbesondere manche Fluggesellschaften zögern, die schon doppelt so effizienten Maschinen der neuesten Generation zu kaufen. Und die politisch längst überfällige Kerosinsteuer, die den Austauschprozeß beschleunigen könnte, läßt ja noch auf sich warten. Ein Bonus-Malus-System könnte auch hier zu einer raschen Verbrauchsverminderung führen.

7. Kapitel:

Ökologische Steuerreform

Laß Preise sprechen

Die Kapitel 4, 5 und 6 sind von der Überlegenheit der Märkte über bürokratische Lösungen inspiriert. Sie zeugen aber auch von der Enttäuschung
über das Versagen des Marktes in den sogenannten Marktwirtschaften.
Gegen die Ökologie gerichtete Anreize, bürokratische Hemmnisse und
die Interessen der Gegenseite machen es der Effizienzrevolution ungeheuer schwer, sich durchzusetzen und den riesigen Nutzen zu stiften, der
technologisch eigentlich möglich wäre.

Wir haben allerlei Ideen angeboten, um die Hemmnisse zu überwinden
und die Effizienzrevolution zu einem rentablen Geschäft zu machen. All
diese Ansätze basieren durchaus auf der Marktlogik und haben zum Teil
schon erhebliche Erfolge zu verbuchen. Und doch bleibt die Umsetzung
und Ausweitung auf alle Sektoren schwierig und zäh. Vielleicht benötigen Mechanismen wie die Bonus-Malus-Systeme oder die integrierte
Ressourcenplanung einfach zu viele hochmotivierte und erstklassig informierte Aktivisten, Geschäftsleute, Planer oder Lobbyisten. Und vielleicht
bedarf es einfach zu vieler Bürokraten und Aufpasser, um sie wirkungs-
voll durchzusetzen.

Ein ganz anderer Einwand zu vielen der aufgeführten Instrumente
kommt aus dem ökologischen Lager. Hier befürchtet man, daß all
die schönen Effizienzverbesserungen noch nicht ausreichen. Mit
Effizienzsteigerungen gewinne man zwar Zeit, aber in der Vergangenheit
seien alle Effizienzgewinne von stetig wachsenden Konsumansprüchen
aufgefressen worden. Zu einer tatsächlichen Verminderung des Ressourcenverbrauchs könne man nicht kommen, solange die Ressourcenpreise uns das Märchen von der unendlichen Verfügbarkeit erzählten.

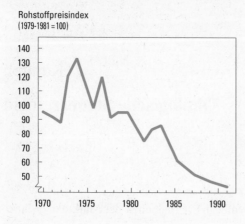

Rohstoffpreisindex
(1979-1981 = 100)

140
130
120
110
100
90
80
70
60
50

1970   1975   1980   1985   1990

31. Rohstoffpreisverfall 1974 bis 1991. Nach der ersten Ölkrise von 1973 sind die Preise für Rohstoffe weltweit in ungeahntem Ausmaß gefallen. Die Technik des Aufspürens, Abbaus, der Verarbeitung und des Transports von Ressourcen, zusammen mit der weltweit verbreiteten Angst vor der Ressourcenerschöpfung haben dies herbeigeführt. Eine unvermeidliche Folge: Der Ressourcenverbrauch nahm bei fallenden Preisen zu.

In der Tat hat sich der relative Preis natürlicher Ressourcen in den letzten zwei Jahrhunderten kaum verändert. Der technische Fortschritt hat es möglich gemacht: Die Technik wurde immer effizienter beim Aufspüren, Abbau, Verarbeiten und Transport der Bodenschätze und beim Herauspeitschen immer höherer Hektarerträge in der Landwirtschaft. Auch diese wurden letztlich mit Ressourcenraubbau erkauft, nämlich Raubbau von Energie und Phosphaten, häufig auch von Mutterboden und unterirdischen Wasservorräten. Insbesondere in den letzten zwanzig Jahren, also ausgerechnet in der Zeit nach der Publikation der *Grenzen des Wachstums*, die vom Ende des Ressourcenreichtums sprachen, sind die Preise geradezu dramatisch gefallen, wie Abbildung 31 zeigt. Erst in jüngster Zeit, etwa seit 1994, ziehen die Preise wieder etwas an, ausgelöst durch stark zunehmende Käufe asiatischer Länder.

Der Traum von den billigen Rohstoffen ist irgendwann ausgeträumt. Wenn Erschöpfungserscheinungen entweder bei den Vorräten oder bei der Aufnahmekapazität der Umwelt für Emissionen und Abfälle eintreten und die Verbrauchstrends immer noch nach oben zeigen, kann es zu plötzlichen, politisch und spekulativ verstärkten Preisexplosionen kommen. Diese treffen dann die Wirtschaft und vor allem die Armen weltweit verheerend. Voller Wut und Unverständnis wird man dann über unsere Generation sprechen, wenn wir es nicht geschafft haben, den im Eiltempo fortschreitenden Ressourcenverbrauch rechtzeitig zu steuern.

Gewiß dürfen wir annehmen, daß die Faktor-4-Revolution den relativen Ressourcenverbrauch in den Industrieländern drastisch vermindert. Aber der *absolute* Verbrauch wird wegen der Effizienzgewinne nicht zurückgehen, solange die Ressourcenpreise kein entsprechendes Signal geben. Mit anderen Worten, bis das nicht geschieht, wird die Faktor-4-Revolution für eine Vervierfachung des Konsums aufgebraucht, und nichts bleibt für die Verminderung des Naturverbrauchs übrig. Wir müssen uns klarmachen, daß die in den vorherigen Kapiteln genannten Maßnahmen, insbesondere die amerikanische Stromversorgungsreform, gar nicht die Absicht hatten, den Gesamtverbrauch zu senken. Sie hat lediglich den unsinnigen Kapitaleinsatz für die Kapazitätserweiterung gestoppt und den Verbrauch auf einem Niveau gehalten – was angesichts der früheren verhängnisvollen Trends schon eine phantastische Leistung war.

Ein Signal zur Dämpfung des Verbrauchs sollte in einer Marktwirtschaft in erster Linie vom Preis ausgehen. Der Preis für den Naturverbrauch, insbesondere für Energie, kann und soll künstlich angehoben werden. Dies trägt dann wesentlich zur Vermeidung von plötzlichen und verheerenden Preisüberraschungen bei.

Der Schutz des Klimas und der Umwelt ist eine weitere wichtige Legitimation für eine aktive Preispolitik. In der Sprache der Ökonomie geht es bei der aktiven Preispolitik um die »Internalisierung externer Kosten«: Die »externen«, außerhalb des Marktgeschehens auftretenden Kosten, die sonst von der Allgemeinheit oder künftigen Generationen unfreiwillig getragen werden, sollten fairerweise vom Verursacher getragen werden. Die Externkosten zu »internalisieren« heißt, den Verursacher direkt mit diesen Kosten – in einem quantitativ zu schätzenden – Umfang zu belasten. Die wirtschaftlichen Schäden von Energieverbrauch allein werden auf 5 bis 14 Prozent des Bruttosozialprodukts geschätzt (Masuhr u. a., 1995; Barbir u. a., 1990). Wenn solche Schätzungen richtig sind, dann kann eine Energieverteuerung etwa in dieser Größenordnung durchaus gerechtfertigt werden.

Langsame und langfristig vorhersehbare Preissteigerungen von Energie und Rohstoffen sind für die Wirtschaft und die Sozialpolitik entscheidend leichter zu verkraften als Preissprünge. Sie führen zu einem langfristig rationalen Investieren in die Effizienzverbesserung und signalisieren der Gesellschaft zugleich, daß sich das Füllhorn leert, daß die Effizienzsteigerung also zu großen Teilen der Naturschonung zugute kommen muß.

Die Internalisierung externer Kosten macht ein Land wirtschaftlich

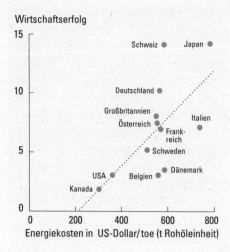

Wirtschaftserfolg

Schweiz ●   Japan ●

Deutschland ●

Großbritannien ●
Österreich ●   Italien ●
Frank- ●
reich
● Schweden

● Dänemark
USA ●   Belgien ●
Kanada ●

Energiekosten in US-Dollar/toe (t Rohöleinheit)

32. Energiepreise und Wirtschaftserfolg. Eine positive und nicht etwa negative Korrelation besteht zwischen Wirtschaftserfolg und durchschnittlichen Energiepreisen in den OECD-Staaten (aus Rechsteiner, 1993).

effizienter und damit reicher und nicht etwa ärmer. Wenn sich das Füllhorn langsam leert, sollten Länder mit hohen internen Ressourcenpreisen wirtschaftlich besser dastehen als solche, denen niedrige Preise noch das Vergeuden erlauben. Eben diesen Zusammenhang hat der Schweizer Ökonom Rudolf Rechsteiner (1993) auch beobachtet. Er hat den wirtschaftlichen Erfolg der OECD-Staaten seit der ersten Ölkrise bis 1990 mit einem einfachen Mischindikator gemessen und gegen die in den jeweiligen Ländern vorherrschenden Energiepreise aufgetragen (Abb. 32; die methodischen Einzelheiten sind der Originalarbeit zu entnehmen).

Die ehemals kommunistischen Länder, die in der Abbildung mangels verläßlicher Daten nicht enthalten sind, hatten noch viel niedrigere Energiepreise und einen wesentlich schlechteren Erfolg als der Westen. Dort gaben die Preise ein Signal an die Verbraucher, daß Energie (ebenso wie Wasser) ein freies Gut sei, was zu unvorstellbar ineffizienten Anlagen und Verhaltensmustern mit furchtbaren Folgen für die Wirtschaft führte.

Eine ganz andere Untersuchung legt ebenfalls eine direkte Preispolitik nahe: Jochen Jesinghaus hat eine auffallende negative Korrelation zwischen Benzinpreisen und dem Pro-Kopf-Benzinverbrauch festgestellt. Abbildung 33 zeigt seine Resultate. Das einzige unter den erfaßten Ländern, welches die Effizienz auf dem Verordnungsweg, also ohne Preissignal, herbeizuführen versucht hat, die USA mit ihrer Corporate Average Fuel Economy (CAFE), hatte hiermit zwar zehn Jahre nach deren Ein-

222

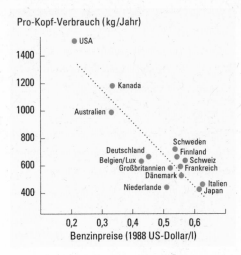

Pro-Kopf-Verbrauch (kg/Jahr)

33. Benzinverbrauch und -preise. Eine eindeutig negative Korrelation kann zwischen Benzinpreisen und dem Pro-Kopf-Benzinverbrauch in Ländern mit ähnlichem Wohlstandsniveau festgestellt werden. Die Meßpunkte zeigen, daß der Benzinverbrauch von den -preisen abhängig ist (aus Mauch u. a., 1992, S. 37).

führung sehr beachtliche Aufholerfolge beim Pro-Meilen-Verbrauch, aber so gut wie keinen Erfolg bei der Senkung des Pro-Kopf-Verbrauchs. CAFE signalisierte den Amerikanern: »Jetzt könnt ihr für euer Geld doppelt soviel fahren.«

Die mögliche Erklärung des Bildes mit den großen Distanzen in den USA, Kanada und Australien scheitert daran, daß die großen Distanzen in diesen Ländern per Flugzeug überbrückt werden und daß der Pro-Kopf-Verbrauch in den USA-West- und Ostküsten-Staaten mit ihrer der europäisch-japanischen Situation entsprechenden Siedlungsdichte vom Landesdurchschnitt praktisch nicht abweicht.

Gegen die aktive Preispolitik, gegen die Verteuerung des Naturverbrauchs sprachen bislang vielleicht Befürchtungen vor einer künstlichen Verarmung der Bevölkerung oder vor einem Einbruch der Wirtschaft. Nun, mit den guten Neuigkeiten vom Faktor 4, brauchen wir solche Befürchtungen nicht mehr zu hegen.

Eine ganz andere Frage ist, auf welche Weise die Preise angehoben werden sollen, wenn es der Weltmarkt nicht von selbst tut (weil dort noch immer der technische Fortschritt bei der Ausräuberung der Vorräte und der Zwang der Rohstoffländer zum Deviseneinnehmen die Szene beherrscht). Die in Abbildung 33 beobachteten Preisunterschiede sind praktisch ausschließlich auf national unterschiedlich hohe Treibstoffsteuern zurückzuführen. Steuern sind also ein weithin benutztes und wirksames

223

Instrument. Andere Formen der Preisbeeinflussung sind die Bonus-Malus-Systeme, Einfuhrzölle, Sonderabgaben, Benutzergebühren usw.

Anstelle eines direkten staatlichen Preisaufschlags kann die Preisbeeinflussung auch über eine Mengenkontingentierung erfolgen. Das ökologische Ziel etwa der Halbierung des Energieverbrauchs binnen dreißig oder vierzig Jahren kann durch Ausgabe von Nutzerrechten erreicht werden, deren Nutzwert in der vorgegebenen Zeit auf die Hälfte abnimmt. Die Nutzerrechte können auf dem Markt handelbar gemacht werden. Das führt zu Marktpreisen für Energie, die natürlich höher liegen als die Preise ohne Kontingentierung. Wenn der Effizienzfortschritt rascher vorankommt als die Energieverknappung, kommt es bei gleichem Energiekomfort (und konstanter Bevölkerungszahl) nicht zu einer Verteuerung. Solche mengensteuernden Instrumente sind einer Energiesteuer prinzipiell äquivalent und in bezug auf die Zielfindung zumindest theoretisch sogar noch effizienter.

Ein gravierendes Problem dieses theoretisch idealen Steuerungsinstruments darf indessen nicht verschwiegen werden. Die Handelbarkeit von Nutzerrechten (die erst die Effizienz des Marktes hervorbringt) birgt die Gefahr, daß kapitalkräftige Käufer für private Zwecke oder um geschäftlich zu expandieren oder wegen staatlicher Sachzwänge die knapp werdenden Nutzerrechte horten und schwächere Marktteilnehmer damit abschlagen. Insbesondere in Hochkonjunkturzeiten (von denen Rentner auf der Einkommensseite nichts spüren) könnten die Preise für Heizöl oder Strom in einem sozial absolut unverträglichen Maße nach oben schnellen. Spätestens wenn es solche Marktbewegungen gibt, wird das Instrument alle Popularität verlieren.

Aus Gründen der Vertrautheit des Instruments, der langfristigen Kalkulierbarkeit, der sozialen Sicherheit (auch für finanzschwache Kleinbetriebe) und der rascheren internationalen Durchsetzbarkeit wenden wir uns in diesem Kapitel den Umweltsteuern zu. Um der Wirtschafts- und Sozialverträglichkeit willen sprechen wir allerdings nicht von bloßen Umweltsteuern, die schlicht eine Verteuerung des Lebens bedeuten würden, sondern von einer aufkommensneutralen ökologischen Steuerreform.

Das unbürokratischste, unaufdringlichste und vermutlich wirkungsvollste Instrument

Die ökologische Steuerreform (ÖSR) ist eine recht alte Idee. Sie geht auf den britischen Ökonomen Arthur Cecil Pigou (1920) zurück. Er beobachtete, daß es gut für die Wirtschaft ist, wenn faire Preise für den Verbrauch öffentlicher Güter bezahlt werden. Steuern, dachte er, sollten Preise entsprechend lenken. Heute wird Pigous klassisches Buch oft zitiert, um Steuern auf den Verbrauch von ökologischen Gütern zu rechtfertigen.

Eine der aufregendsten Aussagen zur ÖSR stammt von Bob Repetto, Roger Dower und ihren Kollegen (1992, S.11) vom Washingtoner World Resources Institute. In ihrer Studie *Green Fees* sagen sie, daß bei der Verlagerung eines Steuerdollars von »Gütern« (wünschenswerte Dinge wie die menschliche Arbeit) auf »Schlechter« (nicht wünschenswerte Dinge wie Naturverbrauch) ein (volkswirtschaftlicher) Nutzen in Höhe von etwa 0,45 bis 0,80 Dollar entsteht! Sie kommen zu diesem Ergebnis aufgrund einer Studie von Charles Ballard und Steven Medema (1992) von der Michigan State University, die den Schaden unseres existierenden, »pervertierten« Steuersystems untersucht haben. Dieses bestraft ja hauptsächlich die wünschenswerten Dinge wie Arbeit, Mehrwertschaffung und arbeitendes Kapital. Wen wundert es da, daß die ÖSR, die diese Strafen abbaut, die Wirtschaft stärkt und nicht etwa schwächt. Rudolf Rechsteiners in Abbildung 32 dargestellte Ergebnisse scheinen diese theoretischen Überlegungen voll zu bestätigen.

Hinter dem Begriff der ÖSR können sich noch recht verschiedene Konzepte verbergen. Wir verstehen darunter eine aufkommensneutrale, langfristig voranschreitende Steuerverlagerung vom Faktor Arbeit zur Energie, zu Primärrohstoffen und zum Verkehr, also zu den Bereichen, über deren Effizienzrevolution wir im ersten Teil des Buches gesprochen haben. Für eine erste quantitative Näherung sagen wir, daß die Preise für Energie und Primärrohstoffe um etwa fünf Prozent jährlich über einen Zeitraum von mindestens zwanzig, vorzugsweise aber vierzig oder mehr Jahren steigen sollen. In der Grundstoffindustrie, wo die Energie heute aufgrund von Sondertarifen weniger als halb soviel kostet wie im gewerblichen Mittel, wäre nach diesem Modell der prozentualen Preisanhebung der Preisanstieg in Absolutzahlen weniger als halb so hoch wie im Mittel. Das jährliche Preissignal wäre also in sämtlichen Branchen so zahm, daß es keine Kapitalvernichtung zur Folge hätte. Der technische Fortschritt könnte in vielen Sektoren bequem Schritt halten, also Effizienzverbesserungen um 5% pro Jahr hervorbringen. Das bedeutet, daß in diesen Bereichen die jährlichen Energie- und Ressourcenkosten im Durchschnitt ungefähr konstant blieben.

Nehmen wir bescheidener (und angesichts der im ersten Teil geschilderten Beispiele sicherlich zu bescheiden) jährliche Effizienzsteigerungen von lediglich 3% an, dann steigen die Ressourcenkosten um 5 minus 3, also 2% pro Jahr an. Für eine Familie, die durchschnittlich 5% ihres verfügbaren Einkommens für Energie ausgibt, ergibt sich daraus eine Teuerung von 5% mal 2%, also 0,1% ihres jährlichen Budgets. Gleichzeitig würden andere Teile des Warenkorbs billiger, insbesondere Pflege und andere persönliche Dienstleistungen (wenn nämlich die Steuerlast der Dienstleister sinkt), und so könnte der Lebensstandard der Familie steigen.

Eine vernünftig dimensionierte ÖSR ist also absolut sozialverträglich. Und doch hätte sie eine ungeheuer starke Signalwirkung für den technischen Fortschritt. Allein das Wissen, daß Energie- und Ressourcenpreise über einen langen Zeitraum stetig um 5% pro Jahr steigen, ist ein starkes Signal für Manager und Ingenieure, an der Effizienzrevolution zu arbeiten. Plötzlich wird man Tausende von Geschäftsleuten und Technikern nach den Goldgruben suchen sehen, die sich in der Effizienzrevolution öffnen.

Die ÖSR gewinnt immer mehr Anhänger. Ökonomen am Deutschen Institut für Wirtschaftsforschung (Greenpeace, 1995), aber auch im internationalen Raum (etwa David Pearce oder Jean-Charles Hourcade, 1995) sprechen sich für sie aus. Hinzu kommen Politiker, die sich um Arbeitslosigkeit Sorgen machen. Für den ehemaligen Präsidenten der Europäischen Kommission, Jacques Delors, hatten Arbeitsplätze höchste Priorität. In seinem Weißbuch über Wettbewerbsfähigkeit, Wachstum und Beschäftigung (1993) wird die Senkung der Abgabenlast beim Faktor Arbeit mit Hilfe von Ökosteuern als Eckstein des Kampfes gegen die Arbeitslosigkeit genannt; und sein Nachfolger Jacques Santer scheint diese Politik fortzusetzen. Ein emphatisches Plädoyer für eine ÖSR kam auch von dem Berichterstatter im Europäischen Parlament über ökonomische Instrumente, dem britischen Konservativen Richard Spencer.

Verkehrsplaner haben ebenfalls die Eleganz von grünen Steuern erkannt. In Großbritannien, wo es einen chronischen Verkehrsstau im Süden gibt, hat die konservative Regierung eine stetig steigende Benzinsteuer eingeführt, die für eine unbegrenzte Zeit jährlich um 5% steigen soll. Im Transportbereich werden Treibstoffsteuern nicht das einzige Instrument bleiben; Stauprobleme kann man nicht mit treibstoffeffizienteren Fahrzeugen lösen. Man wird die Kilometerpauschale abbauen, Schwerlastabgaben, Straßenbenutzungsgebühren und höhere Parkgebühren einführen müssen.

Umweltschützer brauchen kaum als Befürworter der ÖSR aufgeführt zu werden, obschon ihre Begeisterung für grüne Steuern erstaunlich neu ist. Anfangs waren viele von ihnen hauptsächlich für ordnungsrechtliche Regeln, da sie befürchteten, die Reichen würden sich bei einer ÖSR aus der ökologischen Verantwortung herauskaufen, während die Armen sich anpassen müßten. In Wirklichkeit wirken die Preissignale auch auf die Reichen, die beim Kauf anfänglich noch teurer Effizienzneuheiten oft als Pioniere auftreten.

Befürworter der ÖSR sind oft auch vorausschauende Geschäftsleute wie Stephan Schmidheiny, der 1990 den Business Council for Sustainable Development (BCSD) geschaffen hat (seit 1995 aufgrund eines Zusammenschlusses zum World Business Council for Sustainable Development erweitert). Dessen Konzept der »Öko-Effizienz« (Schmidheiny, 1992) ähnelt der Philosophie dieses Buches. Was 1990 für Unternehmer noch eine gedanklich-politische Pioniertat war, schien 1995 bereits mehrheitsfähig. Die *Wirtschaftswoche* (25, 1995, S. 21) berichtet von einer Forsa-Umfrage bei Unternehmen, nach der im Juni 1995 zwei Drittel (67%) der Befragten eine aufkommensneutrale ÖSR befürworten. Der Bundesverband der Deutschen Industrie (BDI) beruft sich allerdings bei seiner scharfen Ablehnung der ÖSR auf ganz anderslautende Meinungsäußerungen seiner Mitglieder. Vielleicht kippt auch hier die Stimmung zugunsten der ÖSR um, wenn diese als Chance für eine weitreichende Deregulierung begriffen wird: Wenn die Preise anfangen, die ökologische Wahrheit zu sagen, warum soll man dann noch Tausende von Bürokraten und Anwälten anstellen, die dieselbe Wahrheit in einer viel komplizierteren Sprache aussprechen und durchsetzen? Die ÖSR kann als die am wenigsten bürokratische und unaufdringlichste Methode gelten, mit der man die Wirtschaft in die ökologisch gewünschte Richtung lenken kann.

Die letztlich vielleicht wichtigste Gruppe von Anhängern der ÖSR könnten die Ingenieure auf der ganzen Welt werden. Sie erkennen allmählich die faszinierenden technischen Chancen der Effizienzrevolution. Wer diese erblickt, wird ungeduldig auf das Zeichen zum Start in die neue

Richtung warten, welches vielleicht erst dann kommt, wenn die ÖSR das Ganze endlich so richtig profitabel macht. Dann aber wird Kapital in großen Mengen in die Forschung und Entwicklung für die Hunderte und Tausende neuer Technologien der Ressourceneffizienz fließen, die heute noch kaum angedacht sind. Die jetzige technologische Situation ist, was ihren Entwicklungsstand betrifft, vielleicht mit der Arbeitsproduktivität von etwa 1840 zu vergleichen. Wer hätte damals zu prognostizieren gewagt, daß man eine zwanzigfache Steigerung der Produktivität in praktisch allen Industriesektoren erleben würde? Aber sobald die Lawine losgetreten war, wußte jeder Investor, wo die Gewinne liegen.

Ein besonders wirtschaftsfreundlicher Ansatz zur ÖSR wird vom Förderverein Ökologische Steuerreform, insbesondere von dessen Initiator Anselm Görres, einem Münchner Unternehmensberater, verfolgt (Görres u.a., 1994). Er geht sorgfältig auf alle Einwände der Wirtschaft ein und entwickelt auf der Basis der 5%-Steigerungsidee (S. 225) einen Plan, der den Verantwortlichen in der Wirtschaft mehrheitlich schmackhaft sein sollte.

Zwei zentrale Ideen kommen darin vor: erstens die strikte Aufkommensneutralität und die gezielte Verwendung des Aufkommens für die Senkung der Lohnnebenkosten, speziell der Arbeitgeberbeiträge zur Sozialversicherung; zweitens ein nicht diskriminierender, das heißt ausländische Konkurrenten nicht benachteiligender Zoll auf »graue Energie«, die in Materialien wie Aluminium, Stahl oder Chlor enthalten ist. Dieser Zoll dürfte keine GATT/WTO-Probleme schaffen (s. Kap. 13) und würde doch heimische Produzenten gegen solche aus dem Ausland schützen, deren Wettbewerbsvorteil ausschließlich darin besteht, daß sie über billige Energie verfügen.

Ähnlich und vielleicht noch realitätsnäher ist die Praxis in Dänemark. Dort bekommt die Industrie ihre Energiesteuer zu 90% zurück und erhält sogar noch die restlichen 10%, wenn Aufwendungen in diesem Umfang für Effizienzinvestitionen nachgewiesen werden (Mez, 1994).

Gute Chancen für eine internationale Harmonisierung

In der Geschäftswelt (und im Lager der Umweltschützer) wäre man sehr erleichtert, wenn die Umweltpolitik nicht auf die wohlhabenden Länder beschränkt bliebe, sondern international harmonisiert werden könnte. Die

ÖSR ist vielleicht die vielversprechendste Strategie zu genau diesem Ziel. Wenn Länder aufgrund einer ÖSR reicher werden können, warum sollte dann ein armes Land zögern, sie einzuführen?

Das Entbürokratisierungsargument könnte für ärmere Länder zum entscheidenden werden. Um dies zu verstehen, schätze man einmal den Aufwand ab, den die Eintreibung einer Million Steuerdollar von brasilianischen, zairischen oder indischen Zahnärzten, Holzhändlern und Geschäftsmännern bedeutet, die jederzeit ihren rechtlichen Wohnsitz auf die Cayman-Inseln verlegen können. Dann vergleiche man diesen Aufwand mit dem Eintreiben von einer Million Dollar Energiesteuern von einem Kohlebergwerk oder einem Öltanker, der seine Ladung im größten Hafen des Landes löscht. Des weiteren schätze man den Verwaltungsaufwand in diesen Ländern für die Einführung einer ordnungsrechtlichen Umweltpolitik und vergleiche diesen mit dem schon abgeschätzten Aufwand für eine einfache Energiesteuer. Alles spricht für letztere.

Da kommt sofort der Einwand, daß Energiesteuern die armen Leute treffen, die dann dafür geradestehen sollen, daß man es nicht schafft, die Reichen angemessen zu besteuern. Nun, dies ist weder die Absicht noch der Effekt. In den Entwicklungsländern (anders als in den Industrieländern) verbrauchen die Wohlhabenden weit überdurchschnittlich viel Energie. Sie sind es, die – oft private – Flugzeuge benutzen, eine Wagenflotte besitzen, Klimaanlagen in ihren Villen und Büros installieren und Lebensmittel essen, die von weit her importiert werden. Wenn nichtkommerzielle Energiequellen wie Biogas, Biomasse und kleine Solar-, Wind- und Wasserkraftwerke von der Steuer befreit werden und womöglich die dem Existenzminimum entsprechenden Mengen von Strom oder Öl steuerfrei bleiben, dürfte es keine sozialen Probleme geben.

Das bei weitem stärkste Argument für die Einführung der ÖSR in Entwicklungsländern, insbesondere den sich schnell industrialisierenden Ländern Asiens und Lateinamerikas, hat jedoch mehr mit der zentralen Aussage dieses Buches zu tun. Für diese Ländergruppe ist die Effizienzrevolution noch dringender erforderlich als für die alten Industrieländer. Die USA, Japan oder Deutschland sind reich genug, um eine Menge Energie und Rohstoffe zu kaufen und zu verschwenden. Das ist zwar unvernünftig, aber kein finanzielles Desaster. Für Indien, Mexiko oder China ist es tragisch. Wenn in Indien zu Lasten der Bevölkerung ein Staudamm gebaut wird, der ineffiziente Luftkühlanlagen in Hotels für

Geschäftsreisende und Touristen versorgen soll, ist das sozialer Sprengstoff fürs Land.

Kapital ist knapp, Energie ist knapper, Arbeitskraft ist reichlich vorhanden. Warum sollten sich diese Länder mit ihrem knappen Kapital (auch wenn es von der Weltbank geliehen wird) auf die aggressive Ressourcenausbeutung, die Amerikanisierung des Verkehrssystems und die Robotisierung der Industrie konzentrieren, während sie die Chance der Faktor-4-Revolution verschlafen? Die letztere gehört doch viel wahrscheinlicher zu den Merkmalen des 21. Jahrhunderts, und sie ist für die Erfüllung der tatsächlichen Bedürfnisse der Bevölkerung viel relevanter als die altmodische Industrialisierung. Was das World Resources Insitute im amerikanischen Kontext gesagt hat, daß der Nutzen der ÖSR die Kosten übersteigt, gilt in noch höherem Maße für China oder Indien, wo das Bestrafen von Kapital oder Arbeit oder zu niedrige Preise für knappe Energie viel gefährlicher sind als in den reichen Ländern.

Einige Länder werden dennoch gegen die ÖSR sein. Die OPEC-Staaten sind eindeutig gegen Steuern auf Öl, sowohl im Inland wie im ölimportierenden Ausland. Sie finden, Abschöpfungen bei Öl und Gas sollten wenigstens den Produzenten zugute kommen. Dafür spricht etwas. Aber sie werden diesen weiteren Geldtransfer politisch nicht durchsetzen können. Es liegt in der Souveränität eines jeden Landes, nationale Steuern auf unerwünschte Güter (oder die damit verbundene Verschmutzung) zu erheben. Dennoch wird man im Geiste der internationalen Verständigung Kompromisse anbieten müssen.

Die Weltbank und andere Kreditinstitute sollten keine Kredite mehr für Ressourcenausbeutung geben. Die weltweite Finanzierung von Rohstoffausbeutung war doch wesentlich mit schuld am Preisverfall der Rohstoffe auf den Weltmärkten. Dieser bisherige Mechanismus hat dem Norden viel mehr als dem Süden genützt und der Umwelt massiv geschadet. Statt dessen könnten die Kreditinstitute besonders in denjenigen Ländern, die sich zu einer ÖSR und einer Effizienzstrategie durchringen, Kredite für diese Neuausrichtung anbieten.

Die skandinavischen Länder haben schon mit der ÖSR begonnen. Holland und Belgien folgen. Österreich hat im Mai 1995 eine ÖSR angekündigt. In Deutschland und der Schweiz scheint der Gedanke ebenfalls mehrheitsfähig zu werden. Allerdings gibt es im deutschen Regierungslager eine Tendenz, aufgrund der Blockadehaltung der Industrieverbände die Energiebesteuerung auf die lange Bank zu schieben und das

Thema ÖSR auf die alte Schadstoffkontrolle einzuengen; dies bedeutet aber einen hohen Meß- und Kontrollaufwand und folglich eine schwierige internationale Harmonisierung mit Ländern, die dieser Aufwand abschreckt. Wir sind aber zuversichtlich, daß schlußendlich ein Kompromiß gefunden wird, welcher den Besorgnissen der Industrie Rechnung trägt, und daß dennoch die Weichen in Richtung eines Anreizsystems für die Technik des 21. Jahrhunderts gestellt werden.

TEIL III:

Die Umweltkrise zwingt zum Handeln

Die Effizienzrevolution haben wir ganz bewußt als wirtschaftliches Gewinnspiel eingeführt, nicht als umweltpolitischen Bußgang. Wir wollen, daß alle mitmachen, nicht nur die ökologischen Büßer. Aber die Zeichen stehen auf Sturm. Der neueste Bericht des Worldwatch Institute zur Lage der Welt (Brown, 1995) oder *Die neuen Grenzen des Wachstums* von Meadows/Randers (1992) machen klar, daß wir uns mit der Natur auf Kollisionskurs befinden. Die Natur würde eine Kollision irgendwie überleben; die Menschheit nicht.

In diesem dritten Buchteil zeichnen wir in groben Umrissen die ökologische Krise nach. Dabei benutzen wir gerne und mit Bewunderung die Arbeiten, die den Club of Rome seinerzeit berühmt gemacht haben, sowie den neueren Bericht *Die erste globale Revolution.* Zugleich beziehen wir uns auf die Ergebnisse der größten Umweltkonferenz, die je stattgefunden hat, den »Erdgipfel« von Rio de Janeiro, 1992. Am Ende können wir zeigen, daß der *Faktor vier* ein entscheidender Beitrag zur Lösung der ökologischen Krise wäre.

Eine Thematik, die in Rio nicht auf der Tagesordnung war, die wir aber für nicht weniger wichtig als die Energiefrage halten, sind die globalen Stoffströme. Wir können es uns nicht länger leisten, die »Megatonnen zu ignorieren, während wir die Nanogramme bekämpfen« (Schmidt-Bleek). Diesem »vergessenen« ökologischen Problem der Stoffströme widmen wir das gesamte nächste Kapitel.

Im Vergleich zu dem, was uns das Abarbeiten der Hausaufgaben von Rio abverlangt, werden sich die meisten heute üblichen Methoden und Zielsetzungen der Umweltpolitik als recht unbefriedigend herausstellen, wie wir im anschließenden Kapitel 10 darstellen.

Schließlich zeigen wir in Kapitel 11, daß die Faktor-4-Effizienzrevolution die aussichtsreichste Strategie ist, um die Abgründe, die sich vor uns auftun, zu überbrücken. Die bescheidenste Absicht in diesem Kontext ist es, Zeit zu gewinnen. Wenn uns der Faktor 4 eine Atempause verschafft, während der die Erdbevölkerung über tiefgreifende Lösungen nachdenken kann, die über die technischen hinausgehen, ist vielleicht das Beste dessen erreicht, was man erhoffen kann.

8. Kapitel:

Die Herausforderung von Rio

Der Erdgipfel im Juni 1992 in Rio, mit offziellem Titel die Konferenz der Vereinten Nationen über Umwelt und Entwicklung (UNCED), wurde als bis dahin größte diplomatische Versammlung der Geschichte gefeiert. Über hundert Staats- und Regierungschefs und weit über hundert Minister kamen. Insgesamt strömten 30 000 Menschen nach Rio, viele allerdings nicht zur Konferenz selbst, sondern als Teilnehmer an den über hundert Veranstaltungen des Global Forum der Nichtregierungsorganisationen (NRO).

Zwei bedeutende Konventionen wurden in Rio verabschiedet, die Klima-Rahmenkonvention und die Artenschutzkonvention. Der Schutz des globalen Klimas und der Artenvielfalt haben sich in den letzten zehn Jahren als oberste Prioritäten einer weltweiten Umweltschutzpolitik herausgebildet. Zum Glück für die Delegierten waren die Konventionen schon im Vorfeld ausgehandelt worden, so daß die Staatsoberhäupter und Regierungschefs diese ohne weiteres unterschreiben konnten.

Der Hauptteil der Konferenzzeit wurde auf die Diskussion der einzelnen Paragraphen der *Agenda 21*, dem achthundertseitigen Pflichtenheft für das 21. Jahrhundert, und der Endfassung der Rio-Deklaration verwendet. Offizielle Reden über die *Agenda 21* und die Erklärung betonten alle die Dringlichkeit des Umweltschutzes. Die Delegationen des Südens hoben demgegenüber einhellig die Wichtigkeit weiterer wirtschaftlicher Entwicklung hervor.

Die beiden Prinzipien von Umwelt und Entwicklung sind in den Punkten 3 und 4 der Erklärung von Rio wie folgt formuliert:

Prinzip 3: »Das Recht auf Entwicklung muß so verwirklicht werden, daß die Entwicklungs- und Umweltbedürfnisse heutiger und zukünftiger Generationen gleichermaßen befriedigt werden.«

Prinzip 4: »Um eine nachhaltige Entwicklung zu erreichen, wird Umweltschutz einen integrierten Teil des Entwicklungsprozesses darstellen und nicht isoliert davon betrachtet werden.«

Viele Delegierte des Nordens wollten das Recht des Südens auf Entwicklung im Kontext der Erklärung von Rio nicht anerkennen. Wenn solch ein Recht bestehe, argumentierten sie, sei es durch die naturgegebenen Grenzen, nämlich die Endlichkeit der natürlichen Ressourcen und der Selbsterneuerungsfähigkeit des Ökosystems eingeschränkt. Wenn das Recht auf Entwicklung aber unausweichlich zugestanden werden müßte, dann sollten – so diese Delegierten aus dem Norden – die Prinzipien 3 und 4 miteinander verschmolzen werden, um eine gewisse Konditionalität zu schaffen. Genau dies war für die Entwicklungsländer nicht akzeptabel. Sie verhinderten sogar, daß ihr Recht auf Entwicklung durch die Vokabel *sustainable*, also ökologische Nachhaltigkeit, beschnitten wurde.

Woher diese Angst? Nun, das ist eigentlich klar. Als der Norden sich entwickelte, waren die Endlichkeit der natürlichen Ressourcen und die Fähigkeit zur Selbsterneuerung des Ökosystems einfach kein Thema. Und wenn doch einmal ein Rohstoff knapp zu werden schien, schickte man Expeditionen in die »Kolonien«, die das Fehlende aus dem Boden oder von den Feldern holten.

Das geschah natürlich vor der Zeit einer modernen Umweltpolitik. Die Umweltpolitik hielt ihren Einzug in den sechziger und siebziger Jahren in Gestalt der Schadstoffkontrolle. Aus der Sicht der Dritten Welt war diese jedoch kaum besser als die alte Ressourcenausbeutung. Denn bei der Schadstoffkontrolle argumentierte der Norden doch immer so: Umweltschutz ist teuer. Den können wir uns nur in einer robusten, wohlhabenden Wirtschaft leisten. Doch dieser Wohlstand war und ist von einem Pro-Kopf-Ressourcenverbrauch gekennzeichnet, der mindestens fünf-, vielfach sogar zwanzigmal höher ist als in den Entwicklungsländern. Daher haben wir im Norden ständig dem Rest der Welt signalisiert, Wohlstand (das heißt ein hoher Pro-Kopf-Ressourcenverbrauch) müsse logisch und zeitlich vor dem Umweltschutz kommen. Für den Süden heißt das aber ganz klar, daß er sich gegenwärtig noch gar nicht um Umweltschutz zu kümmern braucht, bis endlich richtiger Wohlstand herrscht.

Das ärgert wiederum den Norden: Erstens werden unwiederbringliche natürliche Schätze wie etwa die Tropenwälder vernichtet, und zweitens produziert die Industrie des Südens wegen unterlassenem Umweltschutz billiger als die des Nordens, und es kommt unausgesetzt zu sogenanntem Umwelt-Dumping. Was der Norden bei dieser zweifachen Verärgerung übersieht, ist die Tatsache, daß es die Form des teuren, auf Schadstoffe fixierten Umweltschutzes und die weit überhöhten Naturverbrauchsraten des Nordens sind, die den Süden zu dieser ökologisch und ökonomisch so beunruhigenden Haltung veranlassen.

Der Norden muß endlich einsehen, daß eine weltweit tragfähige Entwicklung überhaupt nur machbar ist, wenn der Norden mit einem entscheidend geringeren Pro-Kopf-Ressourcenverbrauch auskommt. Eben daher ist der Faktor 4 (im Norden) zugleich Ziel und Voraussetzung jeglicher tragfähiger Entwicklung.

»Die erste globale Revolution«

Der Erdgipfel mit seinen Debatten über Tragfähigkeit haben der Welt gezeigt, daß Umwelt und Entwicklung einfach nicht mehr zu trennen sind. Aber die Verflechtung der Probleme ist noch viel enger. In dem ersten Bericht *des* Club of Rome (nach rund zwanzig Berichten *an* den Club) ist sie zum zentralen Thema der Welt aufgerückt. Der Club spricht von der Welt-Problematik. Der Bericht, vom Ehrenpräsidenten des Clubs, Alexander King, und vom Generalsekretär, Bertrand Schneider, verfaßt, trägt den Titel *Die erste globale Revolution* . Das Buch stellt eindrücklich dar, daß die Welt-Problematik aus mindestens zehn miteinander verflochtenen Problemen besteht:

- Rüstung und Kriege;
- die skandalöse wirtschaftliche Schere zwischen Nord und Süd;
- Bevölkerungswachstum und Nahrungsmittelknappheit;
- Umweltprobleme, wachsende Energienachfrage und Treibhauseffekt;
- der Trend zu Megastädten, vor allem in den Entwicklungsländern;
- der Zusammenbruch des Sozialismus, der die lokalen und ethnischen Probleme, besonders in der ehemaligen Sowjetunion, ungelöst läßt;
- wirtschaftliche Spannungen und kulturelle Unterschiede in der Triade (USA, Japan, Europa);
- verbreitete seelische Verelendung;
- die vielfältigen neuen Probleme der Informationsgesellschaft;
- und das Problem der Regierbarkeit, sowohl national in der modernen Demokratie als auch, mit Blick auf die Welt-Problematik noch gravierender, auf der globalen Ebene.

Schon die bloße Aufzählung muß uns erschrecken. Hatte der Erdgipfel schon Probleme, mit der Verkopplung von Entwicklung und Umwelt umzugehen, wie soll man dann je mit dem Geflecht dieser zehn ungelösten Probleme fertig werden? Welche internationale Organisation, welches globale politische System kann dazu jemals in der Lage sein?

Der Club of Rome versinkt aber nicht in Hoffnungslosigkeit, sondern bietet Ansätze zu einer »Resolutik«, einer Lösungsperspektive. Diese besteht aus einem Katalog gut ausgewählter Maßnahmen. Gegen diesen global ausgerichteten Katalog ist nichts einzuwenden. Ärgerlich ist, daß die real existierenden Politiker immer noch Wahlen zu gewinnen haben; sie müssen in Wahlkreisversammlungen aufgestellt werden, wo die Weltorientierung geradezu verdächtig ist und als starker Grund gegen die Nominierung gilt. Die Rivalen haben es leicht, sich auf lokale Freundschaftszirkel zu stützen und an den wirtschaftlichen Egoismus zu appellieren. In bösen Zeiten überwiegt, und das ist schlimmer, der Appell an Nationalismus, Fundamentalismus und weitere, gegen »die anderen« gerichtete -ismen.

Wir sehen durchaus, daß die Welt-Problematik eigentlich von allen Seiten zugleich angepackt werden muß. Dennoch ist es sinnvoll, ja geradezu notwendig, an einer Stelle in das Dickicht einzudringen, an der es ein Durchkommen auch ohne neue Ethik oder Bewußtseinswandel der Regierenden und ihrer Wähler gibt. Bei der Effizienzrevolution handelt es sich um eine solche strategisch wichtige Methode, einen Weg freizuschlagen, dem heute alle Menschen folgen können.

Das bringt uns wieder zu den Fragen des Erdgipfels zurück. In diesem dritten Buchteil reden wir über die Dringlichkeit der drei großen Themen der Rio-Konferenz: die tragfähige Entwicklung im allgemeinen, das Klima und die Artenvielfalt.

Die ökologisch dauerhafte Entwicklung hat noch kaum begonnen

Das Konzept der Nachhaltigkeit, der ökologisch dauerhaften Entwicklung, des *sustainable development*, wurde nicht erst von den Diplomaten des Erdgipfels erfunden. Nachhaltigkeit ist ein uraltes Prinzip menschlicher Kulturen. Sogar Tiere mußten es schon vor dem Auftreten der ersten Menschen auf der Erde beachten. Parasiten und Räuber mußten aufpassen, daß sie nicht die Populationen ausrotten, von denen sie leben. Auch Pflanzenfresser dürfen ihre Reviere nicht überweiden. Der von Laien häufig und leichthin zitierte Begriff vom »Kampf ums Dasein« im Sinne von Charles Darwin meint geradezu Anstrengung um den laufenden Erhalt gefährdeter Lebensgrundlagen, nicht einen blutrünstigen Kampf der Räuber gegen ihre Beute. Zu gierige Räuber sind im Darwinschen Sinne untüchtig!

Auch die Menschheit konnte anfangs gar nicht anders als den Regeln der Nachhaltigkeit gehorchen und sie zivilisatorisch verinnerlichen. Das war nicht unbedingt eine kulturelle Heldentat, solange Bevölkerungswachstum und die technische Fähigkeit zum Ressourcenverbrauch begrenzt waren. Aber es gab durchaus auch Raubbau. Jagdbares Wild ist mit einiger Sicherheit in vielen Frühkulturen verheerend dezimiert worden. Die alten Waldbestände im Mittelmeerraum sind von den Phöniziern und anderen einem hektischen Flottenbau geopfert worden.

Insbesondere die Ureinwohner Nord- und Südamerikas hatten und haben ein Verständnis vom Zusammenleben mit der Natur, das von dem Gedanken getragen ist, diese nicht auszubeuten. Die Indianer Nordamerikas waren schockiert darüber, daß weiße Siedler und Rancher die Prärie-Büffel sinnlos abschlachteten. Und die berühmte Rede des Häuptling Seattle an den Präsidenten der USA (mutmaßlich nie als Rede gehalten, sondern von weisen, aber unbekannten Autoren verfaßt und in Umlauf gebracht) beinhaltet, daß das Besitzen und Verkaufen von Land zum Zweck der Ausbeutung indianischem Denken zentral widerspricht. Die von den Indianern praktizierte Ressourcenschonung hat sogar in der Namensgebung ihren Niederschlag gefunden, etwa in dem See mit dem längsten Namen (laut *Guiness Buch der Rekorde*): Manchaugagogchangaugagogchaugogagungamaug, was bedeutet: »Wir fischen auf unserer Seite, ihr fischt auf eurer Seite, und niemand fischt in der Mitte«.

Für Deutsche steht fest, daß sie es waren, die der Welt das Konzept der Nachhaltigkeit geschenkt haben, und zwar über die nachhaltige Forstwirtschaft. Schon im Mittelalter war die nachhaltige Nutzung des Allmendewaldes ein wichtiger Bestandteil des Landfriedens, der ja eine der bedeutendsten politischen Erfindungen gewesen ist. Jedoch gelang es erst wesentlich später, als nämlich die Kohle als leicht verfügbarer Brennstoff entdeckt worden war, das Prinizip der nachhaltigen Forstwirtschaft dauerhaft zu etablieren, und dies, obschon die Industrialisierung immer mehr Energie verschlang.

Auch wenn aus heutiger Sicht der ökologische Wert der damals einge-führten Fichten- und Kiefernmonokulturen sehr zweifelhaft ist, darf sicherlich positiv festgehalten werden, daß Deutschland durch die kultu-rell tief verwurzelte Forstwirtschaft eine Pionierrolle bei der Entwicklung des neuzeitlichen Nachhaltigkeitsverständnisses gespielt hat.

Man soll die Geschichte nur nicht verklären. Erstens bleibt der Hinweis auf uralte Nachhaltigkeitsprinzipien in anderen Kulturen nötig, und zwei-tens soll man nicht verschweigen, daß der nichtnachhaltige Kohlever-brauch eine wesentliche Rolle bei der Wiederentdeckung der nachhalti-gen Waldwirtschaft in Deutschland gespielt hat. Insofern ist letztere ein nicht ganz aufrichtiges, »parasitäres« Konzept. Wenn Kohle, Gas und Öl in Deutschland nicht mehr zur Verfügung stünden, sähe es schlecht um die deutschen Wälder aus. Vielleicht hilft diese Geschichte, um die Leser vor trügerischen Versionen der Nachhaltigkeitsrhetorik zu warnen.

So wurde etwa bei der 4. Sitzung der in Rio de Janeiro eingerichteten Kommission für Nachhaltige Entwicklung im April 1995 plötzlich ein Durchmarsch mit einer sogenannten »Nachhaltigen Biotechnologie« ver-sucht. In Wirklichkeit geht es hier um Gentechnik, für die mit der proble-matischen Verheißung geworben wird, sie werde »nachhaltig« hohe land-wirtschaftliche Erträge aus den Böden der Entwicklungsländer ermögli-chen. Und es stimmt äußerst bedenklich, wenn die gleichen Kräfte, die diese Verheißungen aussprechen, die Arbeiten an dem überfälligen Bio-safety-Protokoll der Artenvielfaltskonvention sabotieren (vgl. Third World Network, 1995).

Die neue *sustainability*-Diskussion hatte ihren Ausgang im Naturschutz genommen, und es trifft historisch zu, daß das deutsche forstwirtschaftli-che Prinzip dabei mit Pate gestanden hat. Bei der mit dem internationalen WWF (Worldwide Fund for Nature) kooperierenden IUCN (ursprünglich International Union for the Conservation of Nature, heute World Conser-vation Union, jedoch unter Beibehaltung des alten Kürzels) wurde Anfang der achtziger Jahre eine Studie über nachhaltige Ressourcennut-zung angefertigt (IUCN, 1981), deren zentrales Stichwort *sustainability* war. Von dort fand das Konzept Eingang in die Weltkommission für Umwelt und Entwicklung, die sogenannte Brundtland-Kommission, nach ihrer Vorsitzenden, der norwegischen Ministerpräsidentin Gro Harlem Brundtland. Deren Bericht machte die nachhaltige Entwicklung zum Eckpfeiler der heutigen Versuche, die Ziele Umwelt und Entwicklung miteinander zu versöhnen. Die Brundtland-Kommission prägte die folgende etwas unpräzise Definition: »Die Menschheit hat die Fähigkeit, Entwicklung nachhaltig zu machen: zu gewährleisten, daß sie die Bedürfnisse der Gegenwart befriedigt, ohne die Fähigkeit zukünftiger Generationen zu gefährden, ihre eigenen Bedürfnisse zu befriedigen« (Brundtland-Bericht: Hauff, 1987, S. 8).

Der Lebensstil des Nordens stand in Rio nicht zur Debatte
Diese Zauberformeln des Brundtland-Berichtes und der Rio-Deklaration lösen den Konflikt natürlich nicht. Das mindeste, was bleibt, ist die Frage, wer eigentlich der Hauptadressat der »nachhaltigen Entwicklung« sein soll. Der Norden glaubt weiterhin, daß das Konzept der nachhaltigen Entwicklung dazu da ist, die Entwicklung des Südens zu ökologisieren. So konnte es auch zu der erwähnten ominösen Idee einer »nachhaltigen Biotechnologie« kommen.

Der Süden denkt umgekehrt, daß der Begriff auf den nichttragfähigen Lebensstil des Nordens gemünzt ist. Die Rio-Deklaration läßt beide Interpretationen zu. Während die oben zitierten Prinzipien 3 und 4 explizit an den Süden gerichtet sind (trotz des sehr eingeschränkten Geltungsbereichs von »nachhaltig«), richten sich die Prinzipien 7 und 8 vorzugsweise an den Norden: Prinzip 7 betont die besondere Verantwortung des

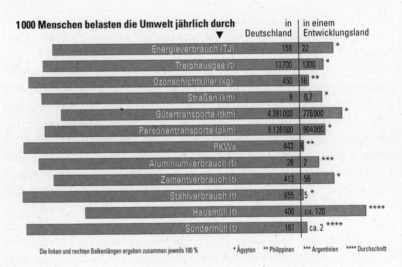

1000 Menschen belasten die Umwelt jährlich durch ▼	in Deutschland	in einem Entwicklungsland
Energieverbrauch (TJ)	158	22 *
Treibhausgas (t)	13700	1300 *
Ozonschichtkiller (kg)	450	16 **
Straßen (km)	8	0,7 *
Gütertransporte (tkm)	4.391000	776000 *
Personentransporte (pkm)	9.126000	904000 *
PKWs	443	8 **
Aluminiumverbrauch (t)	28	2 ***
Zementverbrauch (t)	413	56 *
Stahlverbrauch (t)	655	5 *
Hausmüll (t)	400	ca. 120 ****
Sondermüll (t)	187	ca. 2 ****

Die linken und rechten Balkenlängen ergeben zusammen jeweils 100 %   * Ägypten   ** Philippinen   *** Argentinien   **** Durchschnitt

34. *Tausend Deutsche verbrauchen etwa zehnmal soviel wie tausend Argentinier, Filipinos oder Ägypter (nach Bleischwitz u. Schütz, 1992).*

Nordens angesichts dessen Rolle. Prinzip 8 lautet: »Um eine tragfähige Entwicklung und eine höhere Lebensqualität für alle zu erreichen, müssen Staaten ihre nichttragfähigen Produktions- und Konsummuster reduzieren und beenden ...«

Mit deutschen Pro-Kopf-Verbrauchsraten, die gut fünfzehnmal so hoch sind wie die indischen, ist die gesamte Umweltbelastung von 80 Millionen Deutschen höher als die von 900 Millionen Indern. Abbildung 34 zeigt, daß tausend Deutsche zehnmal mehr verbrauchen als tausend Filipinos, Ägypter oder Argentinier. Die Abbildung wurde vom Wuppertal Institut für den Erdgipfel angefertigt und machte anschließend in den Medien die Runde.

Wir sind der Meinung, daß für die Einschätzung der Nachhaltigkeit von Lebensstilen und Kulturen die Pro-Kopf-Ressourcenverbräuche die entscheidende Größe sind.

In Rio de Janeiro hat sich aber statt dessen weitgehend die Auffassung des Nordens durchgesetzt: Die *Agenda 21*, das Kernstück der UNCED-Verhandlungen, behandelt fast ausschließlich die Probleme des Südens und stellt den Lebensstil des Nordens nicht ernstlich in Frage. Lediglich Kapitel 4 der *Agenda* nennt nachhaltige Lebensstile und Verbrauchsmuster als Wesensmerkmal der nachhaltigen Entwicklung. Der Norden sorgte aber dafür, daß dieser Abschnitt der *Agenda* weitgehend Appellcharakter behielt.

Der Süden war über diese Gewichtssetzung der *Agenda 21* während der UNCED-Verhandlungen nicht sonderlich unglücklich. Erstens ist ja der Lebensstil des Nordens das bewunderte und angestrebte Ziel für die meisten Menschen im Süden. Zweitens enthalten die anderen Abschnitte der *Agenda 21* Hunderte von attraktiv tönenden Entwicklungsprogrammpunkten, die, wenn sie denn verwirklicht würden, gewaltige Geldströme aus dem Norden in den Süden bedingen würden. Insgesamt wäre es da um einen Transfer von jährlich über 100 Milliarden Dollar gegangen (zusätzlich zu der Summe, die der Süden selbst hätte aufbringen müssen). Tatsächlich war die Idee vom finanziellen Engagement des Nordens für die nachhaltige Entwicklung des Südens wenige Wochen nach dem Erdgipfel von Rio wieder vergessen. Übrig blieb eine Aufstockung der lediglich leihweise zur Verfügung gestellten Mittel der neu eingerichteten Global Environmental Facility der Weltbank um etwa zwei Milliarden Dollar.

Die finanzielle Seite war eine schwere Enttäuschung für den Süden. Aber selbst wenn durch ein Wunder die besprochenen phantastischen

Geldmengen tatsächlich in den Süden geflossen wären, hätte trotz aller Nachhaltigkeitsprogrammatik die globale Umwelt kaum davon profitiert. Das liegt daran, daß viele Maßnahmen der *Agenda 21* nur mit gewaltigen Bauvorhaben, zusätzlicher Landnutzung, dramatisch zunehmendem Energieverbrauch, Verkehr, Bergbau und Waldzerstörung zu verwirklichen gewesen wären. Zur Verteidigung der *Agenda* muß allerdings gesagt werden, daß ja auch realistischerweise keine Alternativen zum nördlichen Modell von Entwicklung und Umweltschutz zur Verfügung standen. Und jeder Versuch, dieses Modell zu kritisieren, ist von bestimmten Delegierten des Nordens empört zurückgewiesen worden. »Der American way of life steht nicht zur Verhandlung«, war der berühmt gewordene Ausspruch des damaligen US-Präsidenten George Bush, als er ins Flugzeug nach Rio de Janeiro stieg.

Abbildung 34 deutete an, daß das nördliche Entwicklungsmodell fundamental die Grenzen der Tragfähigkeit sprengt. Aber was kann man dagegen tun? Und was kann man tun, wenn nun die nationalen Entwicklungsprogramme von Ländern wie China, Indonesien, Brasilien, Malaysia und anderen im Gefolge des nördlichen Modells jeden Anspruch verneinen, dem Kriterium der Tragfähigkeit, der ökologischen Nachhaltigkeit zu entsprechen? Spricht man sie auf diesen Umstand an, so erwidern sie leichthin, daß der Norden doch nicht so schlecht gefahren sei mit seiner Industrialisierung, zu der sie keine Alternative sehen.

»Fußstapfen« und »Umweltraum«:
Wie mißt man die Tragfähigkeit der Erde?
Ungelöst bleibt vorläufig die Frage, was man quantitativ meint, wenn man von Tragfähigkeit spricht. Es gibt nun verschiedene Versuche von Wissenschaftlern, die Nachhaltigkeit von Lebensstilen in der Form von zulässigem Pro-Kopf-Ressourcenverbrauch zu quantifizieren. Da gibt es die Idee der »ökologischen Fußstapfen« (Abb. 35) von William Rees und seinem Team an der University of British Columbia in Vancouver, Canada. Die »Fußstapfen« des Durchschnittskanadiers werden als direkter und indirekter Landverbrauch ausgerechnet, und man entdeckt beschämt: Sie sind so groß, daß man drei Erdbälle bräuchte, um 5 oder 6 Milliarden solcher Fußstapfen unterzubringen.

Zu einem ähnlichen Resultat kommt ein niederländisches Team unter Maria Buitenkamp und Teo Wams (Buitenkamp u.a., 1992), welches den durchschnittlichen von niederländischen Bürgern beanspruchten »Um-

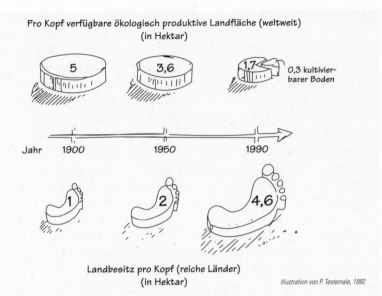

Pro Kopf verfügbare ökologisch produktive Landfläche (weltweit)
(in Hektar)

5   3,6   1,7   0,3 kultivier-
barer Boden

Jahr   1900   1950   1990

1   2   4,6

Landbesitz pro Kopf (reiche Länder)
(in Hektar)   *Illustration von P. Testemale, 1992*

35. Wir brauchen heute drei Erdbälle, um 6 Milliarden »ökologischer Fuß-
stapfen« eines Durchschnittskanadiers unterbringen zu können. Vor hundert
und selbst vor vierzig Jahren wäre unsere Erde noch groß genug gewesen
(Zeichnung nach Wackernagel, 1996).

weltraum« kalkuliert hat. In der Studie, *Sustainable Netherlands*, schätz-
te das Team ab, wieviel Raum für Energie, Holz, Ackerland und Minera-
lien weltweit zur Verfügung steht und wieviel Trinkwasser jeweils lokal
verfügbar ist. Diesen global kalkulierten Umweltraum teilten die Autoren
durch angenommene 7 Milliarden Menschen, um herauszufinden, wieviel von diesem »Raum« jedem Menschen auf der Erde fairerweise
zusteht. Dann verglichen sie das Ergebnis mit dem tatsächlichen Verbrauch in Holland. Das Resultat: Die Holländer müßten in vielen Bereichen Abstriche machen (zwischen jeweils 40–85%), um zu einem »nachhaltigen« Lebensstil zu kommen.

Es gäbe jedoch eine Möglichkeit – so stellte das Team erfreut fest –, den
größten Teil der heutigen guten Lebensqualität zu retten, wenn man
bekannte und verfügbare Effizienztechniken einsetzen würde. Lediglich
in zwei Bereichen sind echte Abstriche unvermeidlich: Beim Verbrauch
von Fleisch und beim Fliegen und Autofahren müßten die Holländer trotz

245

effizienter Technik kürzertreten; (wobei den Autoren manche der in *Faktor vier* skizzierten Effizienzmöglichkeiten noch kaum bekannt waren). Jedenfalls würde ein Transatlantikflug hin und zurück die nachhaltig pro Person verfügbare Menge Flugkilometer für etwa zehn Jahre aufzehren.

Maria Buitenkamp wendet es positiv: Wenn man die Technik vernünftig einsetzt, kann die ganze Menschheit die Lebensqualität eines der reichsten Länder der Welt erreichen (nicht notwendigerweise genau die gleiche Lebensweise). Das Konzept kommt der Versöhnung von Moral und Wohlstandserwartungen erstaunlich nahe. Doch Kritiker können es nicht lassen, die Studie als Aufforderung zur Ökodiktatur umzuinterpretieren. Was man aus der öffentlichen Diskussion jedenfalls lernen kann, ist, daß es leichter ist, Konsens über Effizienz als über Suffizienz (Genügsamkeit) herbeizuführen.

Zwischenzeitlich hat sich die Idee weiter ausgebreitet. Für Friends of the Earth Europe hat das Wuppertal Institut eine *Sustainable-Europe*-Studie herausgegeben. Eine noch ausführlichere Studie des gleichen Instituts im Auftrag von BUND und Misereor stellt die Diagnose für Deutschland (BUND u.a., 1996). Eines der nicht allzu überraschenden Ergebnisse ist, daß pro Bundesbürger anstelle der heutigen 11,5 t CO_2 nur 2,3 t pro Jahr emittiert werden dürften, wenn die Menschheit insgesamt nicht mehr emittieren soll, als die Erde wieder absorbieren kann. Auch das Wuppertal Institut kommt, nunmehr in Kenntnis der in *Faktor vier* präsentierten Effizienzpotentiale und der Möglichkeit, eine hohe Qualität von Dienstleistungen mit dauerhaften Waren anstatt mit Wegwerfwaren zu erreichen, zu einer dem holländischen Ergebnis vergleichbaren positiven Schlußbetrachtung: Echte Wohlstandsverzichte werden nicht verlangt, aber man muß die Effizienz dramatisch verbessern. Und man kommt (ohnehin) nicht darum herum, sich die Grundfragen neu zu stellen, was man eigentlich unter »gutem Leben« verstehen möchte, wenn die Primitivversion des Konsumismus einem natürlichen Ende entgegengeht. Wir vertiefen diese Fragen im vierten Teil des Buches.

Vorläufig sind aber solche Gedanken politisch noch im Abseits. Die »Realpolitik« in den meisten Industrieländern, insbesondere in den USA seit den Kongreßwahlen vom November 1994, ist weiterhin auf klassisches Wachstum ausgerichtet, und die Effizienzrevolution spielt praktisch noch keine Rolle. Und in den Entwicklungsländern hat man aus dem Brundtland-Bericht, der *Agenda 21* und der Rio-Deklaration ohnehin (verständlicherweise) nie wirklich ökologische Maximen herausgelesen, sondern Aufforderungen zu beschleunigter Entwicklung, was denn auch nach Kräften betrieben wird. Die in Rio geforderte ökologisch nachhaltige Entwicklung hat also in der realen Welt eigentlich noch kaum begonnen.

Der Treibhauseffekt und die Klimakonvention

Der Treibhauseffekt ist in aller Munde. Wir sind alle in irgendeiner Form vom Wetter und Klima abhängig. Schon die bloße Vorstellung, daß der

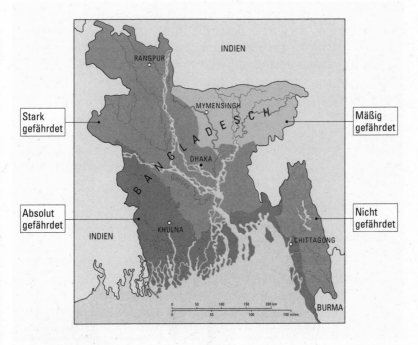

36. Gefährdung Bangladeshs. Wenn es zu einer weiteren globalen Erwärmung mit einem Anstieg des Meeresspiegels und einer Zunahme tropischer Wirbelstürme kommt, wird Bangladesh verheerend getroffen. Die dunkelrot markierten Flächen würden großenteils vom Meer verschluckt, andere würden überschwemmt oder immer häufiger von Wirbelstürmen heimgesucht, und wieder andere würden ausdörren. (Quelle: Bangladesh Centre for Advanced Studies, 1994.)

247

Mensch in das Wettergeschehen eingreift, ist beunruhigend. Die Beunruhigung nimmt zu, wenn wir uns klarmachen, daß es vor allem die Minorität der Reichen ist, welche am meisten zum Treibhauseffekt beiträgt, und daß es hauptsächlich die Armen sein werden, welche die Konsequenzen auszubaden haben.

Bangladesh, eines der ärmsten und volkreichsten Länder der Welt, könnte (ähnlich wie die rund dreißig kleinen Inselstaaten) von einer sich fortsetzenden Klimaveränderung verheerend getroffen werden (Abb. 36).

Nicht nur vom Anstieg des Meeresspiegels droht Gefahr, sondern auch von der Zunahme tropischer Wirbelstürme. Sie können, soviel meint man heute zu wissen, bei einer Oberflächentemperatur des Meeres von oberhalb 26°C entstehen. Im Zuge einer globalen Erwärmung nimmt natürlich sowohl die Häufigkeit der Stürme als auch die geographische Ausdehnung derjenigen Zonen zu, in denen die Wirbelstürme auftreten können.

Beunruhigt von der Aussicht auf zunehmende Stürme sind nicht nur die vor Ort betroffenen Menschen, sondern auch die Versicherungsgesellschaften, die den versicherten Schaden zu begleichen haben. Die Münchener Rückversicherungs-Gesellschaft, größter Rückversicherer der Welt, hat kurz vor dem Klimagipfel eine aktualisierte Grafik über die Schadenshöhe publiziert (Abb. 37). Das Jahr des Erdgipfels, 1992, verdankt seine Spitzenstellung vor allem dem Hurrikan »Andrew«, der versicherte Schäden in Höhe von 15 Milliarden Dollar verursacht hat. Allein

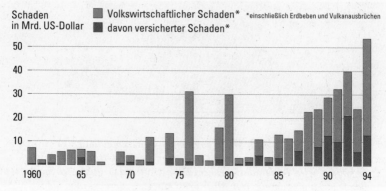

37. Zunahme der Sturmschäden in den vergangenen dreißig Jahren, dokumentiert vom größten Rückversicherungskonzern der Welt, der Münchener Rückversicherungs-Gesellschaft (nach Spiegel, 12/1995).

dieses Ereignis hat sechs amerikanische Versicherungsgesellschaften in den Bankrott getrieben.

Was sagt die Wissenschaft?
Die Sorge vor einem gefährlichen Treibhauseffekt ist nicht neu. Sie wurde zum ersten Mal von Svante Arrhenius (1859-1927), dem bedeutenden schwedischen Physiker und Chemiker, vor hundert Jahren in einer wissenschaftlichen Arbeit ausgedrückt (Arrhenius,1896). Er brachte die Atmosphärenphysik seiner Zeit mit den Kenntnissen über das Ausmaß der industriellen Kohleverbrennung zusammen und kam zu dem Schluß, daß eine Verdoppelung der atmosphärischen CO_2-Konzentrationen eine durchschnittliche weltweite Erwärmung um $4-6\,°C$ bewirken würde. Sein wissenschaftliches Pech war, daß es damals empirisch äußerst schwierig gewesen wäre, seine Theorie zu belegen.

Erst nach dem Zweiten Weltkrieg konnte mit langfristigen Meßreihen zur Untersuchung atmosphärischer CO_2-Konzentrationen begonnen werden. Auf dem Berg Mauna Loa auf Hawaii, wo es keine Störungen durch lokale Emissionen gibt, welche die Meßwerte von Wind und Wetter abhängig machen würden, wurden die Konzentrationen kontinuierlich gemessen. Die Bilder der über die Jahre unaufhaltsam steigenden Kurve der CO_2-Konzentrationen (Abb. 38) überraschte die wissenschaftliche

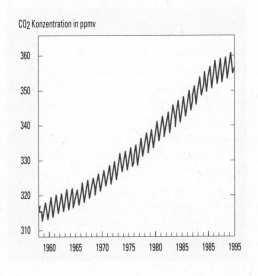

CO2 Konzentration in ppmv

38. Der Anstieg der CO_2-Konzentrationen in der Erdatmosphäre, gemessen auf Mauna Loa, Hawaii. Die ins Auge springenden jährlichen Abstufungen rühren vom Pflanzenwachstum (und seiner CO_2-Absorption) her, welches weltweit gesehen hauptsächlich im Sommer der Nordhalbkugel stattfindet.

249

Welt. Nun begannen die Wissenschaftler natürlich ernsthaft darüber nachzudenken, wohin dieser auffällige Trend führen wird.

Allerdings reichten die Daten von Mauna Loa noch nicht aus, um Arrhenius' Theorie zu bestätigen. Die CO_2-Konzentrationen waren noch nicht mit den Temperaturen in Beziehung gesetzt worden. Der Meß-Zeitraum war einfach zu kurz, um eine Aussage über einen deutlich erkennbaren Trend zur globalen Erwärmung zu machen. Etwas wärmere Sommer und Winter wurden zwar beobachtet, konnten aber noch mit statistischem Rauschen, Sonnenfleckenaktivität oder der Langzeitdynamik der Klimaveränderungen zwischen den Eiszeiten erklärt werden, alles Effekte, die ohne menschliches Zutun ablaufen. So kam die Debatte um einen vom Menschen wesentlich beeinflußten Treibhauseffekt in den sechziger Jahren nicht aus den Startlöchern heraus.

Eine unerwartete wissenschaftliche Entdeckung änderte das alles. Es waren die Daten über »fossile« CO_2-Konzentrationen im Eis der Antarktis. Tiefbohrexperimente von der sowjetischen Antarktis-Station Vostok aus förderten eine atemberaubende Datenreihe zutage, die einen kompletten Überblick über die CO_2-Konzentrationen der letzten 160 000 Jahre bot. Eine von dem Schweizer Klimatologen Paul Oeschger entwickelte Methode erlaubte einem französisch-sowjetischen Team um Claude Lorius (Lorius u. a., 1985; Barnola u. a., 1987), die chemische Zusammensetzung winziger Luftblasen zu analysieren, die im Eis eingeschlossen waren, dessen Alter durch seine Schichttiefe bestimmbar ist.

Eine etwas indirektere Methode erlaubte den Forschern, auch noch die Temperaturen der jeweiligen Zeit zu bestimmen (Jouzel u. a., 1987). Als man die beiden Kurven übereinanderlegte, wurde eine sensationelle Korrelation endeckt (Abb. 39), welche die These von Arrhenius voll zu bestätigen scheint. Nun war auf einmal jeder verantwortlich denkende Mensch gezwungen, sich über die Gefahren eines durch die menschliche Zivilisation verstärkten Treibhauseffektes Gedanken zu machen.

Das Bekanntwerden der Vostok-Eisbohrresultate (noch vor deren Erscheinen in *Nature*) löste in der wissenschaftlichen Welt einen Alarmruf aus. Die in Genf ansässige World Meteorological Organisation (WMO), eine bis dahin unauffällige UNO-Organisation, das UNO-Umwelt-Programm (UNEP) in Nairobi und der Pariser International Council of Scientific Unions (ICSU) organisierten eine Konferenz in Villach, Österreich, die zu einem der wichtigsten Umwelttreffen aller Zeiten

250

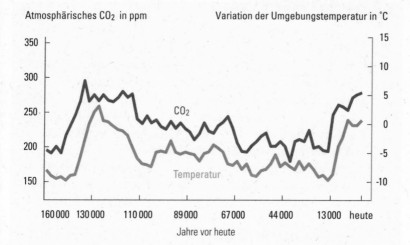

Atmosphärisches CO$_2$ in ppm — Variation der Umgebungstemperatur in °C

39. Die »Vostok-Sensation«: eine unerwartet strikte Korrelation zwischen CO$_2$-Konzentrationen und Durchschnittstemperaturen während der letzten 160 000 Jahre, chemisch gemessen aus »fossilen« Luftbläschen im antarktischen Eis (Zeichnung nach Jouzel u. a., 1987).

werden sollte. In Villach wurden die Ergebnisse der Eisbohrungen präsentiert und ihre politischen Konsequenzen diskutiert.

Ein neuer Politikbereich wird geboren

Die Villacher Tagung kann als Geburtsstunde eines neuen Politikbereiches, nämlich der Klimapolitik, gelten. Hektische nationale und internationale Aktivitäten folgten. Die zweite Weltklimakonferenz fand kurz darauf, 1990, in Genf statt. Um die kontinuierliche Aufmerksamkeit der Regierungen für dieses Problem zu gewährleisten, wurde das Intergovernmental Panel on Climate Change (IPCC) gebildet, in dem Wissenschaftler und Regierungsvertreter zusammenkommen, um die Bedeutung der neuesten Erkenntnisse über das Klima zu diskutieren. Es wurde von Anfang an von dem bekannten schwedischen Klimatologen Bert Bolin geleitet, der es meisterlich verstand, die Diskussionen in Richtung eines wissenschaftlichen Konsenses und dessen politische Konsequenzen zu steuern. Der gute Ruf des IPCC hat wesentlich zur Beschleunigung der internationalen Klimaverhandlungen beigetragen, die von nun an hauptsächlich bei dem Intergovernmental Negotiating Committee (INC)

251

stattfand, welches mit der Ausarbeitung einer Klima-Rahmenkonvention betraut wurde.

Wenige Wochen vor dem Erdgipfel 1992 schloß das INC seine Beratungen ab und legte den Entwurf einer Rahmenkonvention zum Klimawandel (FCCC) zur Unterzeichnung in Rio vor. 154 Staaten unterschrieben die Konvention während der Rio-Konferenz. Viele Staatsoberhäupter und Regierungschefs, darunter Präsident George Bush, Premierminister John Major und Bundeskanzler Helmut Kohl, taten dies persönlich und im Blitzlicht der internationalen Presse. Dies war vielleicht der Augenblick bislang höchster Medienaufmerksamkeit für den Klimaschutz.

Die Rahmenkonvention hat einen bemerkenswert deutlichen Artikel 2, der von Vertragsstaaten verlangt, die »Treibhausgaskonzentrationen auf einem Niveau zu stabilisieren, bei welchem eine gefährliche menschliche Störung des Klimasystems verhindert wird«. Dies ist eine starke Aussage. Wenn sich der gegenwärtige Trend fortsetzt, erreichen wir vermutlich CO_2-Konzentrationen, die das globale Klima gefährlich beeinträchtigen. Und Professor Bert Bolin sagte bei der Eröffnung des Berliner Klimagipfels, daß bei einer Stabilisierung der Emissionen auf dem Niveau von 1990 die Konzentrationen noch etwa zweihundert Jahre lang weiter zunehmen würden, ehe sich eine Stabilisierung auf einem viel zu hohen Niveau einstellen würde.

Der Berliner Klimagipfel

Der Klimagipfel von Berlin, zu dem Bundeskanzler Kohl schon in Rio de Janeiro eingeladen hatte, war die erste Konferenz der Vertragsstaaten der Klimakonvention und fand vom 28. März bis 7. April 1995 statt. Rechtzeitig sechs Monate vor der Konferenz hatten die rund dreißig kleinen Inselstaaten (Alliance of Small Island States, AOSIS) einen Protokollentwurf vorgelegt, der zunächst die reichen Länder zu einer Stabilisierung und Reduktion der jährlichen Emissionen verpflichten würde.

Aber nun wurde in aller Härte deutlich, daß die Bremser noch ein Wörtchen mitzureden haben. Bezahlt von Ölfirmen, tauchten amerikanische Rechtsanwälte auf, die den Ölstaatendelegationen bis ins einzelne nahelegten, wie man den diplomatischen Fortschritt sabotieren könnte. So wurde bis zum Schluß der Berliner Tagung keine Geschäftsordnung beschlossen, und es blieb völlig offen, ob man im Rahmen der Konvention je einen völkerrechtlich verbindlichen Beschluß gegen den Willen Kuwaits und Saudi-Arabiens wird fassen können. Das von der Bundesregierung als diplomatischer Erfolg dringend erwünschte »Berliner Mandat« für die Erarbeitung eines vielleicht 1997 beschließbaren Protokolles blieb ziemlich vage. Es kann jedoch bei konsequentem Druck seitens der Europäer und der klimabewußten Mehrheit der Entwicklungsländer durchaus zu einem respektablen Reduktionsprotokoll führen.

Als bedenklich empfinden wir die in dem Mandat enthaltene Aufforderung, außer dem IPCC auch noch andere Klimaexperten zu Rate zu ziehen. Damit sind Forscher gemeint, die die Beweiskraft der Vostok-Ergebnisse und der gängigen Klimamodelle anzweifeln und die der Öl- und Kohlelobby den unsinnigen Schluß nahelegen, solange nicht alles bewiesen sei, brauche man auch nicht zu handeln.

Effizienzrevolution als Hausaufgabe für die Klimapolitik

Hätte nicht die Rede von Bundeskanzler Kohl zur Eröffnung des abschließenden Ministerteils der Berliner Tagung noch einmal einen Markstein für einen ernstgemeinten Klimaschutz gesetzt, wäre das Mandat sicherlich noch weiter verwässert worden und man hätte die Tagung als glatten Fehlschlag einschätzen müssen. Nun besteht wenigstens die Chance, die Zeit bis zur dritten Vertragsstaatenkonferenz 1997 zu nutzen, um eine breite Staatenmehrheit von der Notwendigkeit eines weitreichenden Protokolls zu überzeugen und gleichzeitig klarzumachen, daß der Klimaschutz, wenn er richtig angefaßt wird, zum wirtschaftlichen Gewinnspiel werden kann. Hierbei müßte natürlich die Effizienzrevolution im Mittelpunkt stehen.

Um die Größenordnung der vor uns liegenden Aufgabe abzuschätzen, erinnern wir uns zunächst noch einmal an den vom IPPC (1990; 1996) formulierten Konsens, daß zur Stabilisierung des Klimas eine Reduktion der Treibhausgasemissionen um weltweit 60% nötig ist. Dies heißt, daß in Deutschland eine Verminderung der Emissionen um wenigstens 80% angezeigt ist. Der IPPC-Konsens ist zugleich die Basis für die in der Einleitung gezeigte vereinfachte Grafik (Abb. 1), nach welcher die zu schließende Lücke zwischen dem ökologisch Notwendigen und dem nach der Trendprognose Wahrscheinlichen (World Energy Council, 1993) wenigstens einen Faktor 4 ausmacht. Und für die Schließung dieser Lücke steht uns vielleicht ein halbes Jahrhundert zur Verfügung.

Die Herausforderung ist gewaltig. Es ist verführerisch, in dieser Lage der Politik zu empfehlen, sich mit dem Klimawandel innerlich abzufinden und die knappen Mittel besser für Anpassungsmaßnahmen wie den

Bau höherer Deiche einzusetzen. Wir wollen diese Position nicht ins Lächerliche ziehen. Für jemand, der die Effizienzrevolution nicht im Blick hat oder ihr nicht über den Weg traut, ist das Deichebauen immerhin eine ernstzunehmende Option. Aber realistischerweise existiert sie nur in den reichen Ländern, nicht in den am meisten gefährdeten Ländern wie Bangladesh. Und auf mittlere Sicht ist die Option auch für den Norden völlig unzureichend. Man male sich nur die Konsequenzen einer Klimazonenverschiebung aus, die nördlich des Mittelmeeres Bedingungen wie in der Sahara schafft und eine Zunahme von Winterstürmen, Überschwemmungen und Trockenperioden nördlich der Alpen.

Es gibt theoretisch auch andere Optionen. Da wäre zum Beispiel ein dramatischer zivilisatorischer Wechsel im Norden hin zu Bescheidenheit und Sparsamkeit. Doch die historischen Erfahrungen lassen die Durchsetzbarkeit als nicht sehr wahrscheinlich erscheinen.

Eine andere Möglichkeit, auf die wir im Kapitel 10, S. 278 noch einmal eingehen, ist der Übergang von fossilen Brennstoffen auf Kernkraft und erneuerbare Energiequellen. Das Resultat dieser Diskussion ist, daß ein Wechsel der Energiequellen mit zum Teil hohen Kosten verbunden und zudem nur begrenzt machbar ist. Wir halten jedenfalls die in diesem Buch skizzierte Effizienzrevolution für die bei weitem billigste und attraktivste Option. Sie verschafft den Staaten, die sie verfolgen, wirtschaftliche Vorteile.

Dies eröffnet der ansonsten so frustrierenden Klimadiplomatie eine ganz neue Perspektive. Ist der Klimaschutz ein potentieller Nutzen, dann sollte es theoretisch ein Wettrennen um den raschesten Fortschritt beim Klimaschutz geben anstatt eines zähen Ringens um Millimeter-Konzessionen der jeweils anderen Seite.

Andere Treibhausgase

Selbst die Faktor-4-Revolution in der Energieproduktivität wird nicht ausreichen, um die globale Erwärmung zu stoppen. Andere Treibhausgase neben CO_2 tragen zu 50% zum Treibhauseffekt bei, darunter die Fluorchlorkohlenwasserstoffe (FCKWs), Methan (CH_4), Wasser (in großen Höhen), N_2O und Ozon (O_3). Etwa 20% des Beitrags kommen von den FCKWs, deren Verbot als einer der erfreulichsten Erfolge der Umweltdiplomatie bezeichnet werden kann (Benedick, 1991).

Methan entsteht auf nassen Reisfeldern und in Rindermägen; und es entweicht beim Kohlebergbau, bei der Erdgasgewinnung und beim Zerfall von Biomasse (Kompostierung). N_2O-Emissionen entstehen ebenfalls bei der Kompostierung und bei den meisten Verbrennungsprozessen. N_2O bleibt eine lange Zeit in der Atmosphäre, im Durchschnitt mehr als hundertfünfzig Jahre, während die Halbwertszeit von Methan »nur« vierzehn Jahre beträgt. Veränderungen in der Landwirtschaft bieten den wichtigsten Ansatz zur Reduktion von Methan- und N_2O-Emissionen. Da aber die Reduktion der Reisproduktion wegen des Bevölkerungswachstums gegenwärtig nicht zur Debatte steht, bleibt hier eigentlich nur die Verminderung der Rinderhaltung, das Nutzen von Deponiegasen für die Energiegewinnung und das Schließen von Leckagen der Erdgasleitungen und Förderanlagen.

Rettung der Artenvielfalt

Die zweite in Rio unterschriebene Konvention ist die Artenvielfaltskonvention. Worum geht es hier? Der berühmte Biologieprofessor Edward Wilson von der Harvard University (Wilson, 1995) nennt die Vernichtung der Artenvielfalt dasjenige Vergehen, welches uns künftige Generationen am wenigsten vergeben werden. Und er vergleicht die heutigen Biologen mit Kunstliebhabern, die zusehen müssen, wie der Louvre und andere Museen in Flammen stehen, und nicht in der Lage sind, das Feuer zu löschen.

Die Artenvielfalt kann als Versicherung gegen unvorhersehbare klimatisch oder anders verursachte Veränderungen der Biosphäre aufgefaßt werden. Auch Dummheiten menschlicher Eingriffe in die Natur sind oft von der phantastischen biologischen Vielfalt abgefedert oder wiedergutgemacht worden. Es ist töricht und unverantwortlich, die Artenvielfalt zugunsten kurzfristiger ökonomischer Vorteile zu opfern.

Zum ersten Mal ist die Welt über das gigantische Ausmaß der Zerstörung durch den Global-2000-Bericht an Präsident Carter (Barney, 1980) aufgeklärt worden. Abbildung 40, ein Bild aus Gerald Barneys Institut, zeigt die Dynamik des Artenverlusts.

Die Ursachen für diese Beschleunigung der Ausrottung sind vielfältig. Ein besonders wichtiger, aber in Analysen des Nordens oft unterbewerteter Faktor ist die Schuldenkrise, die viele Entwicklungsländer veranlaßt hat, immer mehr Rohstoffe, Agrarprodukte, Metalle, Holz und Wasserkraft auf den Markt zu werfen. Diese exportorientierte Wirtschafts-

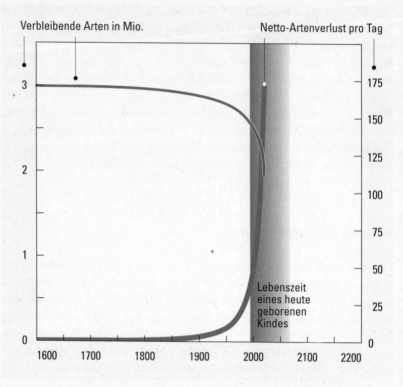

Verbleibende Arten in Mio.   Netto-Artenverlust pro Tag

Lebenszeit
eines heute
geborenen
Kindes

40. Der Artenverlust hat sich in alarmierendem Ausmaß beschleunigt. 20–50
Spezies werden täglich ausgerottet (Abdruck mit freundlicher Erlaubnis des
Millennium Institute).

entwicklung fand vielfach auf Kosten von Urwäldern und anderen Schätzen der Natur statt und trug so zum Verlust Tausender von Tier- und
Pflanzenarten bei. Weil praktisch alle rohstoffexportierenden Länder den
Ressourcenverkauf gleichzeitig forcierten, kollabierten schließlich die
Rohstoffpreise auf den Weltmärkten. Die Entwicklungsländer mußten
also immer noch mehr exportieren und noch mehr natürliche Schätze ver-
scherbeln, um ihre Schuldendienste bezahlen zu können. Abbildung 41
zeigt die Entwicklung der Schulden der Dritten Welt und die fallenden
Rohstoffpreise von Mitte der siebziger Jahre bis zu den frühen neunziger
Jahren.

In jüngster Zeit beobachten wir zwar wieder einen deutlichen Anstieg der Welt-Rohstoffpreise. Dies ist aber ökologisch kein Trost, denn der neue Trend wurde durch dramatisch zunehmende Rohstoffverbräuche der rasch wachsenden asiatischen Wirtschaften ausgelöst. Jedenfalls führt er nicht zu einer Abnahme des Raubbaus in den rohstoffexportierenden Ländern.

Die auf dem Erdgipfel 1992 verabschiedete Artenvielfaltskonvention war ebenfalls von einem zwischenstaatlichen Verhandlungsausschuß vorbereitet worden, bei welchem der Norden drängte und auch den Ton angab, während der Süden primär wenig Interesse zeigte und um seine Souveränität bezüglich seiner biologischen Ressourcen besorgt war.

Das Mißtrauen der Entwicklungsländer nahm zu, als die USA, Großbritannien, Australien und andere Unterhändler aus dem »Norden« darauf bestanden, die Besitzrechte an Genmaterial zu behalten, welches sie in Entwicklungsländern gewonnen, aber in Labors des Nordens weiterverarbeitet hatten. Dem Süden kam es so vor, als bestünde das ganze

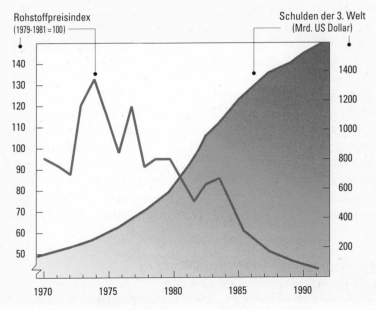

41. Schuldenkrise und Rohstoffpreise: ein Teufelskreis mit katastrophalen Folgen für die Artenvielfalt (nach State of the World Report, 1990, aktualisiert).

Interesse des Nordens an der Artenvielfalt in der Ausbeutung genetischer Ressourcen. Trotz allen Mißtrauens gab der Süden schließlich fast durchweg nach. Insbesondere bestanden die Delegationen des Südens nicht auf einer Erwähnung und Einbeziehung der Schuldenkrise.

Immerhin wurden einige Anreize für die Entwicklungsländer in die Konvention eingebaut. Der Nutzen aus der biotechnologischen Verwendung soll auf einer fairen und gleichberechtigten Basis geteilt werden (Artikel 19), und der Norden soll neue und zusätzliche Mittel zur Verfügung stellen, damit der Süden die Kosten der vereinbarten Maßnahmen tragen kann (Artikel 20). Diese haben im wesentlichen mit der *in-situ*-Sicherung in geschützten Gebieten zu tun. In Artikel 9 wird dieser *in-situ*-Sicherung Vorrang über *ex-situ*-Maßnahmen (der Aufbewahrung »des Erbguts« in Zoos oder Genbanken) gegeben. Dies ist auch sehr berechtigt. Schließlich sind ursprüngliche Lebensräume unschlagbar, was die Artenvielfalt anbelangt. Auf einem Hektar Urwald gibt es einen größeren Artenreichtum, als er in allen Genlabors der Welt zusammen innerhalb von Jahrzehnten neu hergestellt werden könnte.

Die Vertragsstaatenkonferenzen von Nassau, Bahamas (1994) und Jakarta (1995) blieben unbefriedigend. Um ein Haar gelang es den Bremsern aus Deutschland und den USA, ein Mandat für das dringend erforderliche Biosafety Protocol (vgl. S. 241) zu verhindern. Dieses soll die Gefahren für Ökosysteme durch freigesetzte genmanipulierte Organismen begrenzen.

Leserinnen und Leser werden sich vielleicht fragen, wie der Faktor 4 und die Artenvielfalt zusammenhängen. Nun, die Effizienzrevolution könnte einen wesentlichen Beitrag dazu leisten, den enormen Druck zu vermindern, welcher auf der Ausbeutung von Rohstoffvorkommen lastet. Der (ökologisch meist sehr bedenkliche) Bau von Staudämmen in waldreichen Gebieten könnte leichter unterbleiben. Luft- und Wasserverschmutzung, die beide die natürlichen Lebensräume kaum weniger belasten als menschliche Siedlungen, könnten deutlich zurückgeführt werden.

Weitere ungelöste Umweltprobleme

Es gibt noch ganze Berge ungelöster Umweltprobleme. Wir haben nicht die Absicht, hier alle aufzuführen. Das bislang wohl am sträflichsten vernachlässigte Umweltproblem, das Anschwellen der vom Menschen losgetretenen Stofflawinen, behandeln wir im nächsten Kapitel, einige andere deuten wir nur skizzenhaft an.

Wasser- und Luftverschmutzung

Die informierte Öffentlichkeit ist sich über die Situation der Luft- und Wasserverschmutzung weitgehend im klaren. Wir können in den Industrieländern eine wesentliche Besserung der Situation konstatieren. Der Rhein hat heute im Vergleich zu den sechziger Jahren ausgezeichnetes Wasser. Die Zahl der wieder heimisch gewordenen Fischarten hat ständig zugenommen, und sogar der anspruchsvolle Lachs kann hier wieder gedeihen. Gleiches gilt von der Themse und zahlreichen anderen Flüssen in Europa und den USA.

Auch die Luftqualität hat sich im Vergleich zu den siebziger Jahren in allen hochindustrialisierten Ländern entscheidend verbessert.

Die Umwelttechnik, die sich anfangs hauptsächlich mit der Emissionskontrolle am Ende der Prozesse abgab, ist zu einem integrierten Teil der modernen Industriegesellschaft geworden.

Unbefriedigend ist in den Industrieländern weiterhin die Abfallsituation. Wir behandeln sie im Kontext der Stofflawinen im Kapitel 9.

Die eigentliche Problematik bezüglich der klassischen Themen der Umweltpolitik liegt in der Verschmutzung der rasch wachsenden Länder Asiens und Lateinamerikas, in der verzweifelten finanziellen Situation der meisten afrikanischen Länder, die keinerlei Geldmittel für den Umweltschutz übrig haben, sowie in den unendlich teuren Aufräumarbeiten in Mittel- und Osteuropa. In diesem Buch können wir dieser nahezu weltweiten Problematik nicht im einzelnen nachgehen. Wir möchten nur festhalten, daß wir den Weg zur Industrialisierung, den die westlichen Länder gegangen sind, für unsinnig teuer, unverantwortlich und unattraktiv halten; sie haben ohne Rücksicht auf ökologische Verluste gewirtschaftet und erst hinterher die Schadstoffkontrolle entdeckt. Aber es ist schwer, dieses gegenüber chinesischen Gesprächspartnern geltend zu machen, weil wir bislang keine echte Alternative vorgeführt haben. Wir sind allerdings der Meinung, daß der Einstieg in rentable, effiziente Technologien für die rasch wachsenden Länder die attraktivste Option zur Minimierung der Umweltschutzkosten und zur Schonung von Gesundheit und natürlichen Ressourcen ist. Schließlich ist jede vermiedene Kilowattstunde nicht nur ein eingesparter Batzen Geld, sondern auch ein Stück vermiedene Luftverschmutzung.

Eutrophierung

Einige Probleme sind relativ neu auf der ökologischen Bühne und bedrohen auch die Industrieländer. Eines der wichtigsten könnte die Eutrophierung sein. In den sechziger und siebziger Jahren ging es hauptsächlich um phosphatbedingtes Algenwachstum von Binnengewässern. Dieses Problem ist in den Industrieländern weitgehend gelöst. Heute geht es hauptsächlich um Meereseutrophierung (vor allem im Schwarzen Meer und in der Ostsee) und um Nitratfrachten, die Böden und Gewässer gefährlich verändern. Die mittlerweile flächendeckenden Stickstoffniederschläge haben unter anderem eine verheerende Wirkung auf die Artenvielfalt. Die Magerstandorte verschwinden, auf denen sich über Jahrmillionen unzählige Nährstoffspezialisten angesiedelt hatten. Außerdem wird das Grundwasser zunehmend in Mitleidenschaft gezogen, was bedeutet, daß die nächste Eutrophierungswelle die Trinkwasserversorgung gefährdet (vgl. Flaig u. Mohr, 1995).

Überfischen der Meere

Ein weiteres ungelöstes Problem ist das Überfischen der Meere. Der State-of-the-World-Bericht des Worldwatch Institute (Brown, 1995) zeigt, daß die Ozeanfischerei seit kurzem das tragfähige Maß überschritten hat. Fisch wird knapp, und die Fischpreise steigen seit Jahren rascher als die aller anderen Nahrungsmittel (Abb. 42). Damit steigt zugleich der Anreiz für die Fischereiflotten und die ozeanfischenden Nationen, ihre Fangquoten aufrechtzuerhalten oder sogar zu erhöhen. Der schwere Konflikt zwischen Kanada, Spanien und Portugal im April 1995 über die aggressive Fischerei der Europäer vor Neufundland war ein Vorbote dessen, welche Konflikte der Welt ins Haus stehen, wenn dieses Grundnahrungsmittel vieler Kulturen knapp wird.

Die Fischgründe brauchen Zeit, sich zu regenerieren. Massive Arbeitslosigkeit in der Fischereiindustrie wird als Resultat der stagnierenden oder sinkenden Fangquoten und der weiter fortschreitenden Mechanisierung vorhergesagt. Die ohnehin wirtschaftlich schwachen Küstenregionen Nordspaniens und -portugals waren vielleicht die ersten, die dieses Problem jetzt massiv zu spüren bekommen haben; aber ein Nachgeben Kanadas hätte die Situation auf lange Sicht nur verschlimmert.

Was sind die Lösungen? Sicher nicht die weitere Mechanisierung der Ozeanfangflotten. Viel eher liegen sie in den einzelnen Fischfarmen, die in eine integrierte, intensive Landwirtschaft (Beispiel 14 in Kapitel 2)

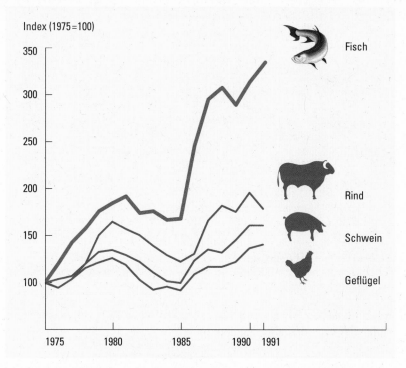

Index (1975=100)

350

300

250

200 Rind

150 Schwein

100 Geflügel

1975   1980   1985   1990 1991

Fisch

42. Der weltweit stagnierende Fischfang und eine steigende Nachfrage führen zu explodierenden Preisen. Fisch war einst das Grundnahrungsmittel vieler Länder und wird jetzt so kostbar wie das beste Fleisch (Weiss, 1989).

eingebunden werden müssen, sowie in Fisch- und Schalentierfarmen, die auf lokalen Nährstoffquellen gründen.

Wir beenden dieses Kapitel mit einer Warnung vor bösen Überraschungen. Oft werden Probleme in ihrer Frühphase einfach nicht sichtbar. William Stigliani (jetzt an der Iowa State University, vormals am IIASA, dem Internationalen Institut für Angewandte Systemanalyse in Laxenburg bei Wien) hat sich systematisch auf die Suche nach »schlafenden« Umwelttragödien gemacht. Er beschreibt etwa die Zeitdynamik der Versauerung des Großen Elchsees im Staat New York. Das Ergebnis zeigt die Abbildung 43: Über fünfzig Jahre lang gingen Schwefelmengen in der Form schwefelsauren Regens auf die Region nieder, bis schließlich die Pufferkapazität sowohl des Bodens im Einzugsbereich als auch des Sees selber

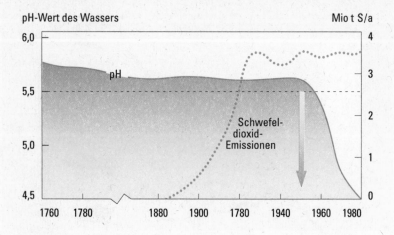

43. Beispiel einer ökologischen Zeitbombe: Es dauerte fünfzig Jahre, bis der Große Elchsee (Big Moose Lake) infolge des sauren Regens umkippte (aus W. Stigliani, 1988).

erschöpft waren. Als er einmal über die kritischen Werte hinausgelangte, kippte der See um und ist seitdem tot.

9. Kapitel:
Stofflawinen, das vergessene Problem

E s ist eine erdbewegende Geschichte: Seit wenigen Jahren, so schätzt Neumann-Mahlkau (1993), wird mehr Erdmasse von uns Menschen bewegt als durch Vulkanausbrüche oder klimabedingte Erosion. Direkt und indirekt verursachen diese Erdbewegungen ungeheure Schäden. Die Erde ist überfordert mit der Aufgabe, die Tausende von Milliarden von Tonnen wieder zurückzunehmen, die wir als Abraum, vergiftetes Wasser und Abfall jährlich hinterlassen. Friedrich Schmidt-Bleek hat die Stoffgeschichte aufgeschrieben: *Wieviel Umwelt braucht der Mensch?* (1994). Von ihm stammt der treffende Ausspruch, wir hätten uns jetzt lange genug mit den Nanogrammen abgegeben, es sei jetzt an der Zeit, sich auch um die Megatonnen zu kümmern.

Schon früh haben sich Mitglieder des Club of Rome zu den Stoffströmen geäußert. Mit ihrem Bericht *Beyond the Age of Waste* haben Gabor und Colombo (1976) die Stoffproblematik in einer für die damalige Zeit visionären Breite aufgegriffen. Bedauerlicherweise fand dieser wichtige Bericht an den Club of Rome zu seiner Zeit nicht die verdiente Aufmerksamkeit. Vielleicht hatten die Autoren einfach das Pech, daß die Öffentlichkeit damals viel zu sehr mit der Ölkrise und dem Fall des persischen Schahs beschäftigt war, um sich für Visionen einer abfallarmen Zukunft zu interessieren.

Welche Probleme erzeugt das Bewegen und Umwandeln der Megatonnen? Zunächst haben wir in den reichen Ländern das Abfallproblem bemerkt. Mülldeponien waren in den siebziger und achtziger Jahren die Ursache unzähliger Streitigkeiten in unseren Kommunen. Eine Zeitlang versprachen Verbrennungsanlagen dem Problem abzuhelfen, bis auch sie zum Gegenstand heftiger Proteste wurden. Recycling und Wiederverwertung waren logischerweise die nächsten Schritte. Doch Recycling hat bei Umweltschützern inzwischen einen schlechten Ruf, weil es allzu oft mit hohem Energieverbrauch einhergeht, zusätzlichen Verkehr verursacht und weil dabei oft giftige Stoffe freigesetzt werden. Und im übrigen kommt selbst das Recycling nur schleppend voran, und die Müllberge wachsen weiter. Für die Wirtschaft mag tröstlich sein, daß die Entsorgungsindustrie inzwischen Milliardenumsätze macht.

Abfälle sind das letzte ...

Die Milliarden fließen, weil das Abfallproblem in den höchstentwickelten Industrieländern eine ungeheure öffentliche Aufmerksamkeit bekommen hat. Für die Politiker wurde es zwingend, Lösungen zu finden, »koste es, was es wolle«. Daß sie nicht immer die elegantesten gefunden haben, darf nicht überraschen.

Im Sinne des Verursacherprinzips wurden die Kosten soweit wie möglich den »Verursachern« aufgebürdet. Das war nach Meinung der Öffentlichkeit »die Industrie«, die sich gegen diese Schuldzuweisung nur schwer zur Wehr setzen konnte. Jedenfalls wurde in der Folge das Abgeben von Abfällen für die Industrie immer teurer und das Vermeiden immer rentabler. *Waste Reduction Always Pays* (WRAP), zuerst von der Chemiefirma Dow formuliert, wurde in den USA zum geläufigen Slogan. Und in der Tat gelang es der Industrie in den fortgeschrittenen Ländern, ihre Abfallmengen stark zu reduzieren.

Nicht gelöst war damit das Problem der Abfallbeseitigung aus dem Haushaltsbereich. Als besonders widerständig erwies sich das Verpackungsmüllproblem. Vor allem Verbundmaterialien eignen sich schlecht zum Rezyklieren. Kunststoffe sind eigentlich nur dann vernünftig zu rezyklieren, wenn sie einigermaßen sortenrein sind. Dafür müßten die Abfälle bereits in den Haushalten mit einem unverhältnismäßig hohen Aufwand sortiert werden. Das System des Grünen Punktes hat sich zwar nach jahrelangem Streit einigermaßen etabliert, ökonomisch rational und ökologisch effizient ist es dadurch aber nicht geworden. Die Bevölkerung ärgert sich darüber, daß man nun (über die weitgehend unsichtbar bleibenden Gebühren für den Grünen Punkt) das Duale System bezahlt, daß aber die Müllgebühren für den deutlich geschrumpften Restmüll in kleineren Tonnen schon wieder so hoch oder noch höher sind als vor der Einführung des Grünen Punktes; man fühlt sich ausgenommen und getäuscht.

Mit Kostensteigerungen für die Abfallbeseitigung kann man die Probleme weltweit sicher nicht lösen. In den meisten Ländern würden hohe Abfallgebühren neue Müllkippen und das Anwachsen wilder Müllkippen nach sich ziehen.

Stofflawinen sind nicht nur Abfallberge!
Wahrscheinlich haben wir das Stoffproblem bislang buchstäblich vom falschen Ende her zu lösen versucht. Am Anfang der Produktionskette erlauben wir dem technischen Fortschritt, die Rohstoffsuche, den Abbau, die Veredelung und den Transport der Rohstoffe immer effizienter und billiger zu machen; eine Stufe weiter dulden wir, daß die industrielle Verarbeitung der Stoffe zu Gebrauchsgütern immer effizienter und billiger wird. Der Berg von Waren, der sich vor dem Endverbraucher auftürmt, wächst daher unaufhörlich. Kein Wunder, daß sich das Abfallproblem zuspitzt. Für eine tiefgreifende Lösung brauchen wir mehr als ein nur verbessertes Entsorgungsmanagement; wir müssen die Stoffströme insgesamt kontrollieren und senken.

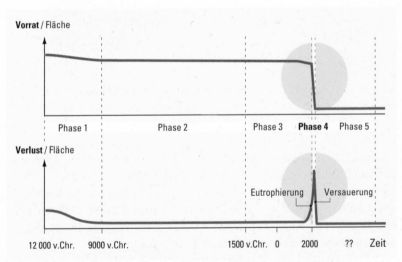

44. *Eine hohe Konzentration von Kationen (Basen und Nährstoffe) kennzeichnete gesunde skandinavische Böden während der Jahrtausende seit der letzten Eiszeit. Erdbewegungen und Wasserauswaschungen haben die Kationen dermaßen dezimiert, daß dauerhafte Versauerung und Unfruchtbarkeit der Böden drohen (aus Ripl, 1994).*

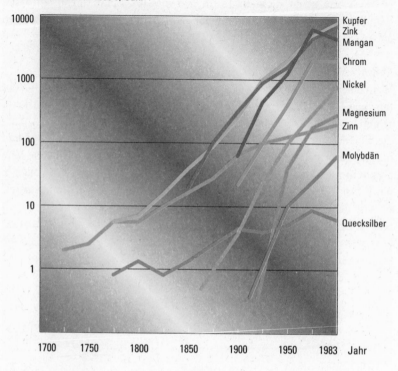

Metallverbrauch in 1000 t / Jahr

Kupfer
Zink
Mangan

Chrom

Nickel

Magnesium
Zinn

Molybdän

Quecksilber

45. *Der Metallverbrauch in unserer Zivilisation ist über mehr als ein Jahrhundert exponentiell gewachsen (die Ordinate ist logarithmisch eingeteilt; aus Schmidt-Bleek, 1994, S. 38 nach Ayres, 1992).*

Kapitel 2 enthält den entscheidenden Teil der Antwort. Die Erhöhung der Stoffproduktivität um einen Faktor 4 erleichtert das Lösen der Abfallprobleme und anderer stoffbezogener Umweltprobleme entscheidend. In den Kapiteln 12 und 14 gehen wir auf künftige Lösungsmöglichkeiten ein. Im jetzigen Kapitel sprechen wir eher über ökologische Probleme, die es jenseits der Abfallproblematik zu beachten gilt.

Erdbewegungen und Wasserbewegungen haben ihre unvermeidlichen ökologischen Folgewirkungen. Wilhelm Ripl (1994) hat gezeigt, daß sie in unseren Breiten für das Schwinden eines einstmals reichen Reservoirs von Kationen (Basen und Nährstoffe) verantwortlich sind. Das Absinken der Kationenkonzentrationen führt zur Boden- und Gewässerversauerung. Ripl hält nicht so sehr den sauren Regen als vielmehr Erdbewegungen für die Ursache der Boden- und Wasserversauerung. Abbildung 44 zeigt den dramatischen Kationenverlust in den vergangenen Jahrzehnten.

Erdbewegungen haben noch ganz andere ökologische Auswirkungen. Peter Neumann-Mahlkau (1993) berichtet, daß in unseren Breiten mehr Schwefeldioxid infolge von Erdbewegungen entsteht (atomarer Schwefel wird dabei aus den Böden freigesetzt und verbindet sich mit dem Luftsauerstoff zu SO_2) als durch alle industriellen Verbrennungsprozesse zusammen.

Tropische Regenwälder leiden vermutlich stärker unter den Folgen des Erzabbaus, der Zugangsstraßen erforderlich macht, als unter dem Holzeinschlag. Generell gehören Bergbau, die Aufbereitung von Erzen und Erztransporte zu den Ursachen der schwerwiegendsten regional auftretenden Umweltprobleme. Hinzu kommen die mit Transport und Energieverbrauch einhergehenden großräumigen Umweltschäden (Young, 1992). Und die Stofflawinen wachsen rapide an. Robert Ayres (1992) hat gezeigt, daß der Verbrauch fast aller Metalle jahrzehntelang exponentiell gewachsen ist (Abb. 45).

Diese Metallmengen sind nur die Spitze des Eisberges. Jede Tonne Metall trägt einen »ökologischen Rucksack« (s. u.) von vielen Tonnen, die als Erz abgebaut, als Prozeßwasser verunreinigt und verbraucht werden sowie als Stoffumsätze der Transportkette ins Gewicht fallen. Abraumhalden rund um die Minen verunzieren als giftige Hügel die Landschaft und belasten die Gewässer mit Schwermetallen oder Chemikalien, die man bei der Erz- oder Metallgewinnung eingesetzt hat. Abraum zu rekultivieren ist keine leichte Sache und kann die ursprünglichen Lebensräume und Landschaften in der Regel nicht wiederherstellen.

Ein drei Tonnen schwerer Ehering

Der Begriff des »ökologischen Rucksacks« stammt von Schmidt-Bleek (1994). Er wird eingeführt, um die »Materialintensität pro Dienstleistungseinheit« (MIPS) zu erläutern, das ist die über den gesamten Lebenszyklus von Produkten summierte und auf die letztlich erzielte Dienstleistung bezogene Stoffmenge. Eine Lindenholzschale von einem Pfund Gewicht hat vielleicht einen »ökologischen Rucksack« von zwei

Kilogramm, das heißt, die Stoffumsätze zu ihrer Herstellung liegen in der Gegend von 2 kg. Eine funktional etwa gleichwertige Kupferschale könnte einen Rucksack von einer halben Tonne haben. Die Tageszeitung, der Orangensaft beim Frühstück, das Auto in der Garage und der Liter Benzin, alles hat seinen »Rucksack«. Ein Goldring ist im Zweifelsfall besonders »schwer«. Für 10 g Gold werden etwa 3,5 t allein beim Goldbergwerk umgesetzt.

Da Güter meistens für Dienstleistungen eingesetzt werden, sind es schließlich diese Dienstleistungen, für die der »Rucksack« berechnet werden muß. Man fragt also nach dem »Rucksack« für einen mit dem Pkw gefahrenen Kilometer oder für die Annehmlichkeit, in einem bequemen Stuhl zu sitzen, oder für den »Dienst« eines Goldrings, den Ehestatus anzuzeigen. Der mit dem Hyperauto zurückgelegte Kilometer (Kap. 1, Beispiel 1) hat demzufolge einen wesentlich leichteren »Rucksack« als der mit einem heutigen Normalauto gefahrene. Auch die Langlebigkeit von Produkten reduziert die MIPS beziehungsweise den »Rucksack« der Dienstleistungen, wie wir im Kapitel 2 anhand mehrerer Beispiele gezeigt haben.

Friedrich Schmidt-Bleek betrachtet MIPS als Meßlatte für die »ökologischen Spuren« von Dienstleistungen. Natürlich weiß er – und wissen die Autoren dieses Buches –, daß es noch andere Meßlatten gibt, etwa die Giftigkeit von Produkten, den Landverbrauch oder die Treibhausgasemissionen. Aber all diese sind in irgendeiner Weise mit der Intensität des stofflichen Umsatzes verbunden. Und es macht durchaus Sinn, wenn man für eine ganz rasche »nullte Näherung« einen einfachen Maßstab zur Beurteilung der ökologischen Belastung hat.

Abbildung 46 gibt eine Vorstellung von den »Rucksack«-Umrechnungsfaktoren für die wichtigsten Metalle und andere Rohstoffe vom Erz bis zum vermarkteten Rohstoff. Hinzuzurechnen sind noch die bei der Verarbeitung anfallenden Stoffumsätze: für den Ehering etwa die beim Goldschmied anfallenden Stoffumsätze. Bei Edelmetallen sind sie aber im Vergleich zu den hier abgebildeten Umrechnungsfaktoren verschwindend gering.

Schmidt-Bleek dachte keineswegs nur über Metalle nach: Energie hat ebenfalls einen »Rucksack«. Die drei Milliarden Tonnen Kohle, die wir jedes Jahr verfeuern, tragen einen »Rucksack« von 15 Milliarden t Abraum und Wasser; dazu kommen die 10 Milliarden t Kohlendioxidemissionen, die im Verbrennungsprozeß entstehen. Die Relation ist noch

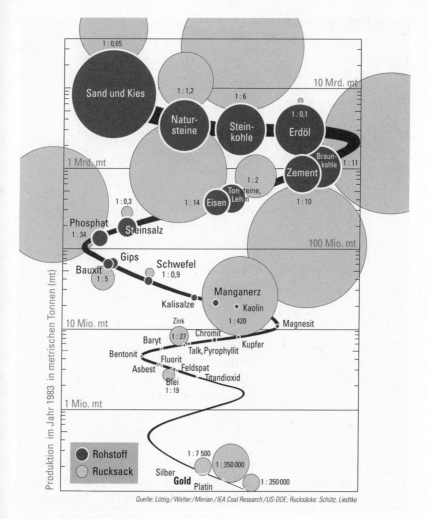

Produktion im Jahr 1983 in metrischen Tonnen (mt)

1 : 0,65

Sand und Kies

1 : 1,2

Natur-
steine

1 : 6

Stein-
kohle

1 : 0,1

Erdöl

10 Mrd. mt

Braun-
kohle

1 : 11

Zement

1 Mrd. mt

1 : 2

Tonsteine,
Lehm

1 : 14

Eisen

1 : 10

Phosphat
1 : 34

1 : 0,3

Steinsalz

100 Mio. mt

Gips

Bauxit
1 : 5

Schwefel
1 : 0,9

Kalisalze

Manganerz

Kaolin

1 : 420

Magnesit

10 Mio. mt

Zink
1 : 27

Chromit

Kupfer

Baryt

Bentonit

Talk, Pyrophyllit

Asbest

Fluorit

Feldspat

Titandioxid

Blei
1 : 19

1 Mio. mt

● Rohstoff
○ Rucksack

1 : 7 500

1 : 350 000

Silber
Gold

Platin

1 : 350 000

Quelle: Lüttig / Walter / Merian / IEA Coal Research / US-DOE; Rucksäcke: Schütz, Liedtke

46. Die »ökologischen Rucksäcke« von Metallen und anderen Stoffen. Für die Gewinnung von 1 kg Metall müssen viele Tonnen Material bewegt werden (nach Schmidt-Bleek, 1994, S. 22).

schlechter bei Braunkohle, deren »Rucksack« zehnmal schwerer ist, als die gewonnene Braunkohle wiegt.

Auch der von Umweltschützern anfangs hochgelobte Katalysator hat einen schweren ökologischen »Rucksack«. Wenn das darin verwendete Platin kein rezykliertes ist, sondern direkt aus der Platinmine kommt, dann wiegt der »Kat-Rucksack« nicht weniger als 2,5 t. Selbst der Orangensaft ist alles andere als »leicht«. Je nach Herkunftsland verursacht die Herstellung von 1 l Orangensaft bis zu 100 kg Erd- und Wasserbewegungen. Eine Tageszeitung wiegt vielleicht ein Pfund, kann aber einen »Rucksack« von 10 kg tragen. Die Herstellung eines Autos geht allein mit 15 t fester Abfälle einher, nicht eingerechnet das dabei verbrauchte und verschmutzte Wasser.

Schmidt-Bleek hat sich auch die Frage gestellt, ob die Vervierfachung der Stoffproduktivität ausreicht, um wieder zu ökologisch einigermaßen nachhaltigen Verhältnissen zu kommen. Leider ist seine Antwort ein klares Nein. Er hält einen Faktor 10 in den hochentwickelten Industrieländern für das Minimum. Andernfalls hätten die Entwicklungsländer nicht mehr genug Spielraum und würden durch die weiterwachsenden Stofflawinen auf das fürchterlichste malträtiert.

Der Faktor-10-Club

Diese Überlegungen haben Schmidt-Bleek zur Gründung eines »Faktor-10-Clubs« veranlaßt, dessen Mitglieder ausnahmslos namhafte Umweltschützer oder Wissenschaftler sind. Die Prinzipien des Clubs wurden in der *Carnoules Declaration* (1994) im Oktober 1994 niedergelegt. Diese Erklärung, in fünf Sprachen einschließlich Japanisch erschienen, verlangt die Effizienzrevolution, die Streichung aller Subventionen für den Ressourcenverbrauch und eine neue Auffassung und Definition von Wohlstand.

Unter den Mitgliedern sind Jacqueline Aloisi de Larderel, Direktorin des Industry and Environment Programme der UNEP; Herman Daly, vormals bei der Weltbank; Ashok Khosla, Präsident von Development Alternatives, Indien; Jim MacNeill, ehemaliger Generalsekretär der Brundtland-Kommission; Hugh Faulkner, ehemaliger Geschäftsführer des Business Council for Sustainable Development; Robert Ayres (vgl. Abb. 45), Richard Sandbrook, Exekutivdirektor des Londoner International Institute for Environment and Development; Wouter van Dieren, der für den Club of Rome einen neuen Bericht über die ökologische Gesamtrechnung geschrieben hat; Walter Stahel (vgl. Kap. 2), Franz Lehner, Präsident des Gelsenkirchner Instituts Arbeit und Technik sowie Ernst von Weizsäcker, Koautor dieses Buches.

47. Der 1994 gegründete Faktor-10-Club. Von links nach rechts: Heinrich Wohlmeyer, Franz Lehner, Friedrich Schmidt-Bleek, Initiator des Clubs, Richard Sandbrook, Miki Goto, 2. R. links Walter R. Stahel, zweiter von rechts Ashok Khosla, ganz rechts Wolfgang Sachs, 3. R. stehend links Wouter van Dieren, rechts J. Hugh Faulkner, rechts darunter Robert U. Ayres und rechts neben ihm Leo Jansen (Foto V. Steger).

Bei der Europäischen Kommission hat die Faktor-10-Initiative eine rasche und positive Resonanz ausgelöst. Peter Johnston und Robert Pestel im Direktorat für Advanced Communications Technologies and Services (ACTS) haben ein Programmpapier über eine »Informationsgesellschaft für nachhaltige Entwicklung« entworfen, für das die Faktor-10-Idee eindeutig Pate gestanden hat. Offensichtlich ist die Überführung von unnötigen materiellen Dienstleistungen in womöglich befriedigendere informationelle Dienstleistungen eine der ertragreichsten Strategien für die drastische Erhöhung der Stoffeffizienz (vgl. Kap. 2, Beispiel 3; Kap. 3, Beispiele 1 und 2).

Eine Verbesserung um einen Faktor 10 ist bei Stoffen leichter als bei Energie zu erreichen. Das liegt an der physischen Stabilität der meisten Materialien, die prinzipiell immer wieder verwendet werden können, solange man ihre Dissipation (Verteilung in Tausende von Partikeln) vermeidet. Müllverbrennung kann zum größten Feind der Stoffeffizienz werden, weil sie die Stoffe eben zersetzt, verbrennt oder unbrauchbar macht. Immer noch meinen viele kurzsichtige Planer, Müllverbrennungsanlagen seien die eleganteste »Lösung« des Müllproblems.

10. Kapitel:

Unbefriedigende Teillösungen

Teurer Umweltschutz: Eingriff am falschen Ende

Rachel Carson war eine Heldin. Im Alleingang brachte sie einen der größten Skandale dieses Jahrhunderts ans Licht, die Verseuchung der Umwelt mit giftigen Chemikalien. Ihr Buch *Der stumme Frühling* (Carson, 1962) setzte einen Meilenstein in der Umweltpolitik; die Schadstoffkontrolle wurde zum Synonym für Umweltschutz. Das erwachte öffentliche Interesse führte zur Gründung der amerikanischen Umweltschutzbehörde (EPA) und zur Verabschiedung weitreichender Luft- und Gewässerreinhaltungsgesetze auf Bundes- und Staatenebene.

Ähnliches geschah in Japan. Hohe Schwermetallkonzentrationen der Gewässer hatten das Trinkwasser sowie Fische und Meeresfrüchte verseucht und die tödlichen Krankheiten Itai Itai und Minamata hervorgerufen. Später kamen infolge der Luftverschmutzung Atemwegserkrankungen hinzu. Wie schon in Amerika war die Schadstoffkontrolle die nächstliegende Antwort auf die Proteste der Bevölkerung. Analog vollzog sich die Entwicklung zur Schadstoffkontrolle in Westeuropa. Umweltschutz wurde politisch von lokalen Bürgerinitiativen getragen, die in allen demokratischen Ländern wie Pilze aus dem Boden schossen; die Menschen wollten das Schicksal ihrer Umwelt in die eigenen Hände nehmen. Die ökologischen Bürgerinitiativen wurden bald zu einem Symbol für die Erneuerung der Demokratie. In ihrem basisdemokratischen Eifer unterschieden sie sich vom althergebrachten Naturschutz, obwohl später beide Strömungen wieder in eine gemeinsame Umweltbewegung mündeten.

In den wohlhabenden Ländern hat die Verminderung von Schadstoffen zweifellos Millionen von Leben gerettet und das Leben in den Ballungsräumen sehr viel angenehmer gemacht. Diese Erfolgsgeschichte unserer

Zivilisation wird natürlich niemand in Frage stellen wollen. Dennoch bleibt die Schadstoffkontrolle ein begrenztes Unterfangen. Eine ausführliche Würdigung der Schadstoffpolitik und ihrer Grenzen ist in *Erdpolitik* (Weizsäcker, 1994, Kap. 2 u. 10) zu finden.

Umweltschutz war von Anfang an ein politischer »Bergaufkampf«, weil er wirtschaftliche Opfer erforderlich machte. Filter und andere Anlagen zur Schadstoffverminderung bedeuteten zusätzliche Kosten, was den Finanzvorständen der Firmen gar nicht gefiel. Sie argumentierten verständlicherweise, sie könnten nicht wesentlich mehr tun als die Konkurrenz im In- und Ausland; würden die Kosten zu sehr steigen, müßten die Firmen in andere Länder abwandern.

Irgendwann begriffen die Ökonomen dann, daß eine gesunde Umwelt ein sozialer Wert ist, der auch Kosten rechtfertigt. Im übrigen entstand eine neue Branche, die Umweltindustrie mit den zugehörigen Dienstleistungen, die in Deutschland heute bereits 700 000 Menschen beschäftigt. Viele Firmen stellten außerdem fest, daß die Vermeidung von Umweltverschmutzung direkt gewinnbringend für sie war, entweder infolge von Materialeinsparungen oder durch verbessertes Image und bessere Kunden- und Mitarbeiterbindung oder, vor allem in den USA, durch die Vermeidung von langwierigen rechtlichen Auseinandersetzungen.

Trotz all dieser guten Gründe für die Wirtschaftlichkeit des Umweltschutzes bleibt dieser doch immer noch ein Kostenfaktor. Andernfalls wäre es nicht zu begreifen, daß weniger entwickelte Länder regelmäßig behaupten, sich Umweltschutz nicht »leisten« zu können, obschon sie doch wissen und in ihren Metropolen täglich erfahren, wie krankmachend und unerfreulich verpestete Luft und vergiftete Gewässer sind. Soweit sind die hohen Kosten vielleicht nur für die Hunderte von Millionen von Menschen problematisch, die es in der vergifteten Luft aushalten müssen. Doch der hohe Preis für den Umweltschutz hat auch für die Industrieländer Konsequenzen, denn wenn man so wohlhabend wie die OECD-Länder sein muß, bevor man sich Umweltschutz überhaupt leisten kann, wäre das Spiel für *alle* schon verloren. Man möge sich ausrechnen, wie die Welt ökologisch aussehen würde, wenn alle 5,7 Milliarden Menschen so reich wären, daß sie sich Umweltschutz »leisten« könnten. Abbildung 34 hat uns die Antwort schon gegeben: Dann würden weltweit nahezu zehnmal so viele Ressourcen verbraucht wie heute – für die Ökosysteme der Erde und das Klima ein schieres Desaster.

Und dennoch, obwohl der Schadstoffkontrollansatz nicht tragfähig ist, halten die reichen Länder daran fest. Manche fordern sogar allen Ernstes »Null«-Emissionen für Fabriken und Autos. Wenn schon die klassische Schadstoffkontrolle für 80% der Welt zu teuer ist, so sind Null-Emissionen sicher für 98% zu teuer. Dieser extreme Ehrgeiz ist vermutlich am besten damit zu rechtfertigen, daß er technische Höchstleistungen herausfordert, die womöglich an anderer Stelle positive Wirkungen haben. So könnten die kalifornischen Autoabgasregeln (mit einem prozentualen Anstieg von Null-Emissionsautos in der Flotte) theoretisch zu einer beschleunigten Einführung der Hyperautos (Kap. 1, Beispiel 1) führen.

Profitabler Umweltschutz

Die Effizienzrevolution soll aus dem Umweltschutz eine prinzipiell rentable Sache machen, auch und gerade für die weniger entwickelten Länder. Selbstverständlich ist damit nicht der Abschied von der Schadstoffkontrolle gemeint, sondern lediglich eine Gewichtsverlagerung von übertrieben teuren Lösungen zu einer auch ökonomisch optimierten Strategie. Damit kommen wir erneut zum Thema Ressourcennutzung.

Die Autoren des 1972 erschienenen Berichts an den Club of Rome, *Die Grenzen des Wachstums*, hatten betont, wie rapide die Ressourcen erschöpft werden. Nur ein Jahr später schien die erste Ölkrise diese Befürchtungen aufs Schlimmste zu bestätigen. Darauf wurden Rohstoffknappheit und steigende Ressourcenpreise zu einem der wichtigsten politischen Themen überhaupt. Doch da hatten die meisten etwas übersehen: Als Antwort auf steigende Rohstoffpreise und die weitverbreitete Angst vor der Ressourcenknappheit wurden die Erkundung und der Abbau von Bodenschätzen weltweit in nie gekanntem Ausmaß vorangetrieben. Jeden Monat fand man neue Öl- oder Gasfelder; insgesamt waren es pro Jahr größere Reserven, als jährlich verbrannt wurden (Yergin, 1991). Die hochtechnologische Exploration machte den Zugang zu neuen Öl- und Gasquellen sowie Erzlagerstätten immer billiger. In der Folge sanken die Weltmarktpreise für Öl und Gas bis 1985 auf einen Stand, der noch erheblich unter dem von 1973, vor der ersten Ölkrise, lag. Ähnlich war die Entwicklung in anderen Rohstoffmärkten (vgl. Abb. 41, S. 256). Mitte der achtziger Jahre war das Thema Ressourcenknappheit wieder von der politischen Tagesordnung verschwunden.

Ungefähr zur selben Zeit wurde allerdings eine neue »Knappheit« (wieder-)entdeckt: die mangelnde Aufnahmefähigkeit der Biosphäre für all die emittierten Schadstoffe (z.B. Cairncross, 1992). Symbolischen Wert erhielt bei dieser Entdeckung natürlich das CO_2. Der Treibhauseffekt (Kapitel 8, S. 247) schien eine drastische Reduktion der CO_2-Emissionen erforderlich zu machen. Die Umweltökonomen stürzten sich auf das neue Thema und schmiedeten ihre Standardwerkzeuge entsprechend um. Wie konnte es anders sein, als daß sie nun immense »Kosten« der hypothetischen Feldzüge gegen den Treibhauseffekt »entdeckten« (vgl. die Diskussion über Nordhaus in Kap. 4).

Nehmen wir diesen Umweltökonomen zuliebe einmal an, wir müßten uns mehr Sorgen um Emissionen als um knappe Ressourcen machen. Dann bleibt immer noch die Frage, wie man dieses Emissionsproblem im Falle von CO_2 am besten in den Griff bekommt. Wir sind der Meinung, daß die bei weitem beste Lösung in der optimierten Nutzung der Energieinputs liegt; ganz einfach deshalb, weil dies höchst rentabel sein kann. Auch wenn wir also die Auffassung teilen, daß man sich nach den geologischen Triumphzügen nicht allzusehr mit der Knappheit von Ressourcen zu befassen braucht, halten wir es, aus Gründen der Wirtschaftlichkeit, dennoch für sinnvoll, die Ressourceneffizienz ins Zentrum der Bemühungen zu rücken.

Technikträume und das Märchen vom Füllhorn

Viele Leute halten die Effizienzrevolution für überflüssig. Einige behaupten sogar, vor allem in den USA seien die Umweltprobleme teils Einbildung und teils längst gelöst. In den USA bezieht man sich dabei auf die Analyse der Schadstoffproblematik. Wenn man nämlich davon ausgeht, Schadstoffe seien das einzige Umweltproblem, dann kann man angesichts der in den letzten Jahren deutlich verbesserten Luft- und Gewässersituation in den reichen Ländern leicht dazu kommen, sich selbst auf die Schulter zu klopfen und die Probleme für gelöst zu halten. In Deutschland ist diese Haltung auf seiten der Industrie ebenfalls oft anzutreffen. In Entwicklungsländern gibt es eine andere Art von Beschönigung: Die Umweltprobleme seien, wie die Geschichte der Industrieländer zeige, ein bloßes Übergangsproblem. Man müsse die Industrialisierung nur forcieren, um das Geld für den Umweltschutz zu erwirtschaften. In beiden Fällen setzt man auf die Technik und auf das nicht versiegende Füllhorn der Ressourcen, aus dem wir immer neue Schätze herausholen könnten.

Die Füllhorntheorie war die erste Reaktion des wissenschaftlichen und industriellen Establishments auf die *Grenzen des Wachstums* (z.B. Maddox, 1972). Wie wir gezeigt haben, hat der Triumphzug der Geologie und Rohstoffausbeutung nach 1972 Maddox und den anderen Kritikern des Club of Rome in erstaunlichem Umfang recht gegeben. Wir hoffen aber auch gezeigt zu haben, daß erstens die Grenzen *doch* erreicht werden und daß es zweitens nicht nur auf die Rohstoffe ankommt.

Doch auch wenn es eine Einigung darüber gibt, daß jenseits der Rohstoffprobleme die Sicherung der biologischen Vielfalt, der Schutz des Klimas und andere gravierende Umweltprobleme gelöst werden müssen, ist noch lange kein gesellschaftlicher Konsens über die Notwendigkeit der Effizienzrevolution erreicht. Denn auch Treibhauseffekt und Artenvielfalt werden von vielen lediglich als Herausforderung für die Technik angesehen: Um die Artenvielfalt zu sichern, müßte man nur genügend Genbanken anlegen und vielleicht den ein oder anderen neuen Nationalpark. Und für das Klimaproblem , wenn es denn eines ist, sollte man die Technologien der CO_2-Absorption sowie der Kernkraft, der Fusionsenergie oder der satellitengestützten Solarenergie mit dem nötigen Nachdruck fördern.

Besonderer Beliebtheit erfreuen sich die *High-Tech*-Träume in Japan. In der Vergangenheit diente die japanische Technologieentwicklung hauptsächlich dem Aufholen bei der Industrialisierung. In jüngerer Zeit war Japan auch bei der Entwicklung und Anwendung von Umwelttechnologien erfolgreich, etwa bei der breiten Anwendung der zunächst aus Deutschland übernommenen Entstickungstechnik. Nun kommen konsequenterweise Technologien zur CO_2-Verminderung hinzu.

Das 1991 gegründete Research Institute of Innovative Technology for the Earth (RITE) in der alten Kaiserstadt Kioto will in diesem Bereich Pionierarbeit leisten. Neben energieeffizienten Technologien und der Beendigung der FCKW-Produktion setzt das RITE zum Schutz des Klimas auf Kernkraft, CO_2-Absorption (in Algentanks), Gentechnik für die Begrünung der Wüsten, Verpressen von CO_2 in der Tiefsee, Fusionsenergie und Solarkraft aus dem Weltall.

Das Bekenntnis zur Kernkraft gehört auch hierzulande zu den Pflichtaussagen des wissenschaftlich-industriellen Establishments in der Klimaschutzdiskussion. Während man dies in früheren Jahrzehnten mit dem Weltenergiebedarf begründete, wird heute geradezu weihevoll vom ökologischen Vorteil der Kernkraft gesprochen. Nicht ohne Berechtigung wird auch darauf hingewiesen, daß ein einseitiges Sich-Abmelden (etwa

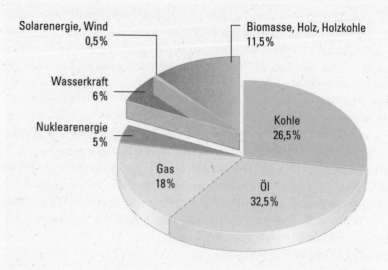

Solarenergie, Wind
0,5%

Wasserkraft
6%

Nuklearenergie
5%

Biomasse, Holz, Holzkohle
11,5%

Kohle
26,5%

Gas
18%

Öl
32,5%

48. Weltenergieverbrauch 1995. Nur fünf Prozent der weltweit erzeugten Energie ist nuklear. Eine Verdreifachung der Kernenergie bei gleichzeitiger Verdoppelung des Energiekuchens erhöht den Anteil der Kernkraft gerade auf 7,5%, während der Verbrauch fossiler Brennstoffe – absolut betrachtet – weiter wächst.

Deutschlands) aus der Kernkraft die Welt in Sachen Kernkraftrisiko noch unsicherer machen könnte. Dann würden vielleicht sehr viele neue französische oder gar russische Atommeiler gebaut.

Kann Kernkraft ernstlich die Lösung sein? Nur 5% der heute weltweit erzeugten Energie ist nuklearen Ursprungs (vgl. Abb. 48). Nehmen wir einmal ganz kühn an, man könne die Kernkraftkapazitäten weltweit in den nächsten vierzig Jahren verdreifachen. Bei dieser Annahme ignorieren wir zunächst großzügig die gewaltigen Probleme der Finanzierung, der Sicherheit (in Ländern mit noch unzureichend ausgebildetem Personal), der Anfälligkeit der Anlagen und Transporte für militärische und terroristische Übergriffe sowie die Probleme der Entsorgung und Endlagerung und gehen weiterhin – wie RITE und der World Energy Council – davon aus, daß sich die Energienachfrage in diesen vierzig Jahren mehr oder weniger verdoppelt. Dann macht die Kernkraft gerade 7,5% der globalen Energieversorgung aus! Ist das die Lösung?

Wir wollen nicht mißverstanden werden: Die Kernenergie kann sehr wohl einen Beitrag zur Lösung des Treibhausproblems liefern. Dieser ist übrigens prozentual desto bedeutender, je mehr die Effizienzrevolution vorankommt. Wir halten auch wenig vom übereilten Abschalten einigermaßen sicherer Atommeiler, wenn diese durch Fossilkraftwerke ersetzt werden. Aber man darf nicht so tun, als stünde die Kernenergie im Zentrum des Klimaschutzes.

Wie steht es mit der CO_2-Absorption durch Algenkulturen? Man kann die Abgase aus Kohlekraftwerken als »Dünger« durch Algenkulturen leiten, die Algen später absammeln, trocknen und entweder als Brennstoff verwenden oder deponieren. Bis dabei aber eine positive Energiebilanz, CO_2-Bilanz und betriebswirtschaftliche Bilanz herauskommt, können Jahrzehnte vergehen. Vermutlich stellt man dann fest, daß es vernünftiger wäre, das von den Algen natürlich benötigte Sonnenlicht direkt in Energie zu verwandeln oder Biomassekulturen ohne vorgeschaltetes Kohlekraftwerk anzulegen.

Nicht viel besser scheinen die Perspektiven für das Versenken von CO_2 in den Weltmeeren. Man braucht nämlich einen großen Teil der im Kraftwerk erzeugten Energie, um das CO_2 gegen die Auftriebskraft in eine Tiefe von über 1000 m zu pressen, von wo aus es dann von alleine weiter absinkt.

Deutlich vernünftiger ist die Idee, auf geeigneten Standorten aufzuforsten. Eine weltweite aktive Waldpolitik könnte die Kohlenstoffbilanz auf Jahrzehnte hinaus stabilisieren. Entsprechende Vorschläge sind vorgelegt worden, etwa von Peter Read (1994). Die Idee aber, die Wüsten in dieses Projekt einzubeziehen, wie es vom RITE angedacht wird, erscheint uns abwegig oder zumindest schlecht durchdacht. Man denke nur an die unvermeidliche Versalzung der Böden, wenn stetig Frischwasser (mit einem gewissen Salzgehalt) in regenlose Gebiete geleitet würde, wo es (salzfrei) verdunstete.

Noch bizarrer sind die RITE-Träume von Kernfusion und Weltraum-Solarenergie. Bei der Fusion sind ungeheuer große Mengen von Tritium (radioaktivem Wasserstoff) im Spiel, was fast unlösbare Probleme bei der Sicherung der Anlage mit sich bringt. Außerdem sind extrem hohe Neutronenflüsse physikalisch unvermeidbar. Neutronen aber dringen durch jedes Material und gehen unvorhersehbare Kernreaktionen ein, die das Wandmaterial radioaktiv machen und/oder die Kernkraftbeschäftigten schädigen können. Fusionsenergie ist alles andere als sicher und sauber, und niemand weiß, ob sie je wirtschaftlich werden kann. Solarenergie aus dem Weltraum ist auch nicht besser. Ihre kommerzielle Nutzbarkeit ist eher noch zweifelhafter als die der Fusionsenergie. High-Tech-Träume haben oft den Zweck, das Klima für die Finanzierung von großen Forschungsvorhaben zu schaffen. Wenn neue Technologien beschönigt werden, geschieht dies oft, um Anträgen für Forschungsgelder mehr Nachdruck zu verleihen. Die stärksten Befürworter der Fusionsenergie sind nicht etwa in der Energiewirtschaft, sondern bei Wissenschaftlern und Ingenieuren zu finden. Nichts gegen den Ehrgeiz von Wissenschaftlern. Aber warum soll dieser sich auf dermaßen sinnlose, teure und nichtprofitable Dinge wie Fusionsenergie richten? Der Nutzen in Form von neuen Technologien, besserem Leben und neuen wissenschaftlichen Erkenntnissen ist, so nehmen wir an, erheblich größer, wenn das Geld einerseits der angewandten Grundlagenforschung und andererseits der Effizienzrevolution zugute käme.

Das Füllhorn ist ganz woanders
Die Geschichte der *High-Tech*-Antworten ist voller Ironie. Auf die *Grenzen des Wachstums* und ähnliche Studien der frühen siebziger Jahre reagierten zuerst Wissenschaftler und Ingenieure mit Gegenattacken. John Maddox, Herausgeber von *Nature*, faßte seinen Zorn über die »Weltuntergangsstimmung« in *The Doomsday Syndrome* zusammen. Er bekundete darin sein Vertrauen in die Technik, die, wie in früheren Zeiten auch, die neuen Probleme auf intelligente Weise lösen werde.

Damals nannten wir Maddox und seine Anhänger wie den Ökonomen Wilfrid Beckerman gelegentlich »Füllhorngläubige«. Wir hielten ihren Glauben an die Unerschöpflichkeit der Erde und an immer neue fabelhafte Technologien für naiv und sprachen von den unvermeidlichen Kosten und Nebenwirkungen der Technik. Und hierfür wurden wir natürlich bald als Technikpessimisten beschimpft.

Zwanzig Jahre später sieht die Welt ganz anders aus. Heute stehen wir als die Optimisten da. Wir erkennen, welch ungeheure Kraft der technische Fortschritt hat, aber wir sprechen von völlig anderen Seiten der Technik als von denen, auf die Maddox damals setzte. Die großen Gewinner unter den neuen Technologien heißen Mikroelektronik, arbeitssparende Produktionstechnologien – und die in jüngster Zeit »aufgestiegenen« Ressourceneffizienz-Technologien.

Einige von ihnen kommen aus ganz kleinen Forschungslabors, während die vormaligen Favoriten aus teuren und wenig effizienten Großforschungsanlagen stammten.

Auch die traditionellen Rollen sind vertauscht. Wir ehemaligen »Technikpessimisten« zeigen jetzt auf das Füllhorn der Effizienzrevolution, während die alten »Füllhorngläubigen« mit tiefstem Pessimismus auf unsere Lösungsansätze blicken und behaupten, das gehe alles nicht, entweder wirtschaftlich oder technisch. Sie erlauben es sich, ihren alten Traum weiterzuträumen, daß die Welt ihre teuren Ladenhüter eines Tages doch noch nötig haben würde.

Man kann nicht beide Strategien verfolgen. Das wäre zu teuer. Die Angebotsindustrien benötigen eine ungeheure Nachfrage, um ihre riesigen Investitionen zu rechtfertigen. Sie müssen also aus geschäftlichen Gründen die Effizienz der Nachfrageverminderung ablehnen, was sie denn auch tun. Sie sagen, man könne die Zukunft nicht vorhersagen. Man könne nicht wissen, welche Technologien Menschen wünschen, erfinden, verkaufen oder kaufen werden. Wir meinen, daß unser Konzept einer eher dezentralen, höchst effizienten und anpassungsfähigen Technik künftigen Bedürfnissen wesentlich besser Rechnung zu tragen vermag als schwerfällige, extrem kapitalbindende Großprojekte.

Öko-Audits: teuer, aber lehrreich

Der klassische Umweltschutz hat wenigstens zwei sehr wichtige Dinge hervorgebracht: die Produkt-Ökobilanz und das Öko-Audit. In beiden Fällen geht es um ein besseres ökologisches Verständnis der Wirkungen einmal von einem Einzelprodukt und einer Herstellungsgeschichte, das andere Mal von einer ganzen Firma. Beides ist ziemlich aufwendig, aber beides kann sehr lehrreich sein.

Über Ökobilanzen von Produkten und Dienstleistungen ist in den Jahren seit 1985 beachtlich viel geforscht und geschrieben worden. Von der ehrgeizigen, aber bislang nicht konsequent durchführbaren Produktlinienanalyse, die die gesamte direkte und indirekte Entstehungsgeschichte von Produkten mit den jeweiligen ökologischen Schadwirkungen erfassen will (vgl. Rubik, 1994), bis zu einfachen Feststellungen – etwa über den Pestizideinsatz bei Äpfeln oder Baumwolle – gibt es ein riesiges und sich weiter vergrößerndes Feld von Möglichkeiten der ökologischen Produktkennzeichnung. Schmidt-Bleek (1994; vgl. Kap. 9) hat diesen Möglichkeiten eine neue hinzugefügt, den »ökologischen Rucksack« (vgl. S. 268–270).

Wir gehen im Rahmen dieses Buches auf Ökobilanzen nicht weiter ein, wollen aber die wachsende Gemeinde der Ökobilanzierer dazu auffordern, die Ressourceneffizienz wesentlich stärker als bisher in den Mittelpunkt ihrer Analysen zu stellen. Dies bedeutet, daß die Vergleiche wenn möglich nicht eng auf Produkte beschränkt bleiben, sondern daß die mit dem Produkt verbundenen Dienstleistungen einbezogen werden sollten. So würde also neben der Ökobilanz einer Kernkraft-Kilowattstunde die einer Windkraft-Kilowattstunde aber auch die Ökobilanz des Einsparens einer Kilowattstunde bei ansonsten gleichwertiger Energiedienstleistung in den Vergleich einbezogen.

Das andere wichtige und für die Wirtschaft ganz aktuelle Thema ist die betriebliche Ökobilanz, das Öko-Audit. Ursprünglich ging es vor allem in den USA um Risikoanalyse.

Die logische Weiterentwicklung der Risikoabschätzungen, das Öko-Audit, beansprucht prinzipiell, die ökologischen Wirkungen eines Betriebes vollständig zu erfassen und der Öffentlichkeit zugänglich zu machen. Die Europäische Union hat eine Öko-Audit-Richtlinie beschlossen, die es europäischen Unternehmen auf freiwilliger Basis nahelegt, ein betriebliches Öko-Audit durchführen und von einem geprüften Auditor zertifizieren zu lassen. Leider gab es am 14.4.1995, als das entsprechende deutsche Gesetz in Kraft trat, noch keinen einzigen Auditor, der das EU-Zertifikat ausstellen konnte. Zudem sind solche Öko-Audits nicht billig. Sie werden grundsätzlich nur für eine einzelne Fabrik ausgestellt, nicht für eine Firma mit mehreren Standorten. Und für das Audit einer Firmenfiliale müssen, etwa beim TÜV Rheinland, 20 000 bis 60 000 Mark bezahlt werden.

Für diejenigen Betriebe, die sich das Audit regelmäßig leisten können, wird es sich wahrscheinlich positiv auszahlen: Sie lernen mehr über ihren Betrieb, sie entdecken zahlreiche Einsparmöglichkeiten, sie erhalten ein besseres Ansehen und erreichen damit eine bessere Kundenbindung und Mitarbeitermotivation.

Dennoch dürfte sich die Begeisterung für Öko-Audits in Grenzen halten. Finanzschwache Unternehmen sehen wie beim klassischen Umweltrecht zuerst die zusätzlichen Kosten. Alles, was wir über die Schadstoffkontrolle in Entwicklungsländern gesagt haben, trifft grundsätzlich auch für das Öko-Audit zu. Sein Hauptvorteil gegenüber der klassischen Schadstoffkontrolle: Das Audit kann mit Produkt-Ökobilanzen kombiniert werden, die den Ausweis der ökologischen Tugendhaftigkeit erst vervollständigen und erst dann die richtige Kundenbindung versprechen. Damit würden dann über den Fabrikstandort hinaus die »ökologischen Vorleistungen« oder »Rucksäcke« erfaßt, die aus den globalen Stoff- und Energieströmen resultieren.

Im übrigen gelten die in den Kapiteln 5 bis 7 gemachten Aussagen: Der wirtschaftliche Rahmen müßte so gesetzt werden, daß es den Firmen schon aus betriebswirtschaftlicher Sicht leichtfällt, sich ökologisch zu verhalten. Wenn Energie, Stoffe und Verkehr teurer werden, statt subventioniert zu werden, während der Faktor Arbeit aus betrieblicher Sicht wieder erschwinglicher wird, dann nähert sich das Öko-Audit dem Finanz-Audit an. Wenn die Preise im Idealfall die ökologische Wahrheit sagen, ist das Öko-Audit definitionsgemäß überflüssig. Davon sind wir aber heute noch weit entfernt.

11. Kapitel:

Wir haben fünfzig Jahre Zeit, also haben wir keine Zeit zu verlieren

Vom gegenwärtigen Stand der Klima- und Umweltforschung aus betrachtet, bleibt uns rund ein halbes Jahrhundert Zeit, um die gefährlichen Scheren zu schließen, von denen wir zu Beginn des Buches gesprochen haben (s. Abb. 1, S. 17).

Fünfzig Jahre sind zugleich ungefähr der Zeitraum, innerhalb dessen es realistisch ist, die technologische und zivilisatorische Entwicklung wesentlich zu verändern. Um aber die tiefgreifenden Änderungen in diesem halben Jahrhundert auch bewerkstelligen zu können, müssen wir sofort damit beginnen. Wir haben keine Zeit mehr zu verlieren, denn Infra- und Siedlungsstruktur, Zivilisation und Kapitalstock erweisen sich als träge. Sind einmal Investitionen von Hunderten von Milliarden Mark getätigt, so bestimmen sie den weiteren Verlauf der Geschehnisse. Selbst objektiv verfügbare Potentiale von Ressourceneffizienz werden von den Kapitaleignern links liegengelassen, wenn sie noch die Chance haben, ihre Investitionen gewinnbringend abzuschreiben.

In diesem letzten Kapitel des dritten Buchteils versuchen wir unsere Chancen, die genannten Scheren tatsächlich zu schließen, quantitativ zu analysieren.

Die neuen Grenzen: Die Meadows haben recht

Von den *Grenzen des Wachstums* wurden über neun Millionen Exemplare in neunundzwanzig Sprachen verkauft. Man darf behaupten, daß dieses Buch die Welt verändert hat: Unsere Zivilisation wurde sich der Grenzen ihrer Handlungsweise bewußt, die man bis dato ignoriert hatte.

Obwohl das Buch erfolgreich war, ließ die Kritik natürlich nicht lange auf sich warten. Ärmere Länder (und die arme Bevölkerung in reichen Ländern) wandten ein, es sei von den Reichen unfair, die Grenzen des Wachstums für erreicht zu erklären, denn die Armen schickten sich gerade an, nun ihrerseits zu »wachsen«. Die Rohstoffexperten behaupteten, die mineralischen Rohstoffe einschließlich Ergas und Erdöl würden noch viel länger hinreichen, als die *Grenzen* annahmen. Viele Ökonomen und Politiker hielten die *Grenzen* allgemein für zu »pessimistisch«. Der technische Fortschritt, meinten sie, werde – wie in der Vergangenheit auch – schon Lösungen finden. Und schließlich gab es auch sehr viele, teils berechtigte methodologische Einwände gegen die *Grenzen*.

Die *Grenzen des Wachstums* beruhten auf einem stark vereinfachten Computermodell, weshalb die Ergebnisse entsprechend einfach waren. Und was die Kritik der ärmeren Länder anbelangt, so hatten die Autoren ihr Buch in erster Linie als Botschaft an die hochentwickelten Industrienationen verstanden.

Einige der für die Studie verwendeten Ausgangsdaten über die Begrenztheit von Rohstoffen stellten sich als falsch heraus. Sie entwarfen ein zu düsteres Bild. Die modernen Technologien ermöglichten die Exploration neuer Lagerstätten. Doch es gibt keinen Grund zur Freude, denn der Zustand der Umwelt ist großenteils schlechter geworden; die Wachstumstrends haben sich weiter fortgesetzt und uns den *Grenzen* nähergebracht. Daß diese an anderer Stelle liegen, als in der Studie von 1972 beschrieben, ist dabei unerheblich.

Die Meadows und Jørgen Randers haben sich zwanzig Jahre später wieder zusammengesetzt, um ihr Buch auf den neuesten Stand zu bringen. Dabei stellten sie fest, daß sie es neu schreiben mußten:

Als wir dann aber unser Computermodell mit den neuesten Daten wieder arbeiten ließen, zeigte sich bald – und auch angesichts unserer eigenen Erfahrungen in den letzten zwei Jahrzehnten –, daß eine Aktualisierung des damaligen Buches nicht ausreichen würde. Denn durch das Weiterwirken der Wachstumstrends war die Menschheit in eine völlig neue Lage auch im Verhältnis zu ihren Grenzen gelangt.

1971 sah es so aus, als werde man erst nach einigen Jahrzehnten die materiellen Grenzen für die Nutzung vieler Rohstoffe und der Energie erreichen. 1991 aber zeigten die Computerläufe und die Neubewertung der Daten, daß die Nutzung zahlreicher Ressourcen und die Akkumulation von Umweltgiften bereits die Grenzen des langfristig Zuträglichen überschritten haben – trotz verbesser-

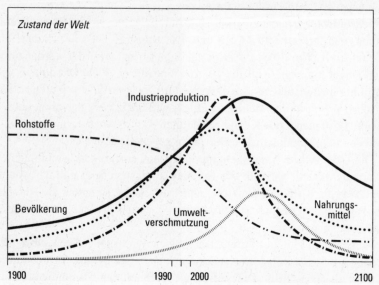

49. Die Grafik zeigt das Ergebnis eines Standarddurchlaufs des von den Meadows benutzten Wachstumsmodells. Das Bevölkerungswachstum und die Industrieproduktion nehmen so lange zu, bis die Umweltverschmutzung und der Rohstoffverbrauch ihre Grenzen erreicht haben und der Mangel mit Investitionen nicht mehr auszugleichen ist (aus Meadows u. a., 1992, S. 166; mit frdl. Genehmigung der Deutschen Verlags-Anstalt).

ter Technologien, trotz des mittlerweile gewachsenen ökologischen Bewußtseins und trotz strengerer Umweltgesetze (Meadows u. a., 1992, S. 11).

Zwischen 1970 und 1990 ist die Weltbevölkerung von 3,6 Milliarden auf 5,3 Milliarden angewachsen, die Zahl der Autos hat von 250 auf 560 Millionen zugenommen, der Erdgasverbrauch stieg von 837 auf 1890 Milliarden m^3 und die Kraftwerkskapazitäten von 1,1 auf 2,6 Millionen Megawatt. Was auch immer Geologen über noch unentdeckte Vorräte sagen mögen, der Verbrauch darf nicht mit dieser Geschwindigkeit weiterwachsen. Wie wir bereits betont haben (Kap. 10), ist eher die Aufnahmefähigkeit der Erde für Abfälle und Emissionen begrenzt, als es die Rohstoffvorräte sind.

Die Meadows haben recht – trotz aller zwischenzeitlich erfolgten Rohstofffunde, trotz neuer Erkenntnisse und Korrekturen alter Vorstellungen: Die Grenzen des Wachstums sind uns beängstigend nähergerückt.

286

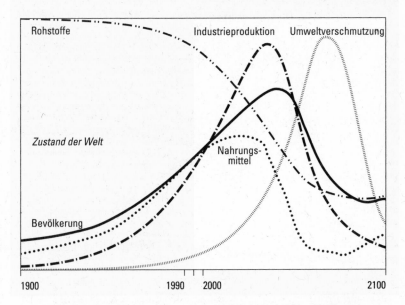

Rohstoffe   Industrieproduktion   Umweltverschmutzung

Zustand der Welt

Nahrungs-
mittel

Bevölkerung

1900   1990   2000   2100

*50. Wären die Rohstoffvorräte doppelt so groß, wie in der Grafik 49 ange-
nommen, könnte die Industrieproduktion zwanzig Jahre länger zunehmen, aber
sonst wäre nichts gewonnen, und der Mangel würde sich anschließend
um so deutlicher und schneller zeigen (aus Meadows u. a., 1992, S. 170).*

Die Nutzung vieler natürlicher Ressourcen und die Freisetzung schlecht ab-
baubarer Schadstoffe haben bereits die Grenzen des physikalisch auf längere
Zeit Möglichen überschritten. Wenn der Einsatz dieser Materialien und die
Energieflüsse nicht entscheidend gesenkt werden, kommt es in den nächsten
Jahrzehnten zu einem nicht mehr kontrollierbaren Rückgang der Nahrungs-
mittelerzeugung, der Energieverfügbarkeit und der Industrieproduktion (ebd.,
S. 13).

Allerdings halten sie den Niedergang noch nicht für unabänderlich. Um
ihn zu vermeiden, bedarf es zweier grundsätzlicher Änderungen:

Die politischen Praktiken und Handlungsweisen, die den Anstieg des Verbrauchs und der Bevölkerungszahlen begünstigen, müssen umfassend revidiert
werden; daneben sind die Wirkungsgrade des Energieeinsatzes und der Nutz-
effekt materieller Ressourcen drastisch anzuheben (ebd., S. 13).

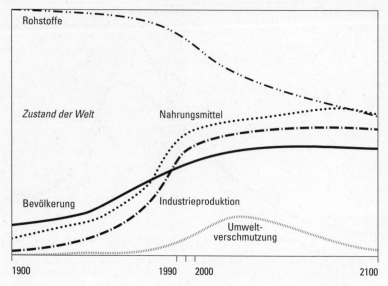

Rohstoffe

Zustand der Welt Nahrungsmittel

Bevölkerung Industrieproduktion

Umwelt-
verschmutzung

1900   1990 2000   2100

51. *Das friedlichste Szenario der Meadows geht davon aus, daß strenge
Maßnahmen zur Wachstumsstabilisierung bereits 1975 ergriffen wurden. Selbst
der Pro-Kopf-Verbrauch kann unter dieser (irrealen) Annahme auf hohem
Niveau nachhaltig gesichert werden (aus Meadows u. a., S. 243).*

(Das vom Meadows-Übersetzer gewählte Wort Wirkungsgrad für *efficiency* ist irreführend. Wirkungsgrad bezieht sich meist nur auf einen einzelnen technischen Vorgang (vgl. Kap. 1, Beispiel 19), und da läßt sich so
gut wie nie ein Faktor 4 oder mehr erreichen; *efficiency* wird hingegen
auch für komplexe Abläufe verwendet. Man achte einmal darauf, daß in
Argumentationen deutscher »Öko-Bremser« ständig das Wort Wirkungsgrad auftaucht, oft verbunden mit der Aussage, man tue ja schon alles,
und sei stolz auf eine Wirkungsgradsteigerung um 5 oder 10%. Wer mehr
fordere, sei ein Traumtänzer, der nichts von Technik verstehe.)

Zu Recht sagen die Autoren der *Neuen Grenzen*, daß Effizienz allein
nicht ausreicht. Wenn das Wirtschaftswachstum weiterhin um 5% jährlich
exponentiell steigt, dann ist der Vorsprung, den wir mit der Faktor-4-Effi-
zienzrevolution erreichen können, innerhalb von dreißig Jahren schon
wieder aufgezehrt. Die Abbildungen 49 und 50 zeigen diese Effekte.

Das Meadows-Team hat eine Anzahl von Szenarien simuliert, von

288

denen einige tatsächlich selbst-stabilisierend sind. Das friedlichste Szenario im neuen Buch ist nicht realistisch, hat aber einen pädogogischen Wert: Es nimmt an, die erforderlichen Stabilisierungsmaßnahmen (auch in Sachen Bevölkerungswachstum) seien bereits 1975 ergriffen worden (Abb. 51).

Das Traurige ist, daß solche Maßnahmen noch nicht einmal heute, zwanzig Jahre nach 1975, eingeführt werden. Im Gegenteil, die Öffentlichkeit hat sich vom Thema Umwelt und Entwicklung abgewandt und beschimpft die Meadows als hoffnungslose Pessimisten. Und so stolpern viele Länder der Welt – in besonders krasser Weise die USA nach den Kongreßwahlen von November 1994 – unbekümmert weiter auf die Grenzen zu. Die Autoren der *Neuen Grenzen* sagen:

> Der Übergang zu einer dauerhaft existenzfähigen Gesellschaft erfordert den sorgfältigen Ausgleich zwischen langfristigen und kurzfristigen Zielvorstellungen; der Nachdruck muß auf ausreichende Versorgung, gerechte Verteilung und Lebensqualität und weniger auf Produktionsausstoß gelegt werden. Dazu ist mehr erforderlich als nur Produktivität und Technologie; gefragt sind Reife, partnerschaftliches Teilen und Weisheit (ebd., S. 13).

Könnten solche Sätze je aus dem Munde des neuen amerikanischen Kongreßführers Newt Gingrich oder auch eines Repräsentanten der chinesischen oder brasilianischen Führung stammen? Weltweit halten Politiker obsessiv daran fest, das Wirtschaftswachstum an der Industrieproduktion zu messen. Die Meadows und Randers geben eine ebenso überzeugende wie deprimierende Antwort auf die Frage, warum die Regierungen der Welt die Aufgaben des 21. Jahrhunderts so schlecht erfüllen. In Abbildung 52 werden die Amtszeit eines 1990 gewählten Politikers, die Zeitspanne, in der sich eine große unternehmerische Investition auszahlt, die Lebensdauer eines Kraftwerks (Inbegriff der Langfristigkeit in der Wirtschaft), die Lebenserwartung eines 1990 geborenen Kindes, die Wirkung von 1990 emittiertem FCKW auf die Ozonschicht und schließlich der Zeithorizont des Meadowsschen World3-Modells nebeneinandergestellt.

Ein tiefgreifender zivilisatorischer Wandel und eine Betonung der Genügsamkeit (Suffizienz) wären ein denkbarer Ausweg aus der zerstörerischen Dynamik, die das in den *Grenzen des Wachstums* und in den *Neuen Grenzen* dargestellte System kennzeichnet. Aber Genügsamkeit

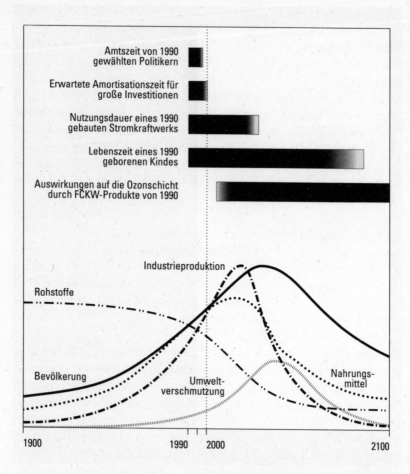

52. Zeithorizonte in Politik, Industrie, Familie, Umwelt und Systemdynamik des World3-Modells der Meadows, auf dem die Abbildungen 49 bis 51 basieren (aus Meadows u. a., 1992, S. 277).

scheint weltweit von keiner Regierung propagiert zu werden, nur die eine oder andere Kirche mahnt dazu. Doch hier scheint es dafür wenig Verständnis für Genügsamkeit bei der Kinderzahl zu geben. Die Zivilisation rennt nach Meinung der Meadows auf den Abgrund zu und möchte lieber nicht darauf angesprochen werden.

Bevölkerungsdynamik

Keines der auf dem Erdgipfel 1992 diskutierten und in Kapitel 8 behandelten Probleme wäre wirklich schwerwiegend, wenn auf der Welt nur 500 Millionen Menschen mit Nahrung, Kleidung und einem Zuhause versorgt werden müßten. Merkwürdigerweise war das Bevölkerungsthema aber nicht einmal ein Thema auf der UNCED. Gerüchten zufolge war dies ein Zugeständnis an den Vatikan und an einige islamische Länder. Es ist allerdings schwer zu begreifen, daß ausgerechnet religiöse Überzeugungen Menschen und die Länder, in denen sie leben, daran hindern sollen, das zu tun, was nötig ist, um Gottes Schöpfung zu bewahren und den

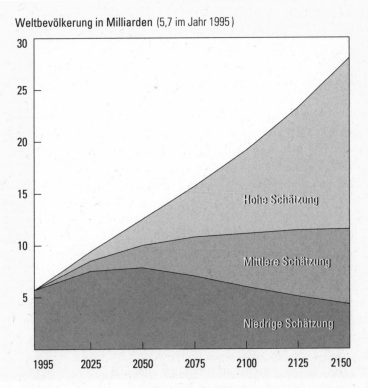

Weltbevölkerung in Milliarden (5,7 im Jahr 1995)

53. Drei Prognosen für die Bevölkerungsentwicklung von 1995 bis 2150. Selbst die niedrigste Schätzung kommt auf eine Weltbevölkerung von 8 Milliarden im Jahre 2050.

Menschen auf dieser Erde ein vernünftiges Leben zu ermöglichen. Eine mittlere Schätzung der Vereinten Nationen sagt eine Weltbevölkerung von 10 Milliarden für das Jahr 2050 voraus (Abb. 53).

Selbst die niedrigste Schätzung bedeutet eine beträchtliche Verschärfung aller globalen, mit den *Grenzen des Wachstums* zusammenhängenden Probleme sowie etlicher lokaler Probleme.

Politisch gesehen führt das dramatische Bevölkerungswachstum fast unausweichlich zu Konflikten um Land und Rohstoffe. Entsetzliche Kriege sind nicht auszuschließen. Der Treibhauseffekt kann die Situation dramatisch verschärfen. Man male sich hierzu anhand der Grafik 36 aus, was geschieht, wenn hundert Millionen Menschen aus Bangladesh ihre Heimat verlieren und eine der Wahrheit sehr nahekommende Propaganda der verzweifelten Bevölkerung mitteilt, daß die Schuldigen im Norden sitzen.

Auch ohne Treibhauseffekt sind bei weiter anwachsender Bevölkerung Migrationswellen in alle Kontinente und Länder zu befürchten. Es liegt also durchaus nicht nur im Interesse der Armen, sondern auch im Interesse der Reichen, dem Bevölkerungswachstum Einhalt zu gebieten. Familienpolitik muß eine hohe Priorität bekommen.

Auf der politischen Ebene ist einiges in Gang gekommen. Im August 1994 fand in Kairo die Internationale Konferenz über Bevölkerung und Entwicklung (ICPD) statt. Es ist durchaus nicht aussichtslos, mit einer rationalen Politik, die auch die Entscheidungsgründe der Familien berücksichtigt, auf die Bevölkerungsentwicklung einzuwirken. Jedenfalls hat die Kairoer Konferenz trotz übler Drohungen von islamischen Fundamentalisten (ausschließlich Männern) nennenswerte Schritte in Richtung einer rationalen Bevölkerungspolitik unternommen. Insbesondere hat sich die große Mehrheit der Entwicklungsländer mit einer aktiven Familienpolitik identifiziert – was vor zehn Jahren noch undenkbar gewesen wäre. Die ICPD betonte, daß die Stellung der Frauen in der Gesellschaft sowie die Schulbildung und finanzielle Unabhängigkeit der Frauen verbessert werden müssen. Abbildung 54 aus dem Weltentwicklungsbericht von UNDP (1990) zeigt eindrucksvoll, wie das Bevölkerungswachstum in Entwicklungsländern mit der fehlenden Schulerziehung von Frauen korreliert.

Das Bevölkerungswachstum insgesamt schreitet jedoch unaufhaltsam fort und eröffnet erschreckende Perspektiven. Die Weltbevölkerung wächst um fast 100 Millionen pro Jahr. 95% des Zuwachses entfallen auf die Entwicklungsländer. Doch es muß darauf hingewiesen werden, daß

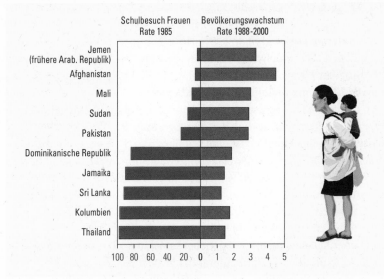

	Schulbesuch Frauen Rate 1985	Bevölkerungswachstum Rate 1988-2000	

Jemen
(frühere Arab. Republik)
Afghanistan
Mali
Sudan
Pakistan
Dominikanische Republik
Jamaika
Sri Lanka
Kolumbien
Thailand

100 80 60 40 20 0 1 2 3 4 5

54. In den Entwicklungsländern, in denen Frauen eine Schulausbildung
erhalten (1985), geht das Bevölkerungswachstum deutlich sichtbar zurück
(World Development Report, UNDP, 1990).

mit jedem neugeborenen US-Amerikaner die Umwelt statistisch betrachtet mehr belastet wird, als zwanzig Inder oder Bangladeshis sie belasten können. Aus ökologischer Sicht sind viele Länder des Nordens viel stärker überbevölkert als Indien oder China (vgl. dazu die Diskussion der »ökologischen Fußstapfen« in Kap. 8 sowie das vorzügliche Buch von Reiner Klingholz, Wahnsinn Wachstum. Wieviel Mensch erträgt die Erde, 1994). Diese ökologische Überbevölkerung des Nordens stellt den unmittelbaren Zusammenhang her zwischen der Bevölkerungsfrage und dem Faktor 4.

Bevölkerungsentwicklung und Faktor 4
Wenn man von einem Wachstum des weltweiten Pro-Kopf-Verbrauchs von nur 1,5% pro Jahr ausgeht (Chinas jährliches Wachstum beträgt seit Jahren 8% und mehr!), dann ergibt das mehr als eine Verdoppelung des Pro-Kopf-Verbrauchs bis zum Jahr 2050. Wenn bis dahin (nach der mittleren Variante von Abb. 53) 10 Milliarden Menschen auf der Erde leben, ergibt sich insgesamt eine Vervierfachung des Verbrauchs von 1995 bis

293

2050. Mit anderen Worten, die Erträge aus der gesamten Faktor-4-Revolution – wenn sie denn in dieser Zeitspanne stattfände – würden allein aufgrund dieser Doppeldynamik aus Bevölkerungswachstum und einem bescheidenen Verbrauchswachstum aufgezehrt. Nichts bliebe für eine Entlastung der Umwelt übrig. Andererseits: Wieviel schlimmer wäre es, wenn die Effizienzrevolution nicht stattfände!

Wir meinen allerdings, daß die Faktor-4-Revolution möglicherweise eine entscheidende Rolle bei der Verzögerung des Weltbevölkerungswachstums spielen kann. Es ist eine seit über fünfzig Jahren wohlbekannte Tatsache, daß sich das Bevölkerungswachstum, nahezu unabhängig von der Religion, von einem gewissen Wohlstandsniveau an verzögert oder zum Stillstand kommt (was wiederum mit der Unabhängigkeit und dem Selbstbewußtsein der Frauen zusammenhängt – und *hier* spielen wieder religiöse und kulturelle Faktoren eine Rolle).

Der amerikanisch-europäische Lebensstil kann aber nicht von sechs oder mehr Milliarden Menschen praktiziert werden. Das wäre für die Erde untragbar. Demzufolge wird das Bevölkerungswachstum also nicht auf diesem Wege aufzuhalten sein. Hoffnung verspricht aber die Effizienzrevolution: Sie erlaubt es, einen Wohlstand für alle zu erreichen, der zwar, was den Ressourcenverbrauch anbelangt, um einen Faktor 4 unter dem amerikanisch-europäischen Niveau liegt, aber hinreichend ist, um das Bevölkerungswachstum zu verzögern oder zum Stillstand zu bringen.

Diejenigen im Norden, die das Bevölkerungsproblem für das größte Problem überhaupt halten, sollten also alles dafür tun, um sowohl den Wohlstand als auch die Effizienzrevolution im Süden voranzutreiben.

Etwas Zahlenakrobatik zum 21. Jahrhundert

Nachdem wir uns die Meadowsschen Szenarien anhand des World3-Modells in Erinnerung gerufen und den zentralen Faktor Bevölkerungswachstum diskutiert haben, können wir uns auf die Suche nach Szenarien machen, die eine »friedliche« Lösung des Wachstumsproblems heute noch erlauben, nachdem die zwanzig Jahre seit 1975 verschlafen worden sind.

Harry Lehmann vom Wuppertal Institut hat mit dieser Zielsetzung die 1991 erstellte Fassung von *World3* (kurz: World3/91), die uns Dennis Meadows freundlicherweise als CD-ROM zur Verfügung gestellt hat,

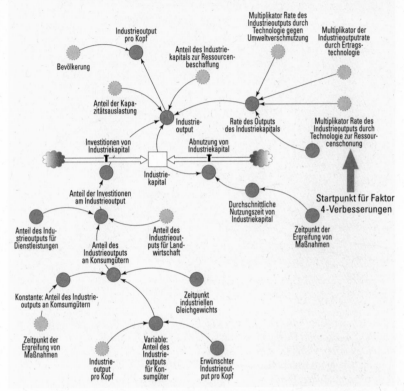

Die Bilder zeigen folgende Beschriftungen:

Bevölkerung · Industrieoutput pro Kopf · Anteil des Industriekapitals zur Ressourcenbeschaffung · Multiplikator Rate des Industrieoutputs durch Technologie gegen Umweltverschmutzung · Multiplikator der Industrieoutputrate durch Ertragstechnologie · Anteil der Kapazitätsauslastung · Industrieoutput · Rate des Outputs des Industriekapitals · Multiplikator Rate des Industrieoutputs durch Technologie zur Ressourcenschonung · Investitionen von Industriekapital · Abnutzung von Industriekapital · Industriekapital · Startpunkt für Faktor 4-Verbesserungen · Anteil der Investitionen am Industrieoutput · Durchschnittliche Nutzungszeit von Industriekapital · Zeitpunkt der Ergreifung von Maßnahmen · Anteil des Industrieoutputs für Dienstleistungen · Anteil des Industrieoutputs an Konsumgütern · Anteil des Industrieoutputs für Landwirtschaft · Konstante: Anteil des Industrieoutputs an Komsumgütern · Zeitpunkt industriellen Gleichgewichts · Zeitpunkt der Ergreifung von Maßnahmen · Industrieoutput pro Kopf · Variable: Anteil des Industrieoutputs für Konsumgüter · Erwünschter Industrieoutput pro Kopf

55. *Das Subsystem der Industrieproduktion des World3/91-Modells aus*
den Neuen Grenzen (Meadows u. a., 1992, S. 289).

bearbeitet. Abbildung 55 gibt zunächst einen Eindruck von der Komplexität dieses Modells. Unser Bild zeigt nur das Untersystem der Industrieproduktion. In diesem sehen wir den wesentlichsten Ansatzpunkt für das Wirksamwerden der Faktor-4-Revolution.

Die Hauptidee ist nun, dem bestehenden Modell die Dynamik der Effizienzrevolution hinzuzufügen (in den bisherigen Modellen gab es keinen dynamischen Effizienzfortschritt). Wir nehmen an, daß jährliche Effizienzverbesserungen von 3 beziehungsweise 5% erreicht werden können. 3% ist angesichts des vorhandenen Potentials, das wir im ersten Buchteil erläutert haben, eine sehr konservative Schätzung; 5% ist immer noch nicht utopisch, wenn es gelingt, ein weltweites Wettrennen um die

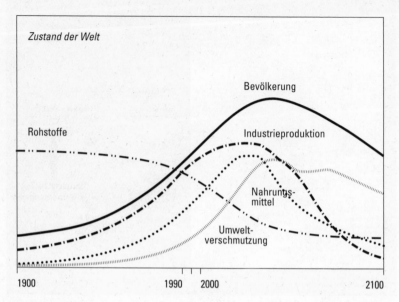

Zustand der Welt

Bevölkerung

Rohstoffe

Industrieproduktion

Nahrungs-
mittel

Umwelt-
verschmutzung

1900   1990 2000   2100

*56. Unter der Annahme eines jährlichen Zuwachses von 3% bei der Ressourcen-
produktivität kommt Harry Lehmann vom Wuppertal Institut mit dem World3/91-
Modell zu einer Systemstabilisierung bis 2150 – ein erfreuliches Ergebnis im
Vergleich zum katastrophalen Systemverhalten in den Abbildungen 49 und 50
(die Autoren danken Dennis Meadows für die Software von World3/91).*

praktische Durchsetzung längst erforschter Effizienzfortschritte zu ent-
fesseln. Über die Wohlstandsparameter werden – wie oben ausgeführt –
die Geburtenraten beeinflußt. Daraus errechnet Harry Lehmann die in den
Abbildungen 56 und 57 dargestellten Entwicklungen. Bei einer jährlichen
Effizienzverbesserung um 3% erhält man eine tolerable Entwicklung, und
bei 5% kommt man zu einem wirklich attraktiven Szenario.

Das 21. Jahrhundert *muß* also gar nicht deprimierend werden. Wenn unsere Vision eines »neuen Füllhorns« wahr wird, können selbst die schwie-
rigsten globalen Probleme der Verteilungsgerechtigkeit ohne schwerwie-
gende Opfer irgendeines Erdteils gelöst werden.

Was Computermodelle nicht berücksichtigen können, sind Krieg und
andere Konflikte oder irrationales Verhalten unter dem mörderischen
Druck des weltweiten wirtschaftlichen Wettbewerbs. Einige dieser Probleme behandeln wir im vierten Teil dieses Buches.

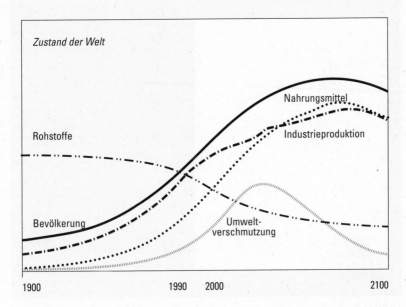

Zustand der Welt

Rohstoffe

Bevölkerung

Nahrungsmittel

Industrieproduktion

Umwelt-
verschmutzung

1900   1990   2000   2100

57. Nimmt man einen jährlichen Effizienzzuwachs von 5% an, tritt die Stabilisierung wesentlich früher und auf höherem Wohlstandsniveau ein.

TEIL IV:

Zivilisationsfortschritte

Z eitgewinn durch Effizienzrevolution, das ist das mindeste, was man als vorläufiges Ergebnis dieses Buches festhalten kann. Das ist nicht wenig, wenn man es mit den realistischen Perspektiven *ohne* Effizienzrevolution vergleicht. Und tatsächlich ist es auch wesentlich mehr, was wir erreichen: Wenn die in den fünfzig Beispielen erläuterten Verbesserungen in großem Maßstab umgesetzt werden, wird unser Leben auch schlicht angenehmer. Dennoch dürfen wir nicht so tun, als sei die *Welt-Problematik* (vgl. die Einl. zum dritten Buchteil) mit Effizienz allein zu lösen. Bedeutende zivilsatorische Fortschritte sind unerläßlich, um die Zerstörungskräfte unseres weltweiten Weltwirtschaftswettrennens zu überwinden. Die Mechanismen und Anreizstrukturen, die immerfort Ineffizienz und Unzufriedenheit produzieren, müssen durchschaut und von neuen abgelöst werden. Wenn wir in fünfzig Jahren auf diesem Wege ein gutes Stück vorankommen, dann haben wir die gewonnene Zeit gut genutzt.

Wir beschränken uns in diesem Schlußteil unseres Buches auf drei Komplexe:

- ein verbessertes Verständnis des Wohlstands im Vergleich zu bloßem Umsatz;
- Ansätze zur Zähmung des teilweise in die Irre führenden Welthandels;
- ein Verständnis der nichtmateriellen Aspekte des Wohlstands.

12. Kapitel:

Wohlstand, nicht Umsatz

Neue Wohlstandsmessung

Bei Verkehrsunfällen oder Geiseldramen steigt normalerweise das Bruttosozialprodukt (vgl. Weizsäcker, 1994, S. 251). Das zeigt uns an, daß an der herkömmlichen Auffassung von Bruttosozial- oder Bruttoinlandsprodukt (BSP bzw. BIP) etwas faul ist.

Wir wissen natürlich, daß das BSP gar nicht als Meßwert des Wohlstands definiert ist. Vielmehr mißt es diejenigen Aktivitäten, die sich umsatzmäßig erfassen lassen. Babys haben möglicherweise größere Freude an Muttermilch als an Kunstmilch, aber die Flasche und deren Inhalt können umsatzmäßig gemessen werden, das Stillen hingegen nicht. Insofern fällt das Stillen, zumal wenn es die Mutter von einer meßbaren beruflichen Tätigkeit abhält, beim BSP negativ ins Gewicht, obschon es dem Säugling mehr Wohlbefinden verschafft und vielleicht seine Abwehrkraft gegen Krankheiten stärkt.

Seit vielen Jahren ist die Diskrepanz zwischen BSP und Wohlbefinden/Wohlstand bekannt. Entsprechend hat es schon zahlreiche Versuche, zu einem besseren, den Wohlstand repräsentierenden Maßstab zu kommen, gegeben. Zu einem überzeugenden Ergebnis gelangten Herman Daly und John Cobb (1989) und später die New Economics Foundation und das Stockholm Environment Institute. Es wurde zunächst als Index of Sustainable Economic Welfare (ISEW) bezeichnet.

In der Früh- und Hochphase der Industrialisierung bewegen sich ISEW und BSP weitgehend parallel. In der Spätphase scheint diese Parallelität abzubrechen. Seit etwa Mitte der siebziger Jahre driften sie in den hochentwickelten Industrieländern auseinander (vgl. Abb. 58).

Es gibt keine einfachen Erklärungen für die wachsende Diskrepanz zwischen Wirtschaftswachstum und realem Wohlstand. Ein Aspekt ist die

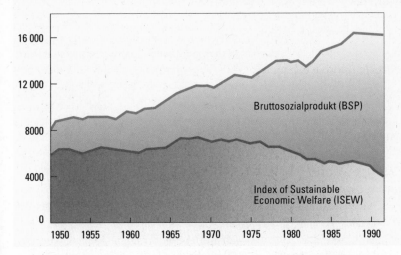

58. Wirtschaftswachstum und Wohlstand laufen in den Industrieländern auseinander (hier Beispiel USA). Der Index of Sustainable Economic Welfare ist ein besserer Maßstab für das wirkliche Wohlergehen als das BSP.

Umweltverschmutzung, die positiv zum BSP beiträgt, auch und gerade dann, wenn man mit hohem Aufwand (Umsatz) gegen die Verschmutzung ankämpft. Ein zweiter Aspekt, für den ISEW am bedeutendsten: Die Lebensqualität sinkt für die Mehrzahl der Menschen, wenn die Einkommensverteilung ungerechter wird – auch wenn gleichzeitig die Wirtschaftsleistung zunimmt. Dies hat nun aber möglicherweise mehr mit der radikalen Öffnung der Weltmärkte als mit einer wie immer gearteten »Spätphase« der Industrieentwicklung zu tun. Abbildung 60 (S. 311) zeigt uns etwas über die Auswirkung der Marktöffnung auf die Einkommensverteilung.

Wir maßen uns nicht an, die ganze Indikatorendiskussion zu wiederholen. Wir verweisen vielmehr auf den neuen Bericht an den Club of Rome, den Wouter van Dieren (1995) zusammengestellt hat.

Umsatz heißt Arbeitsplätze

Statt uns mit der akademischen Frage nach optimalen Meßverfahren für den Wohlstand abzugeben, wollen wir uns mit den Schwierigkeiten beschäftigen, die die Politik mit jeglichen Versuchen haben wird, von der Maximierung der Umsätze loszukommen.

In Wirklichkeit repräsentiert das BSP eben nicht nur Umsätze. Es steht, und das ist für die Realpolitik viel wichtiger, auch für Arbeitsplätze und damit auch für Steueraufkommen und solide Staatsfinanzen. In einer Zeit, in der die Probleme der Arbeitslosigkeit und der Staatsfinanzen allerhöchste Priorität haben, wird man nicht erwarten, daß ein Land oder eine politische Partei dem BSP untreu wird. Seien wir ehrlich: Unter den heutigen Bedingungen würde ein stagnierendes BSP viele von uns mit Arbeitslosigkeit bedrohen und zu einer Verschlechterung unseres realen Wohlstands führen.

Es wäre also äußerst naiv, wenn wir die politische Aufgabe, unsere Gesellschaft vom Umsatz weg und zum »realen« Wohlstand hinzuführen, unterschätzen würden. Diese Aufgabe ist viel schwieriger als das akademische Umdefinieren des Wohlstands. Wir müssen uns daher um das Verstehen und Verändern derjenigen Anreizstrukturen bemühen, die immer wieder klassisches Umsatzwachstum hervorbringen – auch wenn die politischen Akteure wissen, daß dieses gar keinen direkten Bezug zum Wohlstand mehr hat.

Faktor vier als Schlankheitsdiät

Die Effizienzrevolution kann überraschend viel zur Bewältigung der politischen Aufgabe beitragen. Sie verringert den Abstand zwischen BSP und ISEW. Arbeitsplätze zur Umrüstung von Gebäuden auf Energieeffizienz oder zur Herstellung ressourceneffizienter und langlebiger Produkte würden den ISEW zweifellos erhöhen, nicht vermindern. Wenn außerdem die ökologische Steuerreform (s. Kap. 7) hilft, menschliche Arbeitskraft für Arbeitgeber wieder erschwinglicher zu machen und gleichzeitig wirtschaftlichen Druck auf den Ressourcenverbrauch ausübt, dann wird es selbst in den von der Arbeitslosigkeit schwer gezeichneten Ländern Europas relativ einfach, die Beschäftigungsquote anzuheben.

Allerdings wird das BSP nie wieder ganz parallel zum ISEW verlaufen. Unfälle, Kriminalität, Umweltprobleme und die Unterschiede zwischen Arm und Reich werden den realen Wohlstand weiterhin beeinträchtigen, so daß er hinter dem Umsatz herhinkt. Außerdem werden durch weitere Arbeitsrationalisierung noch mehr Arbeitsplätze verlorengehen.

Tertiarisierung

Bei der Suche nach Abhilfe gegen die Arbeitslosigkeit fällt stets das Stichwort der Dienstleistungsberufe, des tertiären Sektors. Den historischen Übergang von einer industriedominierten zu einer dienstleistungsdominierten Erwerbswelt nennt man Tertiarisierung. Politiker und Industrievertreter warnen oft mit einer Mischung aus Sorge und Aggression vor dem Rückgang des sekundären Sektors, der Industrie, die doch den Wohlstand unserer Länder garantiere. Man dürfe das Lob der Tertiarisierung nicht so weit treiben, daß eines Tages »bloß noch einer dem anderen die Haare schneidet«.

Tertiarisierung der Industrie

Wir haben keine Absicht, uns hier auf einen fruchtlosen Streit einzulassen. Tatsache ist, daß die Tertiarisierung in den »hochindustrialisierten« Ländern unaufhaltsam voranschreitet. In den USA ist die Quote der Industriearbeitsplätze auf unter 20% abgesunken, in Deutschland liegt sie noch bei knapp 40%, mit fallender Tendenz. Und die ökologischen Begrenzungen weltweit setzen ausdrücklich der *Industrie*expansion (sowie dem Rohstoffabbau), nicht aber den Dienstleistungen eine Grenze. Dabei ist aber Industrie nicht gleich Industrie. Auch hier stehen entscheidende Beiträge zur Ökologisierung und zur Effizienzrevolution an. Und ein wesentlicher Teil des innerindustriellen ökologischen Strukturwandels kann als »Tertiarisierung der Industrie« bezeichnet werden.

Ist das nicht ein Widerspruch in sich? Keineswegs. Es gibt ohnehin einen Trend in der Industrie zur Kundenorientierung durch Produktspezialisierung und durch Einbetten der Produkte in Dienstleistungspakete. Massageöl und viele Medikamente werden überwiegend im Rahmen von Dienstleistungen vertrieben. Chemikalienvermietung (Kap. 2, Beispiel 15), Kopierer-Leasing und wartungsintensive Geschäfte sind weitere Beispiele. Die Industrie reagiert hier teilweise auf die Marktbedingungen in einer warengesättigten Wohlstandsgesellschaft, teilweise entdeckt sie auch, daß Dienstleistungspakete ein ausbaufähiger Schutz vor Billiganbietern aus Übersee sein können.

Ob die Arbeitsplätze bei einer solchen Tertiarisierung des sekundären Sektors statistisch dem sekundären oder dem tertiären Sektor zugerechnet werden, kann allen Beteiligten letztlich gleichgültig sein. Für uns ist wichtig, daß der genannte Trend nicht etwa zu einer weiteren Überflutung der Konsumenten und der Umwelt mit überflüssigen Waren und Dienstleistungen mißbraucht wird, sondern zur Erhöhung der Langlebigkeit von Gütern und der revolutionären Verbesserung der Ressourcenproduktivität genutzt wird. Hierfür sehen wir allerdings gute Chancen.

Die Mehrzahl der einleitend genannten fünfzig Beispiele sind ja zugleich Dokumente der Tertiarisierung. Wenn die Bewohner eines Hauses eine wohlige Raumtemperatur genießen können, geschieht dies aufgrund einer Dienstleistung, auch wenn der Wärmetauscher und die Superfenster industriell gefertigt werden. Wenn Büromöbel wesentlich haltbarer werden, wird damit die Dienstleistung verbessert, auch wenn der Stuhl ursprünglich industriell hergestellt wurde. Wenn die Mobilität in der Stadt durch eine *Stattauto*-Flotte und ein verbessertes öffentliches Verkehrssystem gesichert wird, steht ebenfalls die Dienstleistung im Vordergrund. Die Idee des Brücken-Leasing (Kap. 2, Beispiel 4) und das bereits praktizierte Fahrstuhl-Leasing (Kap. 2, Beispiel 10) ergänzen das Bild.

Im Zusammenhang mit der Langlebigkeit von Produkten sollte man auch eine Renaissance des aus den siebziger Jahren stammenden Konzepts des *remanufacturing* erwarten. Hier wird der stabile Rahmen oder das Gehäuse eines verschlissenen Produkts nicht zertrümmert oder eingeschmolzen, sondern einem neuen Produktionszyklus zugeführt. Das ist oft um einen Faktor 4 energie- und stoffsparender als das rein stoffliche Recycling. Wenn der Hersteller während der gesamten Produktlebensdauer Eigentümer des Produktes bleibt und lediglich die zugehörigen Dienstleistungen verkauft, entwickelt er ein kommerzielles Interesse an der Langlebigkeit der Produkte und am *remanufacturing*. Er wird das Produkt von vornherein so konstruieren, daß das Gehäuse leicht wiederzuverwenden ist.

All dies sind die Grundgedanken der »Dienstleistungs-Wirtschaft« (Giarini und Stahel, 1993). Diese hilft uns auch, den BSP-Umsatz vom materiellen Umsatz etwas zu entkoppeln, wodurch das BSP-Wachstum für die Umweltschützer nicht mehr so erschreckend ist.

Arbeit im Alter

Einen für die heutige Politik ganz aktuellen und in unserem Kontext bedeutsamen Vorschlag von Geneviève Reday-Mulvey referieren Giarini und Stahel in ihrem Buch: die vermehrte Arbeit im Alter. In der Dienstleistungsgesellschaft entstehen nämlich mehr Arbeitschancen für ältere Menschen. Kundenorientierung verlangt eher langzeitige Kundenbetreuung (was die Alten gut können) als perfekte Physikkenntnisse (was man eher den Jungen zutraut). Auch sind oft die modernen Dienstleistungen physisch leichter zu bewältigen als frühere und heutige Industriearbeiten. Und die heute Sechzig- bis Fünfundsechzigjährigen sind, verglichen mit den Gleichaltrigen vor hundert Jahren, meist körperlich sehr fit.

Dennoch hindert uns heute die gesetzlich festgelegte strikte Altersgrenze daran, Nutzen aus der Arbeitsfähigkeit der Alten zu ziehen. Die Einführung der Altersgrenze war damals eine große soziale Errungenschaft. Gegenwärtig wird sie von den Betrieben mißbraucht und sogar noch künstlich vorverlegt, um die von der Weltmarktkonkurrenz erzwungene Kostenreduktion in Form von Personalabbau »sozialverträglich« bewerkstelligen zu können. Dies geht jedoch in verheerendem Umfang zu Lasten des Staates. Wer behauptet, dadurch werde der Standort Deutschland stärker, lügt sich in die Tasche.

Die von den Jungen zu tragende Bürde der Altersversorgung wird immer schwerer, was Ökonomen und die Vertreter der jungen Generation beunruhigt. Die heute älteren Menschen werden als Egoisten-Generation gebrandmarkt (G. u. P. Ederer, 1995). Schon macht das böse Wort von der Aufkündigung des Generationenvertrags durch die Jungen die Runde – mit unabsehbaren sozialpsychologischen Folgen.

Ein neuer Volkszorn wird auf weltreisende Pensionäre sowie auf Yuppie-Paare gelenkt, die als Inbegriff der Egoisten gelten, weil sie sich später von Kindern anderer durchfüttern lassen werden. Als Abhilfe gilt folglich die finanzielle Besserstellung der Kinderreichen beziehungsweise die wesentlich stärkere Steuerbelastung der Kinderlosen. Dagegen ist sozialpolitisch und rentenpolitisch nichts einzuwenden. Aber ökologisch betrachtet ist die Förderung des Kinderreichtums (vgl. Kap. 11) vor allem in den *ökologisch* überbevölkerten Ländern des Nordens, um die es bei der Rentendiskussion ausschließlich geht, der helle Wahnsinn.

Der einzige Ausweg, von Geneviève Reday-Mulvey vorgeschlagen, scheint die Öffnung der Altersgrenze zu sein, insbesondere für Teilzeitarbeiten. Vier Gründe sprechen dafür: die Rentenfinanzierung, die demographische Entwicklung, der erfreuliche gesundheitliche Zustand der heutigen Generation der Alten sowie die große Anzahl von Jobs, die auch leicht von Älteren erledigt werden können (vgl. Abb. 59).

Die Jüngeren müssen nicht um ihre Jobs fürchten, denn die älteren

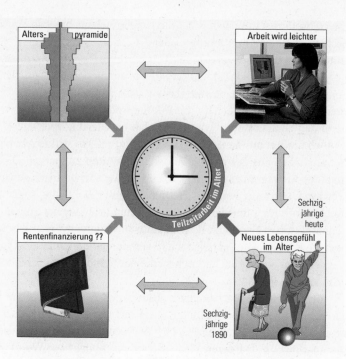

59. Arbeit im Alter. Die Grafik zeigt vier Gründe, die für eine Öffnung der Alters-grenze sprechen (Bild von Hans Kretschmer nach Reday-Mulvey in Giarini und Stahel, 1993, S. 136).

Menschen werden vor allem Dienstleistungen, häufig im kommunikati-ven und pflegerischen Bereich, anbieten. Ihre Klienten werden wahr-scheinlich dazu veranlaßt, Geld auszugeben, das anderenfalls im Spar-strumpf bliebe, für Reisen oder für vergängliche Importwaren ausge-geben würde, in allen Fällen wenig beschäftigungswirksam. Volkswirt-schaftlich gesehen erwirtschaften die sechzig- bis achtzigjährigen Arbeit-nehmer zusätzliche Werte, die das Land wohlhabender machen, so daß mehr zur Verteilung gelangen kann.

Verteilungspolitisch ist die (weitgehend freiwillige) Erhöhung der Altersgrenze ohnehin gerechtfertigt. Sie drängt den »Egoismus« (Ederer, 1995) zurück. Und wenn die Verschiebung der Altersgrenze die Renten wieder bezahlbar werden läßt, kann sich das vielleicht entscheidend auf die Begrenzung der Lohnnebenkosten auswirken, die für den Erhalt einer hohen Beschäftigungsquote nötig ist.

13. Kapitel:

Freihandel und Umwelt

Der freie Markt stärkt das Kapital

Internationaler Handel und Wettbewerb sollen den Wohlstand verbessern. Fraglos hat der Freihandel ein hohes Verdienst an der Verbreitung und Erhöhung des Wohlstands. In jüngster Zeit mehren sich aber die Fragezeichen. Der globale Wettbewerb wird immer häufiger als Qual und Bedrohung empfunden. Er wird von seiten der Wirtschaft und Politik als Grund und Entschuldigung dafür ins Feld geführt, daß man gezwungen sei, bereits beschlossene Sozialpolitik und Umweltpolitik rückgängig zu machen sowie Arbeitsplätze abzubauen.

Die Gebetsmühlenformel in der ökologischen Auseinandersetzung lautet: »Wenn wir's nicht machen, machen's die anderen, und das wäre noch schlimmer für die Umwelt.« Oder: »Wir können uns die zusätzlichen Kosten nicht leisten. Wenn wir von unseren umweltbelastenden Industrien dies und das verlangen, dann wandern sie aus, und das wäre noch schlimmer für die Umwelt.« Im Einzelfall ist die Aussage häufig richtig. Aber gerade wenn sie richtig ist, stimmt etwas im System nicht. Denn dies würde bedeuten, daß sich die Welt den Freihandel nicht leisten kann, weil er die einzigen umweltpolitisch halbwegs handlungsfähigen Akteure, die Nationalstaaten, daran hindert, den Umweltschutz wirklich ernst zu nehmen. Der hierauf folgende Einwand, die sozialistische Planwirtschaft mit ihrer zwanghaften Abkoppelung von den Weltmärkten sei doch ökologisch noch schlimmer gewesen, kann nicht verfangen, denn wer sagt denn, daß der sowjetisch geprägte Sozialismus die einzige Alternative zum totalen Freihandel ist?

Richtig ist, daß das Kapital durch den Freihandel mehr Möglichkeiten erhält, die optimalen Produktionsbedingungen zu finden und zu fördern. Das Kapital ist denn auch der Hauptgewinner der Handelsliberalisierung.

Diejenigen, die kein Geld haben, erblicken meist keine Vorteile im Freihandel. Zu gut kennen sie die Drohung der Kapitaleigner, das Land zu verlassen, wenn ihnen die Produktionsbedingungen im Inland nicht mehr gefallen.

»Wettbewerb ist Krieg«

Geradezu bedrohlich auch im sicherheitspolitischen Sinne wird der Freihandel, wenn man das Weltbild mancher Freihandelsvertreter in Rechnung stellt, das nicht anders als kriegerisch genannt werden kann. Besonders bedenklich scheint uns die Sprache eines Richard D'Aveni (1994), dessen *Hypercompetition* in den USA derzeit Furore macht. Für D'Aveni geht es nicht mehr um Wettbewerb mit dem Konkurrenten, sondern um dessen Zerstörung. »Wettbewerb ist Krieg«, heißt es überdeutlich bei D'Aveni. Moral und Ethik kommen beim internationalen Wettbewerb nicht vor, konstatiert er.

Wenn es nur um abstraktes Kapital ginge, welches sich da Schlachten liefert, wäre der politische Schaden verschmerzbar. Aber es kann gar nicht ausbleiben, daß die an das Kapital geknüpften Menschen, Firmen, Nationen in die kriegerische Mentalität hineingezogen werden. In der Folge ergeben sich international Spannungen, die an latenter Gefährlichkeit denen des Kalten Krieges nicht nachstehen.

Freihandel und Sozialabbau

Nimmt der Wettbewerb im internationalen Raum kriegerische Züge an, darf man sich nicht wundern, wenn sich hieraus auch soziale Spannungen in den nationalen Räumen entwickeln. In der Frühphase hat die Globalisierung noch einen solidarisierenden Effekt innerhalb der Firmen und Nationen: »Wir von Mannesmann gegen die amerikanische, japanische oder koreanische Konkurrenz.« Auch die ganze »Standort-Deutschland«-Kampagne hatte diese Absicht, und sie hat ja das Land auch tiefgreifend verändert. Die Stählung der Wettbewerbsfähigkeit durch Verzichte allerorten hat funktioniert. Wenn aber viele Verlierer auf der Strecke bleiben, die sich als Betrogene der ständig eingeforderten Solidarität sehen, zerbröckelt dieselbe.

Langsam läßt es sich einfach nicht mehr verheimlichen, daß sich aus der Asymmetrie der Beweglichkeit zwischen Arbeit und Kapital eine höchst unterschiedliche Einkommensentwicklung ergeben hat, wie Horst Afheldt (1994) feststellte (Abb. 60).

310

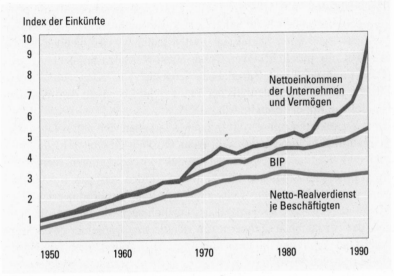

Index der Einkünfte

Nettoeinkommen
der Unternehmen
und Vermögen

BIP

Netto-Realverdienst
je Beschäftigten

60. Bis etwa 1981 entwickelten sich die Einkünfte aus Arbeit und Kapital ungefähr parallel zum BSP. Seither stagnieren die Einkommen von Arbeitern und Angestellten, während die Kapitaleinkünfte regelrecht explodierten (Afheldt, 1994, S. 30 u. 31).

Diese Entwicklung setzte etwa 1981, nach dem Amtsantritt von Präsident Ronald Reagan, in den USA ein. Dieser machte die Durchsetzung des uneingeschränkten Welthandels zu einer der höchsten Regierungsprioritäten und riß die verbündeten Länder mit. Er gewann für die GATT-Konferenz von Punta del Este (Uruguay) 1986 die Unterstützung der meisten Staaten. Aus dieser Konferenz entstand die »Uruguay-Runde« des GATT, welche die bislang drastischsten Maßnahmen zugunsten des Freihandels festsetzte und 1994 mit der Gründung der Welthandelsorganisation WTO endete.

Der Siegeszug der Freihandelslehre führte in den alten Industrieländern zu einschneidenden Kostenreduktionsprogrammen in der Industrie und anderen Wirtschaftsbereichen. Das Höfesterben in der Landwirtschaft hat sich beschleunigt. Und alle Länder, die ehemals ein vorbildliches soziales Sicherungssystem hatten, mußten dieses beschneiden oder abbauen. Man hätte sich damit leichter abgefunden, wenn sich im gleichen Zuge in den vordem sozialpolitisch weniger entwickelten Ländern eine entsprechende

311

Ausgleichsbewegung vollzogen hätte. Doch davon kann überhaupt keine Rede sein. Jetzt heißt es in Italien: »Wenn sich nicht einmal mehr das reiche Schweden einen Sozialstaat leisten kann, wieviel weniger ist das dann bei uns möglich!« Wer wollte einen Kausalzusammenhang zwischen Freihandel und Sozialabbau leugnen? Die Klage über diesen Zusammenhang war jedenfalls der Tenor vieler Reden auf dem Weltsozialgipfel von Kopenhagen im März 1995.

Die Vertreter der Lehre vom freien Markt lassen sich von solchen Klagen natürlich nicht beeindrucken. Wenn das Welt-Gesamtwohl zunimmt, weil dem Kapital die optimalen Produktionsbedingungen nicht mehr durch Protektionismus und bürokratische Hürden verwehrt werden, und wenn der freie Handel das weltweite Verfrachten der produzierten Güter erlaubt, dann ist das, so wird gesagt, letztlich auch für die gut, die heute über den Sozialabbau jammern. Am sichtbarsten werde der gewachsene Wohlstand daran, daß die Preise für importierte Waren unter dem Niveau bleiben, welches vorherrschen würde, wenn weiter Protektion und Hemmnisse regieren würden. Versucht man aber die Arbeitslosen und Armen eines Landes damit zu trösten, daß die Preise für Obst, Textilien oder Kameras ohne Freihandel viel höher wären, dann sagen sie, daß sie ganz gut ohne Erdbeeren im Winter und mit teureren Kameras auskommen könnten, wenn sie statt dessen wieder einen sicheren Arbeitsplatz hätten.

Einen wirklichen Ausweg kennen wir selber noch nicht. Es scheint uns aber wichtig, zunächst einmal die klare Diagnose in der Hand zu haben, daß der Freihandel zumindest kurzfristig eindeutig das Kapital begünstigt und daß es irgendwo aus ethisch-politisch-ökologischen Gründen auch neue *Grenzen des Wettbewerbs* (Groupe de Lisbonne, 1994; vgl. auch J. Goldsmith, 1995, und Mander u. E. Goldsmith, 1995) geben muß. Im Zusammenhang mit dem globalen Umweltschutz und der Effizienzrevolution versuchen wir weiter unten einige Gedanken zur »Zähmung« des Marktes ohne protektionistische Hürden zu entwickeln. Die sozialpolitische Frage bleibt dabei allerdings noch weitgehend ungelöst.

Ökologische Besorgnisse
Umweltschützer sind gegenüber der Freihandelsdoktrin besonders skeptisch. Sie sehen sich erpreßt von Industriefirmen, die auszuwandern drohen, wenn ihnen die heimische Umweltgesetzgebung nicht mehr paßt. Und sie sehen, wie zahlreiche Entwicklungsländer unter dem von Welt-

bank und internationalen Wirtschaftsberatern ausgelösten Exportzwang ihre Natur auf dem Altar des internationalen Handels opfern.

Elfenbeinküste war zeitweise das Vorzeigeland der internationalen Banken und der Freihandelsökonomie. In den zwei Jahrzehnten nach der Unabhängigkeit setzte das Land in einem beneideten stabilen politischen Klima den Exportkurs der Kolonialzeit verstärkt fort und erlebte damit eine rapide Wirtschaftsentwicklung. Durch die Bindung der Währung an den französischen Franc genoß es eine stabile Währung. Was die Wirtschaftsbeobachter mit ihrer Brille nicht wahrnehmen konnten, war der ebenso rapide fortschreitende ökologische Raubbau. Rundhölzer, Kaffee, Kakao, Mangan, Gold und anderes wurde zu Lasten der Natur produziert und exportiert. Es dauerte etwa noch zehn Jahre, bis das Land großflächig zerstört war. Über 80% der ursprünglich reichen Waldbestände, die auch vor Bodenerosion schützten, sind dem Raubbau zum Opfer gefallen. Es bleiben Wolkenkratzer, teure Hotels und eine an den westlichen Lebensstil gewöhnte Elite, umgeben von Menschen, die in bitterer Armut leben; und die politische Stabilität ist auch dahin. Das benachbarte Ghana scheint gegenwärtig denselben Weg zu gehen.

Da wir, die wir das schreiben, im satten Norden leben, beeilen wir uns zuzugeben, daß der Norden weit mehr, als ihm zusteht, zur Zerstörung natürlicher Ressourcen zu Hause und vor allem international beigetragen hat. Und es sind peinlicherweise fast immer Firmen, Banken, Berater, Regierungen und Ideologien aus dem Norden, welche den Entwicklungsländern ursprünglich den Weg zur Umweltzerstörung gewiesen haben. Heute allerdings sind es eher die Eliten in den Hauptstädten der Entwicklungsländer selbst, die das Werk entschlossen fortsetzen und ökologische Ratschläge aus dem Norden mehr oder weniger empört zurückweisen.

Wenn wir all dies feststellen, sagen wir nicht, daß es irgendwo eine finstere Verschwörung gegen die Umwelt gäbe. Vielmehr meinen wir, daß die in Wirtschaftskreisen herrschende Grundüberzeugung bei dieser Tragödie Regie führt, die Grundüberlegung, daß der Markt letztlich das Beste für alle Betroffenen bewirke. Die Hauptrollen in der Tragödie werden von internationalen Unternehmern und Beratern sowie ihren Partnern in den Regierungen der entsprechenden Länder gespielt, und die Bühne ist der Weltmarkt. Für die meisten Akteure ist der Raubbau im jeweiligen Moment das rentabelste Geschäft, und die Regieanweisung lautet unmißverständlich, die Rentabilität über alle anderen Überlegungen zu stellen. Zwar gibt es hier und da einschränkende Naturschutzbestimmungen, aber dann gibt es auch fast immer einen Weg, deren Umgehung für die Regierungsbeamten besonders »rentabel« zu machen.

Die Preise im internationalen Wettbewerb erzählen den Akteuren immer wieder, daß die nachhaltige Bodennutzung meist weniger rentabel ist als der Raubbau. Hier widerspricht sich nun die Realität des Welthandels mit der Theorie. In seinem maßgeblichen Buch über Freihandelpolitik betont W. Max Corden (1974, S.8), die Theorie sage überhaupt nicht, daß Freihandel stets das Beste sei – wie die schlecht Beratenen oft behaupten. Vielmehr sage sie, Freihandel sei *unter bestimmten Annahmen* das Beste. Und eine der wichtigsten Annahmen ist ein glattes und richtiges Funktionieren des Preismechanismus.

Die Preise aber reflektieren in der Regel nicht einmal alle Produktionskosten. Und sie spiegeln erst recht nicht die Kosten für die Wiederherstellung der angerichteten lokalen Schäden und die globale Umweltzerstörung wider (vgl. Ekins u.a., 1994).

All diese Beobachtungen sollten uns nicht dazu verleiten, zu glauben, das Schließen von Grenzen würde die Umwelt retten. Tatsächlich kann der freie Markt natürlich auch helfen, umweltfreundliche Methoden und Technologien zu verbreiten, wie Stefan Schmidheiny (1992) überzeugend darlegt. Aber irgend etwas wird geschehen müssen, um die Prinzipien des Freihandels mit dem globalen Umweltschutz wirklich verträglich zu machen.

Eine grüne Welthandelsorganisation (WTO)?

Als der freie Welthandel zu einem Hauptthema der Neuordnung der internationalen Politik nach dem Zweiten Weltkrieg avancierte, war Umweltschutz noch kein Thema. Es gab noch nicht einmal das Wort Umweltpolitik. Das Allgemeine Zoll- und Handelsabkommen GATT wurde 1947 geschaffen und seither in acht Runden immer weiter verstärkt. Die bereits genannte Uruguay-Runde von 1986 bis 1994 war dabei die wichtigste und führte bei einer feierlichen Zeremonie in Marrakesch, Marokko, zur Ausrufung der Welthandelsorganisation (WTO), die inzwischen das GATT abgelöst hat.

Während der Laufzeit dieser Uruguay-Runde konnte nun allerdings niemand mehr behaupten, daß es keine Umweltprobleme und keinen Konflikt zwischen Freihandel und Umwelt gebe. Und dennoch wurde das

Thema bewußt und mit aller Macht draußen gehalten. Das kann nicht anders als skandalös bezeichnet werden!

Der Umweltschützer Michael Northrop (1993) nannte die Uruguay-Runde kurzerhand eine »GATTastrophe« und legte dar, daß es durch die für die WTO beschlossenen neuen Verfahrensweisen für Umwelt- und Verbrauchergruppen fast unmöglich wird, in Handelsfragen zu intervenieren. Und Mark Ritchie (1990) zitiert den damaligen GATT-Unterhändler der USA, Clayton Yeutter, es sei eines seiner erklärten Ziele für die Uruguay-Runde, bestimmte vom amerikanischen Kongreß verabschiedete Gesundheits- und Umweltbestimmungen auszuhebeln.

Das GATT-Sekretariat aber sah überhaupt keine ernsthaften Konflikte zwischen Freihandel und Umwelt. In einem Bericht über Handel und Umwelt (GATT, 1992) behaupten die Autoren, die Handelsausweitung sei gut für die Umwelt. Die Logik ist folgende: Handel macht uns reicher, so daß wir es uns leisten können, einen größeren Teil des Volkseinkommens für den Umweltschutz auszugeben. Der Bericht schiebt den Regierungen die gesamte Verantwortung für Umweltpolitik zu und sieht den Handel lediglich als »Verstärker« für die nationale Politik: Wenn die für nachhaltige Entwicklung notwendige Politik einmal beschlossen sei, dann fördere der Handel diese nachhaltige Entwicklung. Die GATT-Regeln bedeuteten keine nennenswerte Beschränkung der nationalen Fähigkeit, durch entsprechende Politik die Umwelt zu schützen.

Das halten wir mit Verlaub für bloße legalistische Rhetorik. Das GATT *spricht* schlicht nicht über die Umwelt und stellt nur insofern keine »Beschränkung« der nationalen Politik dar. Im übrigen sehen Umweltschützer die GATT-Entscheidung gegen die USA im Fall des Thunfisch-Streits als schweren Eingriff in die nationale Umweltpolitik. Den USA wurde untersagt, Handelsbeschränkungen gegen Thunfisch aus Ländern zu erlassen, deren Fangmethoden regelmäßig Delphinen zum Verhängnis werden. Umweltanwälte werden in GATT-Verfahren nicht einmal angehört.

Der Binnenmarkt hat den Umweltschutz ausgehebelt

Wenn es nur um die Rechtsstreite ginge, könnte man vielleicht Abhilfe durch entsprechende Paragraphen suchen. Viel schlimmer ist langfristig aber die Wirkung des Freihandels auf die Mentalität der Unternehmen und Politiker aller Länder. In Europa haben wir die Mentalitätsveränderung nach Verabschiedung der Einheitlichen Europäischen Akte

1987 mit den Vier Freiheiten erlebt, der Bewegungsfreiheit von Waren, Personen, Dienstleistungen und Kapital. Auf einmal triumphierte im ganzen EG/EU-Raum das Wettbewerbsdenken über das Umweltbewußtsein. Die Rezession 1992/93 (in anderen EG-Ländern schon früher) tat ein übriges, und von dem einstmals hohen Umweltbewußtsein – in fast allen EG-Ländern – ist heute nicht mehr viel übriggeblieben.

Die USA haben etwa das gleiche fünf Jahre später im Zusammenhang mit der nordamerikanischen Freihandelszone NAFTA erlebt. Was die Regierung Bush an progressiven Umweltgesetzen noch übriggelassen hatte, wird jetzt vom Gingrich-Kongreß ausgemustert. Unter dem scheinheiligen Argument, Washington dürfe keine Gesetze beschließen, die den Bundesstaaten Kosten auferlegen, ist der Umweltschutz in Washington praktisch zum Erliegen gekommen. Die Angst um die Wettbewerbsfähigkeit herrscht auf beiden Seiten des Atlantik.

Gewiß werden die Freihandelsanhänger sagen, Europa und die USA sollten froh sein, durch den Binnenmarkt beziehungsweise NAFTA und die nachfolgenden Rationalisierungswellen ihre Konkurrenzfähigkeit noch einmal gestärkt zu haben, um für den scharfen Wettbewerb mit dem Fernen Osten halbwegs gerüstet zu sein. Das ist nicht von der Hand zu weisen. Aber es ist eine rein ökonomische Aussage und ein schwacher Trost für die, die sich um die europäische, die amerikanische *oder* die asiatische Umwelt Sorgen machen.

GATT interpretieren oder reformieren?

Das GATT hat von Anfang an gewisse Ausnahmeartikel enthalten, die eine nationale Politik auch zum Schutz der Umwelt ermöglichen sollen. Hervorzuheben sind Artikel XXb, der (freihandelsbehindernde nationale) Maßnahmen zum Schutz von menschlichem, tierischem oder pflanzlichem Leben oder der Gesundheit von Lebewesen erlaubt, und Artikel XXg, der (freihandelsbehindernde nationale) Maßnahmen zum Schutz nicht erneuerbarer natürlicher Ressourcen ermöglicht. Im Konfliktfall sind die GATT-Entscheidungen aber in aller Regel gegen nationale Maßnahmen und für den Freihandel getroffen worden, mit der Begründung, es handele sich um diskriminierende Maßnahmen.

Faktor 4 im Kontext von Handel und Umwelt

Internationale Harmonisierung mit der ökonomischen Schwerkraft
Viele Freihandelsprobleme wären gelöst, wenn Umweltvorschriften weltweit Gültigkeit hätten und auch durchgesetzt würden. Eine internationale Harmonisierung der Vorschriften wird daher angestrebt. Diese Bemühung krankte bislang jedoch daran, daß Umweltschutz als Kostenfaktor in Erscheinung getreten ist. So mochte niemand so recht vorangehen. Die weitgehende Durchsetzung des Freihandels hat, wie wir festgestellt haben, sogar zu einem Rückschritt der nationalen Umweltpolitiken in den hochindustrialisierten Ländern geführt.

Offensichtlich ändert sich das Bild grundlegend, wenn es gelingt, die nachhaltige Entwicklung und den Umweltschutz zu einem Wettbewerbs*vorteil* zu machen. Für die internationale »Harmonisierung« (das heißt Verbreitung und technische Standardisierung) der Mikroelektronik waren ja schließlich auch keine tränenreichen Harmonisierungskonferenzen nötig, sondern die Mikroelektronik breitete sich von allein über den ganzen Globus aus. Sie bewegte sich mit der ökonomischen Schwerkraft vorwärts, nicht dagegen.

Wir gehen, wie im ersten und zweiten Teil dieses Buches erläutert, davon aus, daß sich die Effizienzrevolution für jedes Land volkswirtschaftlich lohnt (daß allerdings vielfach noch dafür gesorgt werden muß, daß sie sich auch betriebswirtschaftlich auszahlt). Unter den voraussehbaren Bedingungen schwindender Ressourcen und sich verschärfender Umweltprobleme sollte die Effizienzrevolution uns keine geringeren Vorteile verschaffen als die Mikroelektronik. Die »Trendsetter« werden außerdem Prämien für ihre Pionierleistungen gewinnen. Und die Nachzügler begeben sich in Gefahr, wenn sie den Zug verpassen.

Freihandelsverträglichkeit staatlicher Effizienzpolitik
Als nächstes ist zu klären, ob die staatlichen oder auch EU-weiten Maßnahmen zur Beschleunigung der Effizienzrevolution auch vor dem GATT beziehungsweise der WTO Bestand haben. Die Maßnahmen müßten erstens mit dem Geist des Freihandels und zweitens mit dem Buchstaben der heute gültigen Freihandelsregeln verträglich sein.

Es stellen sich folgende Fragen: Wie würde GATT/WTO reagieren,

- wenn ein Land äußerst ehrgeizige Effizienzstandards für Autos oder andere handelbare Güter erließe?
- wenn ein Land die ökologische Steuerreform einführte und zur Vermeidung von Nachteilen für seine energieintensiven Branchen ein *border tax adjustment,* einen Zoll auf Energie, vielleicht auch auf »graue Energie« erheben würde?
- wenn ein Land Einfuhrbeschränkungen für Tomaten oder Rindfleisch aus einer sehr energieintensiven Produktion festsetzte?
- wenn ein Land nachweist, daß seine traditionelle Landwirtschaft sehr energieeffizient ist, und wenn es damit ein Einfuhrverbot von *High-Tech*-Saatgut begründet, welches nur mit einer energieintensiven Bewirtschaftung genutzt werden kann?
- wenn Primärrohstoffe besteuert würden, um den durch Wiederverwertung gewonnenen Sekundärrohstoffen landesintern einen Wettbewerbsvorteil zu verschaffen?

Theoretisch läßt der GATT-Artikel XXg vieles zu. Aber wenn eine Maßnahme nicht auf die Schonung der *nationalen* Ressourcen abzielt, sondern auf die Schonung der *globalen* Ressourcen oder des Klimas, dann verläßt man den historischen Begründungszusammenhang dieses Artikels. Daher ist es formalrechtlich vielleicht unumgänglich, eine entsprechende Erweiterung von Artikel XXg zum Schutz der »global commons« zu beschließen.

Ferner könnten die WTO-Verfahrensregeln zugunsten der Umwelt verändert werden. Daß die Entscheidungs-Panels ausschließlich aus Freihandelsexperten bestehen und hinter verschlossenen Türen beraten, empört die Umweltschützer seit langem. Warum tagt man nicht öffentlich und läßt Umweltanwälte oder Panel-Mitglieder zu? Auch sollte Artikel XXb Maßnahmen gegen umweltschädliche Produktionsverfahren, nicht nur Produkte, zulassen. So etwas ist übrigens beim Montrealer Protokoll zum Schutz der Ozonschicht gegen FCKW-Gebrauch in der Warenproduktion bereits vorgesehen, und man muß bangen, ob dies im Konfliktfall vor der WTO Bestand hat. Wie Edith Brown Weiss (1992) richtig schreibt, muß ein *gemeinsamer* Rahmen geschaffen werden, welcher internationale Umweltprinzipien und Freihandel gleichermaßen bindet.

Subventionsabbau im Transportbereich

Das Prinzip von den ökologisch ehrlichen Preisen, das in Kapitel 7 aufgestellt wurde, sollte kompromißlos auf den gesamten Transportsektor angewendet werden. Heutzutage subventionieren die meisten Länder den Transportsektor massiv, direkt oder indirekt. Dies war in einer Welt mit geringer Mobilität vielleicht angemessen und mag auch noch eine vertretbare Entwicklungshilfepolitik für die am wenigsten entwickelten Länder sein. Generell sind solche Subventionen jedoch nicht mehr zeitgemäß.

Es kann nicht vernünftig sein, wenn die gleichen Staaten, die sich über einen brutal verschärften Wettbewerb beklagen, gleichzeitig Steuermilliarden dafür ausgeben, daß der internationale Warentransport noch billiger wird. Der Staat sollte den Verkehrsteilnehmern die gesamten Kosten für Neubau und Erhalt von Straßen, Flugplätzen und Häfen sowie einen hohen Anteil der geschätzten Umweltkosten anlasten (Knoflacher, 1995). Auch Exportsubventionen sollten radikal abgebaut werden.

Wie groß die Verkehrssubventionen insgesamt sind, ist schwer abzuschätzen, und die Abgrenzung ist schwierig. Aber bei Einbeziehung der Externkosten kommt man leicht auf Hunderte von Milliarden Mark, mit denen Länder wie Deutschland oder die USA den Verkehr stillschweigend subventionieren (Welfens u.a., 1995; MacKenzie u.a., 1994). Die Auto-Treibstoffsteuern und die Fahrzeugsteuern machen das bei weitem nicht wett.

Methoden zur Internalisierung dieser Kosten können aus Straßengebühren, Treibstoffsteuern, insbesondere auch für Flugzeuge und den internationalen Seeverkehr, Start- und Landeabgaben (nicht bloß Gebühren), voller Versicherungspflicht für Luft- und Seetransport und einer generellen ökologischen Steuerreform bestehen. Durch Maßnahmenpakete mit solchen Elementen könnten die Transportpreise pro Tonnenkilometer ganz legitim erheblich angehoben werden. Ohne Bürokratie oder Protektionismus käme es so zu einer »sanften« und die Freiheit nicht beeinträchtigenden Entkopplung der Wettbewerber.

Diese Entzerrung und die sich verstärkende Vorliebe der Verbraucher für regionale Produkte (vgl. Kap. 3, Beispiele 3–4) verbessern die Wettbewerbsfähigkeit lokal hergestellter Waren, die bislang nicht mit überseeischen, durch Transport- und Exportsubventionen verbilligten Produkten konkurrieren können.

Freihandel und Darwinismus

Der Freihandel und die Prinzipien der Marktwirtschaft haben ihre philosophischen Wurzeln bei Adam Smith (1776), dessen bekannteste Aussage lautet: Die Arbeit ist die Quelle des Wohlstandes. Wenn allen Akteuren gestattet wird, motiviert durch ihren Eigennutz, ihre Arbeit optimal zu leisten, dann führt das schließlich zum besten Ergebnis für alle. Denn dann entsteht die größte Menge verteilbaren Wohlstands.

Eine ähnliche Logik hat die achtzig Jahre später von Charles Darwin (1859) publizierte Theorie zur Erklärung der biologischen Evolution. Indem jede Art ums Überleben ringt und dabei ihren Eigennutz verfolgt, kommt es zur Fortentwicklung individueller Fähigkeiten und insgesamt, im Verlauf von Jahrmillionen, zur Entwicklung einer erstaunlichen Artenvielfalt sowie höherer Organismen aus einfachen Lebensformen. Was die breite Öffentlichkeit davon behalten und begriffen hat, ist die Rede vom »Kampf ums Dasein«. Wir kommen noch darauf zurück, daß diese Vereinfachung fahrlässig ist, zumal wenn sie fälschlich als das »Recht des Stärkeren« uminterpretiert wird, den Schwächeren zu vernichten.

In weiten Teilen der praktizierten Ökonomie sind die Ideen von Adam Smith und David Ricardo sowie von Charles Darwin zu einem Bündel zusammengeschnürt worden. Es herrscht ein Grundverständnis davon, daß es letztlich gut für alle sei, wenn sich der Stärkste im Wettbewerb durchsetzt. In der modernen Sprache Joseph Schumpeters (1883-1950): Man muß dem »dynamischen Unternehmer« die Chance zur Durchsetzung seiner Innovation und sogar zur »kreativen Zerstörung« des konkurrierenden Bestehenden geben. Das bringt die wirklichen Innovationsschübe, die allen zugute kommen. Zwar sind die meisten Ökonomen nach dem kriminellen Mißbrauch des (Sozial-)Darwinismus durch die Nazis vorsichtig, explizite Vergleiche zwischen Darwinismus und Wettbewerbswirtschaft zu ziehen, und zur Ehrenrettung Schumpeters ist zu sagen, daß er seine wichtigsten Ideen schon vor der Nazizeit und vor seiner Emigration in die USA entwickelt hat.

Aber es gibt auch andere, wie den bereits zitierten Richard D'Aveni oder auch Jeffrey Sachs, welcher im Zusammenbruch der sowjetischen Wirtschaftsstrukturen primär ein Beispiel der »kreativen Zerstörung« sah.

Die Biologie ist anders

Wir meinen, daß es sich bei der quasi-sozialdarwinistischen Wirtschaftslehre unabhängig von ihrer moralisch-politischen Problematik auch um eine falsche Rezeption der biologischen Aussagen des modernen Darwinismus handelt. Charles Darwin beschrieb schließlich, wie die Vielfalt im Verlauf der Evolution zunimmt. Doch die Primitivform des wirtschaftlichen Wettbewerbs zerstört die Vielfalt eher!

Wie bitte? Haben wir nicht gelernt, daß freie Wirtschaft und Weltmarkt die Vielfalt ständig zunehmen lassen? Sehen wir das nicht tagtäglich in den Supermärkten? Da gibt es Bananen aus Panama, grüne Böhnchen aus Kenia, Uhren aus Hongkong, Seidenkrawatten aus Italien und Schweizer Schokolade aus ghanaischen Kakaobohnen. Auch die Vielfalt von Autos, Computern und Camcordern aus Übersee bereichert unseren Warenkorb.

Das Bild täuscht. Auch wenn an jedem Ort der Welt die Angebotsvielfalt wächst, nimmt die Gesamtzahl der Angebote auf der Welt ab. Wie viele lokale Getränke sind von Coca Cola verdrängt worden? Wie viele Obst- und Gemüsesorten sind infolge der Standardisierung der Sorten von den Märkten verschwunden? Nach einer Studie des Rural Advancement Fund International (zitiert in Mooney u. Fowler, 1991, S. 82) sind von 1903 bis 1983 insgesamt 97% der damals bekannten Gemüsesorten nicht mehr im Angebot und vermutlich verlorengegangen. Von den fünfunddreißig Rhabarbersorten, die 1903 zur Auswahl standen, ist nur eine übriggeblieben, die im National Seed Storage Laboratory (NSSL) aufbewahrt wird (in der Tabelle der deutschen Fassung des Mooney-Buches ist Rhabarber nicht enthalten). Den Äpfeln ist es nicht viel besser ergangen: von den 7098 im 19. Jahrhundert gehandelten Sorten sind »nur« 6121, also 86%, verlorengegangen.

Es sind weniger die Farbenpracht und die Größe, die verschwinden – im Gegenteil, das heutige Sortiment zeigt äußerlich prachtvolles Obst und Gemüse –, was verschwindet, sind Vitamingehalt, geschmackliche Unterschiede, Verteilung über die Anbauzeiten und die Widerstandsfähigkeit der Pflanzen gegenüber Schädlingen. Von den Anbauzeiten ist der Markt ja heute dank Überseetransporten und Kühlhäusern unabhängig, und den Schädlingsschutz besorgt großenteils die Chemie, deren Reste wir oft mit dem Obst verzehren.

Vermarktungsgründe (und nicht etwa, wie die Lehrbuchökonomie so gerne behauptet, Konsumentenwünsche) sprechen für eine Reduzierung der Sorten. Millionen identischer Produkte müssen die Kosten der Ver-

61. *Ein Darwinfink auf Galapagos stochert mit einem Kaktusstachel in einer Baumrinde herum, um Insekten aufzuspüren (Foto: Oxford Scientific Films).*

marktung wieder hereinbringen. Und die industrielle Weiterverarbeitung lohnt sich nicht für seltene Sorten, die in geringer Stückzahl auf den Markt kommen. In darwinistischer Sprache ausgedrückt, sind nur wenige Sorten von Gurken, Rhabarber oder Erbsen überlebenstüchtig, denn die Selektionsbedingung ist die Vermarktbarkeit.

Ist das nicht merkwürdig? War nicht die Auslese der Überlebenstüchtigen Darwins Erklärung für die Zunahme der Vielfalt? In der Tat betonte Charles Darwin das ständige Zusammenspiel zwischen Variation und Selektion. Er zeigte mit vielen empirischen Beispielen, daß dieses Zusammenspiel zu einer fortschreitenden Spezialisierung, zur Vielfalt und zur optimierten (und zudem naturverträglichen) Nutzung der knappen Ressourcen führt.

Einen eindrucksvollen Beweis für seine Theorie fand Darwin auf den Galapagosinseln. Die Finken, die er beschrieb, unterschieden sich fundamental von allen anderen Finkenarten auf der Welt. Weil es keine Spechte auf den Inseln gab, lernten einige Finken, Insekten mit Hilfe von Kaktusstacheln aus der Borke herauszuholen (Abb. 61). Weil es keine Papageien auf den Inseln gab, entwickelten andere Finken sehr starke Schnäbel. Und weil es keine Vampire gab, lernten wieder andere Finken, Blut aus Warmblütern zu saugen – keine finkentypischen Fertigkeiten, jedoch sehr kreative und vielfaltsfördernde Verhaltensweisen.

Die moderne ökonomische Theorie mag keine insularen Bedingungen. Es gilt als höchste Tugend des ökonomischen Fortschritts, sämtliche geographischen und funktionalen Barrieren zu überwinden. Der »Abbau von Hemmnissen« ist ein Leitmotiv und Lieblingswort der Wirtschaftspolitik. Vielfalt an sich ist für die Ökonomie nicht interessant. Lediglich in der Kartellgesetzgebung versucht man, die für den Wettbewerb notwendige Vielfalt zu sichern. Sobald aber global tätige Wettbewerber auf den Plan treten, ist diesem Verlangen schon Genüge getan, und die Zahl der heimischen Anbieter kann auf eins oder null absinken, ohne daß es die Kartellbehörden stören würde.

Den Konflikt zwischen Ökonomie und Vielfalt erlauben wir uns abschließend in einer bizarren Spekulation zu karikieren: Würde Charles Darwin als moderner Ökonom auferstehen und auf den Galapagosinseln stranden, würde er bald verlangen, eine Landbrücke nach Ecuador zu bauen (möglichst mit Steuermitteln), um die Ausbreitungs-»Hemmnisse« für Spechte zu beseitigen. Dann könnten diese endlich die unterentwickelte Insel erobern und die ineffizienten, unbeholfen mit ihren Hölzchen fummelnden Finken ablösen. Der Ökonom Darwin würde erklären, das sei gut für alle und für die ökonomische Evolution.

14. Kapitel:

Nicht-materieller Wohlstand

Die Unersättlichkeit ist stärker als die Effizienzrevolution

Wir haben in unserem Buch zahlreiche Beispiele dafür angeführt, daß die Gütermenge ein schlechter Indikator für das Wohlergehen ist. In Kapitel 12 haben wir in Erinnerung gerufen, daß Wohlstandsgrad und Umsatzhöhe nicht zusammenhängen (vgl. Abb. 58), und in Kapitel 11 hatten wir darauf hingewiesen, daß der bloße Effizienzgewinn nichts anderes ist als wertvoller Zeitgewinn. Die gewonnene Zeit muß dringend für die Entwicklung wirklich dauerhafter zivilisatorischer Lösungen genutzt werden. Diesen Imperativ drückt unserem Verständnis nach das 4. Kapitel der *Agenda 21* von Rio de Janeiro aus, das die Entwicklung nachhaltiger Lebensstile fordert. Damit sind wir bei den nicht-materiellen Aspekten des Wohlstands, die es wiederzuentdecken gilt.

Rasche Fortschritte in dieser Richtung sind aber nicht zu erwarten in einer Welt, in der sowohl die materielle Grundlage des Lebens als auch das soziale Ansehen untrennbar mit dem Arbeitsplatz verknüpft sind und in der man sich mit Geld praktisch alles kaufen kann. Wir müssen versuchen, die materielle Grundlage des Lebens in gewissem Umfang von der beruflichen Tätigkeit abzukoppeln. Und es wird darum gehen, eine gleichwertige Befriedigung und ein ähnliches soziales Ansehen wie im beruflichen Bereich für Arbeiten im häuslichen und nachbarschaftlichen Umfeld zu schaffen oder wiederzuentdecken. Wiederentdeckt werden muß der von der Ökonomie verschüttete Eigenwert sinnvoller geleisteter Arbeit im nachbarschaftlichen, häuslichen oder sozialen Zusammenhang.

Gleichzeitig müssen wir die Mechanismen erkennen und womöglich ausheben, die immer wieder die Befriedigung selbst immaterieller Wünsche in geld-, material- und transportintensive Geschäfte verwandeln.

Die Neigung, Wünsche stets umgehend zu kommerzialisieren

Der Mechanismus, durch den selbst immaterielle Wünsche immer wieder als Anlaß für neue materielle Umsätze herhalten müssen, hat mit den Wahrnehmungseigenheiten der heutigen Ökonomie zu tun. Hiernach wird die Befriedigung von Bedürfnissen gar nicht wahrgenommen, wenn sie nicht zu wirtschaftlichem Umsatz führt. Und als aktiv und gesellschaftlich besonders wertvoll werden Menschen angesehen, die ihren Lebensunterhalt damit verdienen, die Bedürfnisse anderer Leute zu befriedigen. Die von dieser Ökonomie geleitete Politik hat demnach geradezu ein Interesse daran, jedwede Unzufriedenheit als Mangel an Gütern oder Dienstleistungen zu *interpretieren*.

Seit der Erfindung von moderner Werbung und Marketing werden Bedürfnisse sogar aktiv »geweckt« – als ob sie immer schon dagewesen wären, aber »geschlafen« hätten – oder auch erst geschaffen. Tausende akademisch ausgebildeter Psychologen verdienen ihren Lebensunterhalt damit, in der Werbebranche oder den Marketingabteilungen von Unternehmen solche Bedürfnisse zu identifizieren, zu »wecken« oder erst herstellen zu helfen. Wirtschaftlicher »Erfolg«, gemessen als Betriebsergebnis oder als BSP-Wachstum, hängt in nicht unwesentlichem Maße von der Arbeit dieser Psychologen ab. Also dürfen wir nicht überrascht sein, daß in unserer Gesellschaft jegliche Unzufriedenheit rasch in ein »Bedürfnis« nach Waren verwandelt und als »Bedürfnis« bald zur Zielscheibe der Kundenwerbung wird.

Gewiß kann man davon ausgehen, daß Zufriedenheit und Glück viel mit der Abwesenheit von ungesättigten Bedürfnissen zu tun haben, aber es ist doch eine groteske Vereinfachung, anzunehmen, die Sättigung von Bedürfnissen sei durch das Kaufen von Sachen oder Dienstleistungen zu erreichen. In vielen Fällen ist es doch eher eine innere Befriedigung, eine Anerkennung durch persönlich bekannte Menschen oder eine erwachte Zukunftshoffnung, an deren Verwirklichung zu arbeiten sich lohnt, und das Erleben von Freundschaft, Liebe, Gerechtigkeit, Erkenntnis, was echte Befriedigung bringt. Alle Religionen und Kulturen wissen das. Treffend hat Mary Clark (1989, S.343) den Grundirrtum der modernen Ökonomie damit beschrieben, daß die Ökonomie zwar Äpfel mit Birnen oder mit Herzschrittmachern auf einen Nenner (nämlich den Dollar-Nenner) bringen könne, aber nicht mit Mutterliebe. Wenn wir uns auf die Suche nach einer Zivilisation und nach den Werten der nachhaltigen Entwicklung machen, dann müssen wir zuallererst dieses durch die Dominanz des ökonomischen Paradigmas verschüttete Wissen wiederentdecken.

Ein Hinweis auf immaterielle Werte (mit sehr positiver materieller Auswirkung) findet sich in dem von Ruth Benedict eingeführten Begriff »Synergie« (1934, S. 21). In einer hochsynergetischen Gesellschaft deckt sich das Wohl der einzelnen weitgehend mit dem Gesamtwohl, weil entsprechende soziale Institutionen dies ermöglichen. Anderen zu helfen wird nicht etwa als Opfer aufgefaßt, sondern als persönliche Bereicherung. Unübersehbar steht diese Auffassung im Widerspruch zur Lehre der modernen Ökonomie, die den Menschen für unabänderlich egoistisch hält und ihn geradezu ermutigt, diesen Egoismus auszuleben. Die *Unsichtbare Hand* sorge dann am Ende schon für das Gemeinwohl.

Egoismus hat Konjunktur

In unserer heutigen, von der Ökonomie dominierten und von der Anthropologie eines Thomas Hobbes beeinflußten Welt hat der Egoismus Konjunktur. Wer sich als Realist zu erkennen geben will, betont immerfort seine Lebenserfahrung mit dem Egoismus anderer. Dabei ist der berühmte Satz von Hobbes, nach dem der Mensch dem Menschen ein Wolf sei, anthropologisch fragwürdig und zoologisch falsch (Wölfe haben eine fast unüberwindliche Beißhemmung gegenüber schwächeren Wölfen).

Doch die vom ökonomischen Paradigma besessene Öffentlichkeit folgt willfährig einem Richard Dawkins (1978), der den Egoismus sogar für die Gene als das überragende Gestaltungs- und Funktionsprinzip postuliert. Die genannte Beißhemmung bei Wölfen oder die Tatsache, daß Delphine Kranke pflegen oder daß der gelungenste Parasitismus die Symbiose zwischen Wirt und Gast ist, läßt sich nur auf Umwegen, die die Öffentlichkeit nicht begreift, mit Dawkins' Sprechweise vom »egoistischen Gen« in Einklang bringen.

In Wirklichkeit ist der Egoismus überhaupt kein unabänderlicher, von den Genen diktierter Wesenszug des Menschen. Außer den von Mary Clark zusammengestellten anthropologisch-historischen Erfahrungen über synergetische Gesellschaften hat eine reichhaltige psychologische Kooperationsforschung festgestellt, daß eine von gegenseitiger Achtung geprägte Zusammenarbeit wesentlich motivierender und befriedigender ist, als Wettbewerb es sein kann. Insbesondere das Interesse an kreativen Tätigkeiten und am Lösen von kniffligen Fragen wird durch Wettbewerbssituationen gedämpft, nicht gefördert (Kohn, 1986, 1993).

Wie der Ökonom Gerhard Scherhorn (1994), dem wir diesen Hinweis verdanken, deutlich macht, ist die problematische, typisch abendländische Anthropologie zugleich die Basis des ökonomischen »*Theorems der Unersättlichkeit*«. Gemeint ist damit die in der abendländischen Zivilisation entstandene Dominanz relativ oberflächlicher, aber vergleichsweise rasch zu befriedigender materieller Bedürfnisse über die Ausreifung und Befriedigung immaterieller Bedürfnisse. Dieses aus ökologischer Sicht heillose Konkurrenzverhältnis zwischen der Befriedigung materieller und immaterieller Bedürfnisse beschreibt Scherhorn so:

> Da die immateriellen Befriedigungen aus Aktivitäten resultieren und Aktivitäten heute in der Regel mit materiellen Gütern ausgestattet sind, haben die materiellen Befriedigungen eine Tendenz, die immateriellen zu ergänzen, zu erweitern und eben auch zu überlagern und zu verdrängen... Die immateriellen Befriedigungen haben es schwer, sich gegen die materiellen Befriedigungen durchzusetzen – nicht weil die immateriellen als weniger wichtig empfunden würden, sondern *weil die materiellen schneller und leichter zu haben sind.*

Solange unsere Zivilisation diesen Mechanismus der Unterdrückung immaterieller Befriedigung durch materielles Wachstum weder durchschaut noch überwindet, haben wir keine Chance, das Wettrennen zwischen Effizienzzuwächsen und der Revolution der steigenden Erwartungen und der hemmungslosen Wachstumsspirale zu gewinnen.

Der informelle Sektor

Wir haben oben festgestellt, daß die materielle Grundlage des Lebens sowie das soziale Ansehen praktisch untrennbar mit dem Arbeitsplatz verknüpft sind. Und wir haben diesen Zustand als einen der wichtigsten Mechanismen dafür ausgemacht, daß sich die Politik in Entscheidungssituationen immer wieder für Arbeitsplätze, besonders Industriearbeitsplätze, entscheidet.

Wir wenden uns jetzt der Frage zu, ob unsere Gesellschaft dieser Dynamik nicht entkommen kann. Zunächst behaupten wir, daß Wohlstand und Wohlergehen gar nicht zwingend an die Erwerbsarbeit gebunden sind. Die heutigen Vorteile der Erwerbsarbeit, besonders der Sozialversicherungsstatus und die gesellschaftliche Anerkennung, könnten in sinnvollen

Schritten zumindest teilweise von der Erwerbsarbeit abgekoppelt werden. Wegen der heute überwiegend als soziale Entwertung empfundenen Arbeitslosigkeit kommen die meisten Menschen überhaupt nicht auf die Idee, die außerhalb der Erwerbsarbeit liegenden Chancen zu entdecken.

Das Erwerbsarbeitsvolumen hat wegen steigender Arbeitsproduktivität laufend abgenommen. Dieser Trend setzt sich offensichtlich fort. Er kann, hauptsächlich aus ökologischen Gründen, gar nicht durch gleich große Ausweitung des Konsums kompensiert werden. Andererseits nimmt auch die Notwendigkeit, den Lebensunterhalt durch einen festen Job zu verdienen, ab. Immer mehr Menschen werden dank Nebenerwerbseinkünften, Solidarität unter Freunden und Familienbeziehungen unabhängiger von der geregelten Erwerbsarbeit. Die Arbeitslosenunterstützung ist in manchen Gesellschaften so beträchtlich, daß die Arbeitslosigkeit nicht mehr mit Armut gleichzusetzen ist. Und eine gar nicht mehr so kleine Minderheit von Vermögenserben ist zumindest nicht mehr auf ein kostendeckendes Dauereinkommen angewiesen.

In dem Maße, wie breitere Personenkreise unabhängiger werden, erlaubt man sich einzugestehen, daß viele Erwerbsarbeiten heutiger Prägung an sich gar keine Freude bereiten. Nur noch wenige Menschen erleben die Befriedigung, die viele traditionelle Bauern und Handwerker empfanden: die Freude am sichtbaren und in doppeltem Sinne des Wortes begreifbaren Produkt. Was ist das »Produkt« einer Kassiererin im Supermarkt, eines Maschinenüberwachers in einer Dosenfabrik, eines Metzgers in einer Großschlachterei? Trotz aller Bekundungen, daß Arbeitsplätze höchste Priorität genießen – viele Menschen würden, wenn sie nur die Wahl hätten, wechselnde Menüs von Teilzeitjobs vorziehen. Und viele entdecken die Freuden des *informellen Sektors*.

Die guten Seiten des informellen Sektors

Ist es nicht zynisch, von den Freuden des informellen Sektors zu sprechen, wo doch die ganze Wirtschaftsentwicklung der Moderne von der Absicht geprägt war, den informellen Sektor zu überwinden, der als Symbol der Rückständigkeit galt und in den ärmlichen und langweiligen Dorfgemeinschaften deprimierend dominant war. Der Siegeszug der Industrie war von wachsender Arbeitsteilung gekennzeichnet, von Professionalisierung, enormen Zuwächsen bei der Arbeitsproduktivität, steigendem Transportbedarf und der wachsenden Bedeutung von Geld sowohl als Maß für den Tauschwert von Waren wie auch für die Beurteilung des Erfolgs einer Person. Der gleiche Siegeszug war von einer zunehmenden Aushöhlung des informellen Sektors, der *Subsistenz*, gekennzeichnet.

Bei der Glorifizierung dieses Siegeszuges werden zwei Fakten häufig übersehen:

- Die »formelle« Wirtschaft selbst wäre heute vollkommen hilflos, wenn es nicht den informellen Sektor gäbe, der lauter unverzichtbare Aktivitäten umfaßt: Schlafen, Essen, Lieben und Kinder kriegen und aufwachsen, Gemeinschaft leben. Die ökonomische Theorie hat eine schockierende Tendenz, diesen Umstand zu verdrängen (Weizsäcker, 1994, S.250).
- In der Mehrzahl der Entwicklungsländer spielt sich noch heute der weit überwiegende Teil der Arbeiten im informellen Sektor ab. In Peru, einem nicht atypischen Land, sind weniger als 10% der Arbeitsfähigen in »formellen« Jobs beschäftigt. Und diese tragen in nicht unerheblichem Maße dazu bei, die Verarmung der Massen zu verschärfen, statt zu lindern.

Eine lineare Fortsetzung der Professionalisierung und Monetarisierung scheint weder möglich noch wünschenswert. Es ist an der Zeit, darüber nachzudenken, was durch die Unterhöhlung des informellen Sektors alles verlorengegangen ist. Vielerorts wird gar nicht mehr lange überlegt, sondern gehandelt. Es entstehen neue, bargeldlose Lokalwirtschaften, englisch LETS (local exchange trading systems). Auch das Projekt eines »zukunftsfähigen Deutschland« (BUND, 1996; Loske 1995) enthält eine starke Komponente einer »Renaissance der Orte«, und dies ist nur teilweise über die formelle Ökonomie zu realisieren, größtenteils über die Wiederentdeckung der ökonomisch nicht meßbaren Leistungen.

Für den Club of Rome bereitet Orio Giarini (1994) in diesem Sinne ein Projekt über die Zukunft der Arbeit vor, bei welchem der produktive Wert sämtlicher Aktivitäten, die zum Gesamtwohlstand beitragen, gleichermaßen berücksichtigt werden sollte, auch wenn sie heute gar nicht oder nur teilweise in den Bereich der nationalen Einkommensstatistiken fallen. Dies bedeutet eine Aufwertung der LETS und der unbezahlten oder im nachbarschaftlichen Tauschgeschäft vergüteten Arbeiten, die traditionell zum informellen Sektor zählen.

Ein wichtiger Aspekt des informellen Sektors bestand schon immer darin, Kindern ein sicheres Zuhause zu bieten, in welchem die unverwechselbaren (nicht auf Marktpreise abbildbaren) Personen und die von ihnen getragene Gemeinschaft ernst genommen werden. Das ist keineswegs ein dümmliches Mittelklassenidyll. Und das Zuhause beschränkt sich nicht auf die Kleinfamilie, sondern umfaßt auch die Nachbarschaft, die Grundschule, den Bäcker oder Gemischtwarenladen an der Ecke, die Kirchgemeinde oder den Kanuclub, alles Treffpunkte, die nur indirekt mit der Erwerbsarbeit zusammenhängen.

Die Segnungen dieser informellen Zusammenhänge bleiben oft bis weit über die Jugendzeit erhalten. In Entwicklungsländern gibt es einen regelrechten Kampf um den Erhalt eines über die Familie hinausreichenden sozialen Netzes (z.B. Esteva, 1992). Aus der Zerstörung des informellen Sektors im Norden wie im Süden resultieren häufig menschliche Einsamkeit, Rastlosigkeit, Egoismus als Lebensinhalt, Drogenabhängigkeit, zynische Unmenschlichkeit (manchmal auch in Nadelstreifen), Vandalismus und Kriminalität.

Wenn Menschen die Wahl haben, das »informelle Zuhause« zu behalten und gleichzeitig in ausreichendem Umfang an der Geldwirtschaft teilzunehmen, werden sie sich vermutlich mit großer Genugtuung dafür entscheiden. Sie finden es vielleicht einfach befriedigender, auf (technisch gesehen) ineffiziente Weise Erdbeerjoghurt bei sich zu Hause oder mit den Nachbarn herzustellen (Kap. 3, Beispiel 3), ihre Häuser zu isolieren (Kap. 1, Beispiel 4), Möbel zu restaurieren und zu erhalten (Kap. 2, Beispiel 1) oder die vielen anderen Dinge zu tun, die mit der Faktor-4-Revolution einhergehen. Sie werden sich dabei keineswegs für rückständig halten. Und ihre Kinder hätten dann ein Zuhause, in dem sie fürs Leben lernen könnten.

Anerkennung der informellen Arbeit
Es gibt viele gute gesamtgesellschaftliche Gründe für eine Förderung des informellen Sektors. Die Abwehr von Vandalismus gehört ebenso dazu wie die Belohnung für das Aufziehen von Kindern, die später die Last der Rentenfinanzierung tragen können. Das auf die Rente anrechenbare Babyjahr sowie das »Trümmerfrauenurteil« des Bundesverfassungsgerichts vom 8. Juli 1992 weisen darauf hin, daß sich auch in der heutigen Politik und Rechtsprechung eine Anerkennung von Leistungen der informellen Arbeit abzeichnet.

Dem informellen Sektor könnte die ökologische Steuerreform zu Hilfe kommen (Kap. 7): Wenn die Sozialversicherung oder die Renten zunehmend aus Energie- und anderen Umweltsteuern finanziert werden, dann wird es legitim, die Zahlungen aus diesen Sozialkassen auch Personen zugute kommen zu lassen, die zwar nicht voll erwerbstätig waren, die aber direkt oder indirekt Energiesteuern entrichtet haben. Wenn auf diese Weise der Anreiz zu voller Berufstätigkeit abnimmt, wagen es noch mehr Menschen, ihren inhaltlichen Prioritäten für die Arbeit zu folgen, auch wenn diese im informellen Bereich liegen. Wenn im Idealfall gar keine Abgaben auf Erwerbsarbeit (jedenfalls auf direkte Dienstleistungen) mehr gezahlt werden müssen, fällt sogar der definitorische Unterschied zwischen legaler Arbeit und Schwarzarbeit weg. Dann sucht man sich nachbarschaftliche Arbeiten – ohne Angst vor dem Finanzamt – nach Attraktivität und Bezahlung aus. Man hat dann einen fließenden Übergang zwischen Erwerbsarbeit und Schwarzarbeit. Dies ist auch die ideale Voraussetzung der Entwicklung von *Eigenarbeit* im Sinne von Christine von Weizsäcker, (Chr. u. E. v. Weizsäcker, 1978) worunter unbezahlte *oder* bezahlte, aber selbstbestimmte und weitgehend selbstbewertete und ausdrücklich nicht dem Egoismus unterstellte Arbeit verstanden wird.

Darunter leidet natürlich das Bruttosozialprodukt (vgl. Kap. 12), doch der wichtigste Grund der Politiker, am Umsatz (statt am Wohlergehen) festzuhalten, nämlich das Beschäftigungsproblem, ist damit weitestgehend entschärft. Denn Befriedigung und soziale Anerkennung sind in dem Maße, wie dies mittelfristig sinnvoll ist, von der beruflichen Tätigkeit abgekoppelt. Und auch das zweite in Kapitel 12 genannte Motiv zur Umsatzsteigerung, die Sicherung der Staatseinkünfte, ist entschärft, wenn dieselben nicht mehr so sehr an Abgaben auf den Faktor Arbeit hängen.

Der ökonomische Fundamentalismus: ein schlechter Ersatz für Moral, Religion und Kultur

Wir haben mehrfach für die Wiederherstellung von fairen Wettbewerbsbedingungen plädiert, damit die guten Seiten der Ökonomie und des Marktes zur Geltung kommen. Dies ist etwas ganz anderes als die Verabsolutierung der ökonomischen Kreisläufe unter Ausblendung der Eingangsressourcen und der Reststoffe. Die Idee vom unendlichen Kreislauf des Wirtschaftsgeschehens hat ihren Ursprung wohl bei dem Arzt François Quesnay (1694–1774), der die Wirtschaft mit dem Blutkreislauf verglich. Aber es ist natürlich ein Mißverständnis, dem Quesnay und die anderen »Physiokraten« nicht erlagen, den Kreislauf von der Ressourcenbasis und deren Endlichkeit zu abstrahieren. Die primitive, aber die heutige Weltwirtschaftspolitik dominierende Ökonomie erliegt genau diesem Trugschluß. Die Erde wird als wertloser Materieklumpen betrachtet und behandelt, Lebewesen als Dinge, die Natur als Störfaktor, Milliarden von Jahren der Evolution werden ignoriert, das Abholzen von Wäldern, das Überfischen oder der Erzbergbau dagegen erfahren als »einträgliche« Tätigkeiten eine positive Bewertung, und die ferne Zukunft gilt im Sinne der Diskontierungsmathematik als wertlos.

Es gibt viele Spielarten dieses die Ökologie mit ihren langfristigen Abläufen verachtenden ökonomischen Fundamentalismus, welcher alles den Marktgesetzen unterwirft. Eine besonders unsinnige ist die Diskontierung des Wertes von Naturgütern: Es ist zwar richtig, davon auszugehen, daß Geld mit der Zeit an Wert verliert, wenn es nicht zinsbringend angelegt, sondern in den Sparstrumpf gesteckt wird, doch es ist völlig falsch, anzunehmen, ein Wald oder eine Erzader würden mit der Zeit und fortschreitender Nutzung an Wert verlieren. Aus dieser Annahme resultiert dann oft der ernstgemeinte Ökonomenratschlag, erschöpfliche Ressourcen mit der »wirtschaftlich optimalen« Geschwindigkeit abzubauen. Und wenn die Ressource verbraucht ist, dann sind mit dem daran verdienten Geld inzwischen andere Ressourcen erschlossen und Techniken entwickelt worden, durch welche die verbrauchte Ressource überflüssig wird. Diesem Handeln liegt eine weitverbreitete Theorie zugrunde, die das natürliche und das ökonomische Kapital fälschlicherweise nicht unterscheidet.

Unzulässig ist auch die in der ökonomisierten Politik häufig auftauchende Gleichbehandlung von tatsächlichen Käufen und bloßen Kaufangeboten. Ein Gedankenexperiment mag den Unterschied illustrieren: Das Planungsamt will eine Autobahn direkt an Ihrer Wohnung vorbeiführen lassen und bietet Ihnen eine Ausgleichszahlung an. Wenn Sie diese mit der Begründung ablehnen, Ihre Nachtruhe und Ihre Lebensqualität seien unverkäuflich, müßte die Sache nach unserem Rechtsempfinden sofort beendet sein. Bei der Suche nach einer objektiv erscheinenden Kosten-Nutzen-Rechnung für politische Entscheidungen wird aber nun die Frage gerne umgedreht, und das Planungsamt fragt: »Wieviel wären Sie bereit zu zahlen, damit Sie Ihre Nachtruhe *nicht* verlieren?« Die Antwort auf diese Frage hängt natürlich vom persönlichen Reichtum des Betroffenen ab und nicht nur von der Zahlungsbereitschaft, und wenn sich solche Ansinnen häufen, werden selbst große Vermögen bald erschöpft sein. Das Umkehren der Frage ist also sowohl ökonomisch unkorrekt als auch unmoralisch, wird aber häufig praktiziert.

Im Prinzip kann solcher Mißbrauch, der mit fehlverstandener ökonomischer Theorie getrieben wird, korrigiert werden. Man darf eben Märkte nicht für das verwenden, was sie überhaupt nicht können. Und doch muß jeder Umweltschützer, Ethiker oder Sozialpolitiker neidlos anerkennen, daß Märkte einiges unschlagbar gut können, insbesondere knappe Ressourcen über einen begrenzten Zeitraum optimal verteilen. Märkte können *nicht*:

- die Tragfähigkeit der Erde bestimmen (Herman Daly hat einmal gesagt, daß auch ein optimal beladenes Boot sinkt, wenn es insgesamt zuviel Gewicht trägt);
- anzeigen, ob sich der vom Kunden geäußerte Bedarf aus Grundbedürfnissen oder luxuriösen Wünschen zusammensetzt (oft werden auf dem moralisch blinden Markt die ersteren den letzteren geopfert, weil die Anbieter bei Luxusgeschäften leichter an ihr Geld kommen);
- sagen, wo die Bedürfnisbefriedigung aufhört und die genannte Unersättlichkeit beginnt.

Märkte lassen uns alle sieben Todsünden feiern – außer der Faulheit, denn die ist schlecht für den Umsatz.

Die Ökonomie sagt nichts über Ziele des menschlichen Daseins jenseits von Bedürfnisbefriedigung, Gier und Neid. Wenn sich die Ökonomie mit einer eher instrumentellen Rolle in einer selbstbewußten und der äußeren Grenzen bewußten Zivilisation bescheiden würde, statt die Menschen zu bevormunden und zur Raffgier und Unersättlichkeit zu erziehen, dann würde sie ohne weiteres wieder in eine Harmonie mit der Natur kommen. Doch mit der Forderung nach Schranken für die Ökonomie lösen wir wieder andere Ängste aus, nämlich die vor einer autoritären, diesmal grün gefärbten staatlichen Besserwisserei, die der Freiheit Fesseln anlegt und im Totalitarismus enden kann.

Dieser Gefahr entgeht man dadurch, daß man die Regeln der Freiheit und der demokratischen Mitbestimmung hochhält. Wir brauchen einen offenen und andauernden Diskurs, in dem der Weg einer freien Ökonomie unter ständiger Beachtung der Wachstumsgrenzen festgelegt wird. Hier trifft sich unsere Kritik an der maßlosen Ökonomie mit der modernen Auffassung eines Coase, welche der Machtausübung durch Monopolisten und der Ausräuberung von Ressourcen den Riegel der Verhandlungslösung vorschieben will. Allerdings können an einer Runde über ökologische Zukunftsstrategien die wichtigsten Partner gar nicht am Verhandlungstisch sitzen: Es sind die künftigen Generationen und die der menschlichen Sprache nicht mächtigen Tier- und Pflanzenarten von heute und morgen.

Literatur

Afheldt, Horst. 1994. Wohlstand für niemand? München: Kunstmann.

Arrhenius, Svante. 1896. On the Influence of Carbonic Acid in the Air upon the Temperature on the Ground. *Philosophical Magazine*, Series 5, 41 (251), S. 237.

Ayres, Robert. 1992. Toxic Heavy Metals: Materials Cycle Optimization. Proceedings Natl. Acad. Sci. USA. 89, 815–820.

Ballard, Charles L. und Stephen G. Medema. The Marginal Efficiency Effects of Taxes and Subsidies in the Presence of Externalities. A Computational General Equilibrium Approach. East Lansing MI: Michigan State Univ., Dept. of Economics.

Bangladesh Centre for Advanced Studies (BCAS). 1994. Vulnerability of Bangladesh to Climate Change and Sea Level Rise. Summary Report. Dhaka, Bangladesh: BCAS.

Barbir, F., T. N. Veziroglu und H. J. Please. 1990. Environmental Damage Due to Fossil Fuel Use. *International Journal of Hydrogen Energy* 15, S. 739–749.

Barney, Gerald (Hrsg.).1980. Global 2000. Frankfurt: Zweitausendeins.

Barnola, J.M., D. Raynaud, Y.S. Krokotkevitch und C. Lorius. 1987. Vostok Ice Core. A 160 000 Year Record of Atmospheric CO_2. Nature 329, 408–414.

Benedick, Richard Eliot. 1991. Ozone Diplomacy. New Directions in Safeguarding the Planet. Cambridge, MA: Harvard University Press.

Benedict, Ruth. 1934. Patterns of Culture. Boston: Houghton Mifflin.

Bleischwitz, Raimund und Helmut Schütz. 1992. Unser trügerischer Wohlstand. Ein Beitrag zur deutschen Ökobilanz. Wuppertal Institut.

Böge, Stefanie. 1993. Erfassung und Bewertung von Transportvorgängen: Die produktbezogene Transportkettenanalyse. In Dieter Läpple (Hrsg.). Güterverkehr, Logistik und Umwelt. Berlin: Edition Sigma.

Brown, Lester u. a. 1995. State of the World 1995. New York: W. W. Norton.

Brown-Weiss, Edith siehe Weiss, Edith B.

Browning, William D. und D.L. Barnett. 1995. A Primer on Sustainable Building. Snowmass. CO. RMI, Publ. D 95–2.

Brundtland-Bericht siehe Hauff, Volker. 1987.

Buitenkamp, Maria, Henk Venner und Theo Wams (Hrsg.). 1992. Action Plan Sustainable Netherlands. Amsterdam: Milieudefensie (holl. Friends of the Earth).

BUND, Misereor und Wuppertal Institut. 1996. Zukunftsfähiges Deutschland. Basel/Berlin: Birkhäuser.

Burns, Tom R., und Reinhard Ueberhorst. 1988. Creative Democracy. Systematic Conflict Resolution and Policymaking in a World of High Science and Technology. New York: Praeger.

Burwitz, Hiltrud, Henning Koch und Thomas Krämer-Badoni. 1992. Leben ohne Auto. Neue Perspektiven für eine menschliche Stadt. Reinbek bei Hamburg: Rowohlt (rororo).

Cairncross, Frances. 1992. Costing the Earth. Boston: Harvard Business School Press/London: The Economist Books.

Carnoules Declaration of the Factor Ten Club (Oct. 1994). (Hauptautor: Friedrich Schmidt-Bleek). Erhältlich über Wuppertal Institut, Doeppersberg 19, 42103 Wuppertal, Germany.

Carson, Rachel. 1962. Der stumme Frühling. München: dtv.

Charles, HRH The Prince of Wales. 1990. Die Zukunft unserer Städte. Eine ganz persönliche Auseinandersetzung mit der modernen Architektur. München: Heyne.

Clark, Don. 1995. AutoDesk to Publish Digital Drawings of Manufacturers' Parts for Engineers. *The Wall Street Journal*, 3. März 1995.

Clark, Mary. 1989. Ariadne's Thread. The Search for New Modes of Thinking. London: Macmillan.

Club of Rome. 1991 (Hrsg. Alexander King). The First Global Revolution. New York: Pantheon.

Commission of the European Communities. 1992. Towards Sustainability. A European Community Programme of Policy and Action in Relation to the Environment and Sustainable Development. Also referred to as the Fifth Environmental Action Programme. Brussels: EC Commission.

Corbett, Michael N. 1981. A Better Place to Live: New Designs for Tomorrow's Communities. Emmaus, PA: Rodale Press.

Corden, W. Max. 1974. Trade Policy and Economic Welfare. Oxford: Clarendon Press.

Costanza, Robert. 1992. Ecological Economics. The Science and Management of Sustainability. New York: Columbia University Press.

Daly, Herman und John B. Cobb. 1989. For the Common Good. Redirecting the Economy Toward Community, The Environment and a Sustainable Future. Boston: Beacon Press.

Daly, Herman. 1991. Steady State Economics. 2. Aufl. Washington, D.C.: Island Press.

D'Aveni, Richard. 1994. Hypercompetition. New York: Free Press.

Dawkins, Richard, 1978. Das egoistische Gen. Heidelberg: Springer.

Dearien, John A., und Martin M. Plum. 1993. The Capital, Energy, and Time Economics of an Automated, On-Demand Transportation System. *28th Intersociety Energy Conversion Engineering Conference, August 8–13, 1993 Atlanta, Georgia.* Erhältlich über Dr. Dearien, c/o Lockheed, PO Box 1625, Idaho Falls, ID 83415-3765, USA.

Deutsch, Christian. 1994. Abschied vom Wegwerfprinzip. Die Wende zur Langlebigkeit in der industriellen Produktion. Stuttgart: Schäffer-Poeschel.

Diederichs, C. J., und Franz Josef Follmann. 1995. Ressourcenschonendes Bauen eröffnet Perspektiven für den Umweltschutz der Zukunft. *Bauwirtschaft* 49, Mai, S. 32–39.

Dieren, Wouter van (Hrsg.). 1995. Mit der Natur rechnen. Der neue Club of Rome-Bericht. Basel/Berlin: Birkhäuser.

Duchin, Faye, und Glenn Marie Lange. 1994. The Future of the Environment. Oxford/New York: Oxford University Press.

Dürr, Hans Peter. 1995. Die Zukunft ist ein unbetretener Pfad. Bedeutung und Gestaltung eines ökologischen Lebensstils. Freiburg: Herder.

Ederer, Günter und Peer. 1995. Das Erbe der Egoisten. München: C. Bertelsmann.

Ekins, Paul, Carl Folke und Robert Costanza. 1994. Trade, Environment and Development. The Issues in Perspective. Ecological Economics 9, 1–12.

Esteva, Gustavo. 1992. Fiesta – jenseits von Entwicklung, Hilfe und Politik. Frankfurt am Main: Brandes & Apsel.

336

Europäische Kommission. 1993. Wachstum, Wettbewerbsfähigkeit und Beschäftigung. Weißbuch. Luxemburg: EG.

Feist, Wolfgang. 1994. Passivhausbericht Nr. 4, Energiekennwerte im Passivhaus Darmstadt. Institut Wohnen und Umwelt.

Flaig, Volker, und Hans Mohr. 1995. Der gestörte Kreislauf. Halle: Leopoldina.

Frank, J. E. 1989. The Costs of Alternative Development Patterns: A Review of the Literature. Washington, D. C.: The Urban Land Institute.

Gabor, Dennis, und Umberto Colombo. 1976. Das Ende der Verschwendung. Zur materiellen Lage der Menschheit. Stuttgart: DVA.

Giarini, Orio. 1994. Some Considerations on the Future of Work. Manuskript für die UNU-WIDER Conference Helsinki, Juni 1994.

Giarini, Orio, und Walter R. Stahel. 1993. The Limits to Certainty. Facing Risks in the New Service Economy. Dordrecht/Boston: Kluwer Academic.

Görres, Anselm, Henner Ehringhaus und Ernst U. von Weizsäcker. 1994. Wege zur ökologischen Steuerreform. München: Olzog.

Goldsmith, Edward, und Nicholas Hildyard. 1985–1989. The Social and Environmental Effects of Large Dams. 3 Bde. Camelford, Cornwall: Ecosystems.

Goldsmith, James. 1995. The Trap. London: Macmillan.

Gore, Al. 1992. Wege zum Gleichgewicht. Ein Marshallplan für die Erde. Frankfurt am Main: S. Fischer.

Greenpeace (Hrsg.). 1995. Der Preis der Energie. Plädoyer für eine ökologische Steuerreform. München: Beck.

Groupe de Lisbonne. 1995. Limites de la compétitivité. Paris: La Découverte.

Hauff, Volker (Hrsg.). 1987. Unsere gemeinsame Zukunft. Der Brundtland-Bericht. Greven: Eggenkamp.

Hawken, Paul. 1994. The Ecology of Commerce. A Declaration of Sustainability. New York: Harper Business.

Hennicke, Peter. 1991. Den Wettbewerb im Energiesektor planen. Least cost planning; ein neues Konzept zur Optimierung von Energiedienstleistungen. Heidelberg: Springer.

Houghton D., und D. Hibberd (1993). Packaged Rooftop Air Conditioners. Tech Update TU-93-1, E-SOURCE (Boulder CO 80302), Januar 1993.

Hourcade, Jean Charles (Convening Author). 1996. Estimating the Costs of Mitigating Greenhouse Gases. In Intergovernmental Panel on Climatic Change (IPCC). 1996.

Howe, W., M. Shepard, A. B. Lovins, B. L. Stickney und D. Houghton, Drivepower Technology Atlas. E-SOURCE (Boulder CO 80302), August 1993.

Illich, Ivan. 1975. Selbstbegrenzung. Eine politische Kritik der Technik. Reinbek bei Hamburg: Rowohlt.

Intergovernmental Panel on Climat Change (IPCC). 1990 (Hrsg. J. T. Houghton, G. T. Jenkins und J. J. Ephraums). The IPCC Scientific Assessment. Cambridge (England): Cambridge University Press.

Intergovernmental Panel on Climat Change (IPCC). 1996. Working Group III. Second Assessment Report. Genf: IPCC.

IPSEP siehe Krause u.a.

IUCN, UNEP und WWF. 1981. Caring for the Earth. A Strategy for Sustainable Living. London: Earthscan.

Jackson, Wes. 1980. New Roots of Agriculture. San Francisco: Friends of the Earth. Vgl. auch Jahresberichte des Land Institute. Salina, KS 67401, USA.

337

Jencks, Charles. 1990. Post-Modernism Between Kitsch and Culture. In Architectural Design, Post-Modernism on Trial. London: Academy Editions/New York: St. Martin's Press. S. 30–31.

Jouzel, J. u. a. 1987. Vostok Ice Core: A Continuous Isotope Temperature Record Over the Last Climatic Cycle (160 000 Years). Nature 329, 403–408.

Kempton, W., D. Feuermann und A. E. McGarity. 1992. 'I always turn it on super': User Decisions About When and How to Operate Room Air Conditioners. Energy and Buildings 18 (3), S. 177–191.

Klingholz, Reiner. 1994. Wahnsinn Wachstum. Wieviel Mensch erträgt die Erde? Hamburg: Geo-Buch.

Klüting, Rainer. 1995. Der Faktor 10 Club. Bild der Wissenschaft, März, S. 78–80.

Knoflacher, Hermann. 1995. Economy of Scale – Die Transportkosten und das Ökosystem. Gaia 4, S. 100–108.

Kohn, Alfie (1986). No Contest. The Case Against Competition. Boston: Houghton Mifflin. Auch: Alfie Kohn. 1990. The Brighter Side of Human Nature. Altruism and Empathy in Everyday Life. New York: Basic Books.

Krämer-Badoni siehe Burwitz u.a.

Kranendonk, Sascha, und Stefan Bringezu. 1993. First Estimates of the Material Intensity of Orange Juice. Fresenius Environmental Bulletin 2 (8), S. 455–460.

Krause, Florentin, Jonathan Hooney, Alan Sanstad u. a. 1993–1996. Energy in the Greenhouse: Volume Two, Bericht des International Project for Sustainable Energy Paths (IPSEP) an das niederländische Umweltministerium. (Besteht aus sechs teilweise ihrerseits unterteilten Teilen.) El Cerrito, CA (7627 Leviston Avenue): IPSEP.

Liedtke, Christa. 1993. Material Intensity of Paper and Board Production in Western Europe. Fresenius Environmental Bulletin 2 (8), S. 461–466.

Liedtke, Christa, Friedrich Hinterberger, Thomas Merten und Friedrich Schmidt-Bleek. 1993. Perspektiven und Chancen für den Werkstoff Stahl aus ökologischer Sicht. Wuppertal: Wuppertal Institut.

Lorius, Claude, u. a. 1985. A 150.000 Year Climatic Record from Antarctic Ice. Nature 316, S. 591–596.

Loske, Reinhard. 1995. Orientierungspunkte für ein zukunftsfähiges Deutschland. In Udo E. Simonis u. a. (Hg.), Jahrbuch Ökologie 1996. München: Beck.

Lovins, Amory B. 1988. Negawatts for Arkansas. 3 Bde. RMI Publication U88–30.

Lovins, Amory B. 1990. How a Compact Fluorescent Lamp Saves a Ton of CO_2. RMI Publication 90-5.

Lovins, Amory B. 1992. Energy-Efficient Buildings: Institutional Barriers and Opportunities, E-SOURCE (Boulder CO 80302), Strategic Issues Paper Nr. 2, November 1992.

Lovins, Amory B., M. M. Brylawski, D. R. Cramer und T. C. Moore. 1995. Hypercars: Materials and Policy Implications. The Hypercar Centre, Rocky Mountain Institute, 31. Januar 1995, 283 Seiten.

Lovins, Amory B., und L. Hunter Lovins. 1995. Reinventing the Wheels. The Atlantic Monthly 271 (1), S. 75–81.

Lünzer, Immo. 1992. Energiebilanzen in der Landwirtschaft bei unterschiedlicher Wirtschaftsweise. In Stiftung Ökologie und Landbau (SÖL) (Hrsg.). Sinnvoller Umgang mit Energie auf dem Bauernhof. SÖL: Bad Dürkheim, S. 15–34.

338

MacKenzie, James J., Roger Dower und Donald Chen. 1992. The Going Rate: What it Really Costs to Drive. Washington, D. C.: World Resources Institute.

Maddox, John. 1972. Unsere Zukunft hat Zukunft. Stuttgart: DVA.

Mander, Jerry, und Edward Goldsmith. 1995. The Case Against the Global Economy. San Francisco: Sierra Club Books.

Masuhr, Klaus P., Stephan Schärer und Heimfrid Wolff. 1995. Die externen Kosten der Energieversorgung. Internalisieren ohne Staat? Untersuchung im Auftrag des Bundesministeriums für Wirtschaft. Basel: Prognos.

Mauch, Samuel, Rolf Iten, Ernst U. von Weizsäcker und Jochen Jesinghaus. 1992. Ökologische Steuerreform. Chur: Rüegger.

Meadows, Dennis H., Donella L. Meadows, Jørgen Randers und William W. Behrens. 1972. Die Grenzen des Wachstums. Stuttgart: DVA.

Meadows, Donella, Dennis Meadows und Jørgen Randers. 1992. Die neuen Grenzen des Wachstums. Stuttgart: DVA.

Meyer, Niels I., Olav Benestad, Lennart Emborg und Eivind Selvig. 1993. Sustainable Energy Scenarios for the Scandinavian Countries. Renewable Energy 3, S. 127–136.

Meyer, Niels, und Jørgen Stig Nørgård. Planning Implications of Electricity Conservation: The Case of Denmark. In Thomas B. Johansson u. a. (Hrsg.). Electricity: Efficient End-Use and New Generation Technologies, and Their Planning Implications. Lund (Schweden): Lund University Press.

Mez, Lutz. 1994. Die ökologische Steuerreform in Dänemark. IÖW/VÖW-Informationsdienst 2, S. 9–10.

Mills, E. 1989. An End-Use Perspective on Electricity Price Responsiveness. Universität Lund (Schweden).

Mooney, Pat, und Cary Fowler. 1991. Die Saat des Hungers. Wie wir die Grundlagen unserer Ernährung vernichten. Reinbek bei Hamburg: Rowohlt (rororo aktuell).

Müller, Michael, und Peter Hennicke. 1994. Wohlstand durch Vermeiden. Mit der Ökologie aus der Krise. Darmstadt: Wissenschaftliche Buchgesellschaft.

Müller, Michael, und Peter Hennicke. 1995. Mehr Wohlstand mit weniger Energie: Energiekonzepte, Effizienzrevolution, Solarwirtschaft. Darmstadt: Wissenschaftliche Buchgesellschaft.

Nelson, Ken E. 1993. Dow's Energy/WRAP Contest, Vortrag bei der 1993 Industrial Energy Technology Conference, Houston, 24–25 März 1993. Erhältlich über E-Source , Boulder, CO 80302-5114 oder Kentech, Baton Rouge, LA, USA.

Neumann-Mahlkau, Peter. 1993. Acidification by Pyrite Weathering on Mine Waste Stockpiles, Ruhr District, Germany. Engineering Geology 34, 125–134.

Nordhaus, William. 1990. Count Before You Leap: Economics of Climate Change. The Economist, Juli.

Nordhaus, William. 1993. Managing the Global Commons. Cambridge, MA: MIT Press.

Nørgård, Jørgen Stig. 1989. Low Electricity Appliances – Options for the Future. In Thomas B. Johansson u. a. (Hrsg.). Electricity: Efficient End-Use and New Generation Technologies, and Their Planning Implications. Lund (Schweden): Lund University Press.

Öko-Institut und Wuppertal Institut. 1995. Endbericht »Least Cost Planning« für die Stadtwerke Hannover. Darmstadt und Wuppertal.

Olivier, David. 1992. Energy Efficiency and Renewables: Recent Experience on Mainland Europe, Herefordshire, England: Energy Advisory Associates.

Panayotou, Theodore. 1993. Green Markets: The Economics of Sustainable Development. San Francisco: ICS Press.

Petersen, Markus. 1994. Ökonomische Analyse des Car-sharing Berlin. Berlin: Stattauto.

Petersen, Rudolf, und Karl-Otto Schallaböck. 1995. Mobilität für morgen. Chancen einer zukunftsfähigen Verkehrspolitik. Basel/Berlin: Birkhäuser.

Rabinovich, Jonas, und Josef Leitman. 1996. Stadtplanung in Curitiba. Spektrum der Wissenschaft. Mai 1996, S. 68–75. Weitere Informationen erhältlich über Jonas Rabinovich, Urban Development Unit, UNDP, New York, 10017, USA.

Read, Peter. 1994. Responding to Global Warming: The Technology, Economics and Politics of Sustainable Energy. London: Zed Books.

Rechsteiner, Rudolf. 1993. Sind hohe Energiepreise volkswirtschaftlich ungesund? Gaia 2, Heft 6, S. 310–327.

RERC (Real Estate Research Corporation). 1974. The Costs of Sprawl: Environmental and Economic Costs of Alternative Residential Development Patterns at the Urban Fringe, 3 Bde., Bericht für den President's Council on Environmental Quality. Washington, D. C.: Department of Housing and Urban Development, and Environmental Protection Agency.

Repetto, Robert, Roger Dower u. a. 1992. Green Fees. How a Tax Shift Can Work for the Environment and the Economy. Washington, D. C.: World Resources Institute.

Ripl, Wilhelm. 1994. Nachhaltige Bewirtschaftung von Ökosystemen aus wasserwirtschaftlicher Sicht. In Joseph Huber und Peter Fritz (Hrsg.). Sustainable Development. Stuttgart: Edition Universitas.

RMI (Rocky Mountain Institute). 1994. Water Efficiency: A Resource for Utility Managers, Community Planners and Other Decisionmakers (in Kooperation mit der US EPA). 4. Aufl., November 1994.

Romm, Joseph J. 1994. Lean and Clean Management. How to Boost Profits and Productivity by Reducing Pollution. New York: Kodansha International.

Romm, Joseph J., und William D. Browning. 1994. Greening the Building and the Bottom Line: Increasing Productivity Through Energy-Efficient Design. Snowmass, CO: RMI Publication 94–27.

Rubik, Frieder. 1994. Bibliographie zum Thema Produktlinienanalyse und Ökobilanzen. Berlin: Institut für ökologische Wirtschaftsforschung.

Scherhorn, Gerhard. 1994. Die Unersättlichkeit der Bedürfnisse und der kalte Stern der Knappheit. In B. Biervert und M. Held (Hrsg.). Das Naturverständnis der Ökonomik. Frankfurt am Main: Campus. Vgl. auch: Gerhard Scherhorn. 1994. Egoismus oder Autonomie. Über die Beschränktheit des Eigennutzprinzips. In Thomas Leon Heck (Hrsg.). Das Prinzip Egoismus. Tübingen: Nous Verlag.

Schmidheiny, Stephan, mit dem Business Council for Sustainable Development. 1992. Kurswechsel. Globale unternehmerische Perspektiven für Entwicklung und Umwelt. München/Zürich: Artemis & Winkler.

Schmidt-Bleek, Friedrich. 1994. Wieviel Umwelt braucht der Mensch? MIPS - das Maß für ökologisches Wirtschaften. Basel/Berlin: Birkhäuser.

Schmidt-Bleek, Friedrich, siehe auch Carnoules Declaration of the Factor Ten Club

Spangenberg, Joachim, siehe Wuppertal Institut

Stahel, Walter, und Eugen Gomringer. 1993 (Internationales Forum für Gestaltung/ IFG). Gemeinsam nutzen statt einzeln verbrauchen. Giessen: Anabas Verlag.

Shiva, Vandana. 1992. Staying Alive. Women, Ecology and Development. London: Zed Books.

Third World Network. 1995. The Need for Greater Regulation and Control of Genetic Engineering. A Statement by Scientists Concerned about Current Trends in the New Biotechnology. Penang, Malaysia: Third World Network.

Tooley, Michael J. 1989. Global Sea-levels: Floodwaters Mark Sudden Rise. *Nature* 342 (6245), S. 20–21.

Tsuchiya, Haruki. 1994. Energy Analysis of Daily Activities. *Energy for Sustainable Development* 1 (3), September, S. 39–43.

Ueberhorst, Reinhard, siehe Burns, Tom R., und Reinhard Ueberhorst

UNDP. 1994. Human Development Report. New York/ Oxford: Oxford University Press.

Vester, Frederic. 1995. Crashtest Mobilität. München: Heyne.

Wackernagel, Mathis. 1996. Die ökologischen Fußstapfen. Basel: Birkhäuser.

Weiss, Edith B. 1989. In Fairness to Future Generations: International Law, Common Patrimony and Intergenerational Equity. Tokyo: United Nations University/Dobbs Ferry, N.Y.: Transnational Publishers.

Weiss, Edith B. 1992. Environment and Trade as Partners in Sustainable Development. *The American Journal of International Law* 86, S. 728 ff.

Weizsäcker, Christine und Ernst. 1978. Recht auf Eigenarbeit statt Pflicht zum Wachstum. *Scheidewege* 9, S. 221–234.

Weizsäcker, Ernst Ulrich von. 1994. Erdpolitik. Ökologische Realpolitik an der Schwelle zum Jahrhundert der Umwelt. 4., aktual. Aufl. Darmstadt: Wissenschaftliche Buchgesellschaft.

Welfens, Maria J., Doris Gerking, Michael Hokkeler und Hartmut Stiller. 1995. »Schattensubventionen« im Bereich des PKW-Verkehrs. Wuppertal: Wuppertal Institut.

Wilson, Edward O. 1995. Der Wert der Vielfalt. Die Bedrohung des Artenreichtums und das Überleben des Menschen. München: Piper.

World Energy Council. 1993. Energy for Tomorrow's World. The Realities, the Real Options and the Agenda for Achievement. London: Kogan Page.

Wuppertal Institut. 1995. Towards Sustainable Europe (Hauptautor: Joachim Spangenberg). Luton (Bedfordshire): Friends of the Earth Publications.

Yergin, Daniel. 1991. The Prize: The Epic Quest for Oil, Money and Power. London: Simon and Schuster.

Young, John E. 1992. Mining the Earth. Worldwatch Paper No. 109. Washington: Worldwatch Institute.

Register

Materialintensität pro Service (MIPS) 102, 111f., 124, 267; *siehe auch einzelne Stichworte*
Mauna Loa, Hawaii 249 f.
Meadows, Dennis (und Donella) 235, 285–288, 290, 294, 296
Medema, Steven 225
Meereseutrophierung 260
Merck Manual 109
Merten, Thomas 113
Metall 128; Gesamtverbrauch 266 f.
Metallhalogenlampen 69
Methan (CH4) 254
Mexiko 15, 229
Meyer, Niels 78 f., 81
Michigan State University 225
Mikroelektronik 280
Minamata 273
Mischkulturen, perennierende 130
Misereor 246
Mitsubishi 146; Semiconductors America 117
Möbelherstellung 104 f.
Monokulturen 128 f.
Montrealer Protokoll 318
Morro, Bay 200
Motoreffizienz 34
Motorenleistungen 90 f., 186 f.
Mülldeponiegas 255
Mülldeponien 127, 263, 265
Müll 137; Entsorgung 137, 162, 265; Gebühren 264 f.; Verbrennung 263, 272
Müller, Michael 192
Münchner Rückversicherungs-Gesellschaft 248
Museum of Modern Art 104

N_2O-Emission 254 f.
NAFTA 316
Nassau, Bahamas 258
National Academy of Engineering 19
National Seed Storage Laboratory (NSSL) 321
Natterer, Julius 140 f.
Natural Resources Defense Council 46, 213
Nederlandsche Middenstandsbank

(NMB) *siehe* International Netherlands Group
Negaauto 170
Negaliter 33, 200
Negameilen 213
Negareisen 170, 188, 192, 194, 198–203
NeiTech 156
Nelson, Ken 99 ff.
Die neuen Grenzen des Wachstums 235, 288 f., 295
Neumann-Mahlkau, Peter 263, 267
New Economics Foundation 302
Nickel-Metallhydrid-Batterie 107
Niederlande (Holland) 68, 85, 137, 230, 245
Nitratfrachten 260
Nordhaus, William 181 f., 276
Nørgård-Studie 61
North Carolina 117
Northrop, Michael 315
Norwegen 79 f., 201
»Null«-Emission 275
Nutzenergie 98

OECD-Länder 102, 113, 222, 274
OECD-Polymerproduktion 107
Ohno, Taiichi 88
Oklahoma City, USA 214
Öko-Audit 281 ff.
Ökobilanzen 282; Behältermehrfachnutzung 140; Kunststoffe 139
Ökodiktatur 246
»Öko-Effizienz« 227
Ökofundamentalisten 177
Ökoinstitut, Freiburg 191
Ökokapitalismus 178, 184
ökologisch dauerhafte Entwicklung 239, 241
»ökologische Fußstapfen« 244 f.
»ökologischer Rucksack« 105, 267 ff., 281; Auto 270; Energie 268; Geschäftsreisen 148; Kohle 268, 270; Metallverbrauch 267, 269; Stahl 113; Unterfangung 137
ökologische Steuerreform 24, 219–231, 319

350